C

Claire Norton est née en 1970. Après une avant-première chez France Loisirs, son premier roman *En ton âme et conscience...* est publié en 2018 aux éditions Robert Laffont. Un succès confirmé par *Malgré nous...* en 2019. En 2020, *Ces petits riens qui nous animent...* paraît chez le même éditeur.

ÉGALEMENT CHEZ POCKET

EN TON ÂME ET CONSCIENCE…

MALGRÉ NOUS…

CES PETITS RIENS QUI NOUS ANIMENT…

# CES PETITS RIENS QUI NOUS ANIMENT...

CLAIRE NORTON

# CES PETITS RIENS QUI NOUS ANIMENT...

L'éditeur de cet ouvrage s'engage dans une démarche de certification FSC® qui contribue à la préservation des forêts pour les générations futures.

Pour en savoir plus :
www.editis.com/engagement-rse/


ISBN 978-2-266-31566-1
Dépôt légal : avril 2021

# 1.

Aude s'engouffra dans la bouche du métro Alésia en essayant de contrôler au mieux ses jambes qui tremblaient encore.

Elle n'arrivait pas à y croire.

Comment cela avait-il pu arriver ?

La journée avait pourtant commencé normalement, au cabinet d'architecture que son mari Xavier et elle avaient créé il y avait une douzaine d'années. Une entreprise prospère, qui comptait aujourd'hui une quinzaine d'employés.

Ce matin, comme souvent, l'agenda partagé de Xavier affichait un rendez-vous clientèle à l'extérieur. C'était le cœur de son activité d'architecte : décrocher des contrats, négocier les honoraires et superviser les travaux. En tant qu'associée et cofondatrice de la boîte, le job d'Aude était beaucoup moins *fun* et se résumait à « faire tourner le reste ». C'est-à-dire la gestion financière, la conception des messages publicitaires, le pilotage des ressources humaines et toutes les autres activités dites accessoires.

Trois ans plus tôt, le développement du cabinet avait nécessité d'embaucher une assistante de direction. Aude pensait l'avoir trouvée en la personne de

Cindy, une jeune femme efficace de vingt-six ans. D'une efficacité redoutable, même. Il ne lui avait fallu que huit mois pour passer de la saisie des courriers institutionnels à l'envoi de sextos sur le portable de Xavier.

Aude se repassa le film du moment où tout avait basculé : ce jour-là, elle tenait avec Xavier une réunion de chantier, leurs clients étaient face à eux. Quand Xavier s'était levé pour souligner un élément sur le paperboard, un SMS s'était affiché sur son téléphone, qui se trouvait juste sous le nez d'Aude : « Aujourd'hui, je ne porte pas de culotte. Vivement midi ;-) » Suivi d'un second : « 12 h 30 au même endroit que d'habitude. »

Pas de nom d'émetteur, juste un numéro de portable. Qu'elle avait noté à toute vitesse malgré la syncope qui menaçait de la paralyser.

Aude ne savait plus très bien comment elle était parvenue à sortir de la salle. Elle avait illico recomposé le numéro en s'accrochant au fol espoir qu'il s'agissait d'une erreur.

Lorsque le prénom « Cindy » s'était affiché, elle avait reçu une nouvelle claque, encore plus violente que la première.

Le lendemain, la démission de Cindy se trouvait sur son bureau.

Xavier avait mis six mois à convaincre Aude que cela avait été une terrible erreur de sa part, et qu'il n'avait fauté avec Cindy que deux fois. Lorsque Aude avait objecté que le « même endroit que d'habitude » du SMS sous-entendait des rencontres plus régulières, il s'était offusqué de la voir mettre sa parole en doute.

*Et, naïvement, tu as accepté de le croire.*

*Tu étais même parvenue à oublier cette histoire.*

*Jusqu'à tout à l'heure.*

Jusqu'à ce concours de circonstances : un dossier oublié, Xavier injoignable sur son téléphone, la consultation de son agenda et un demi-tour vers leur appartement.

Là, elle se revoyait pousser la porte d'entrée, puis se diriger vers le salon, les clés à la main. Le dossier était posé sur la table. Mais elle s'était subitement figée : des gémissements en provenance de la chambre, dont la porte était entrouverte, ne laissaient aucun doute sur l'activité en cours. Là encore, elle s'était surpassée pour trouver des explications rassurantes.

Elle avait poussé le battant qui était venu cogner contre le mur.

Elle savait, elle *sentait* ce qui l'attendait derrière. Et pourtant la réalité avait dépassé tout ce qu'elle avait imaginé.

Devant elle, Xavier et une femme se trouvaient dans une position pour le moins acrobatique. Dans le feu de l'action, ils ne l'avaient pas entendue entrer. Alors que son cerveau gravait les moindres détails de cette scène, Aude n'avait pu retenir un « Mon Dieu, ce n'est pas vrai... ». Son réflexe avait été de porter la main à sa bouche. Celui de Xavier, de lâcher sa prise. Aude avait ainsi découvert que sa compagne de jeu n'était autre que... Cindy.

Anéantie, elle avait rapidement balayé la pièce du regard avant de poser les yeux sur le sexe de son cher époux, dépourvu de préservatif.

Elle s'était précipitée vers la sortie, tandis que Xavier hurlait dans son dos : « Ma chérie, c'est un malentendu. Reviens, Aude, reviens ! »

Elle voyait encore Xavier totalement nu la poursuivre sur le palier.

Et puis plus rien.

Comme un robot, elle s'était ruée dans la première bouche de métro, et elle arpentait à présent le quai de la ligne 4, direction Porte-de-Clignancourt. Et pendant qu'elle attendait la prochaine rame, une image hantait son cerveau.

Seize années de mariage pour en arriver là... Était-il vraiment utile de repasser en boucle ce film pathétique ?

*Non.*

*Mais les images défilent, tu n'y peux rien.*

*Et, tu dois le reconnaître, ça pique fortement.*

Ses mains et ses jambes tremblaient toujours.

*Tu te dégoûtes autant que tu te fais de la peine.*

Le métro arrivait.

Qu'est-ce qu'elle était censée faire, là ? Se murer dans le silence ou en parler ? Mais en parler à qui ? Avoir consacré toutes ces années à sa réussite professionnelle l'avait isolée. Elle n'avait plus d'amie intime à qui confier ces choses difficilement avouables.

*Alors quoi ?*

*Si tu avais perdu ton mari dans un accident, tu aurais pu inonder les réseaux sociaux de ta tristesse et on t'aurait félicitée pour ton courage. Tu te serais sentie soutenue à coups de «* like *», même si cela n'atténue pas le chagrin. Mais là, tu dois la fermer. Te terrer aussi loin que possible dans les profondeurs* *du secret. De la douleur aussi. Et de la honte. Parce que être cocue condamne au silence. À moins de lui préférer la commisération ou la moquerie.*

Qu'est-ce que cela faisait mal...

*« Qui me trompe une fois, honte à lui. Qui me trompe deux fois, honte à moi ! » Tu ne peux t'en prendre qu'à toi-même. Tu aurais dû réagir il y a deux ans et demi...*

Pourquoi Xavier leur avait-il fait ça ?

*C'est sûr, ce n'est pas avec toi qu'il aurait essayé ces positions acrobatiques. Maigre consolation, Cindy doit carrément être en pièces détachées à l'heure qu'il est. Mais ce n'est tout de même rien comparé à l'état dans lequel tu es, toi.*

Les images de la scène la ramenèrent à l'absence de préservatif. Elle éprouva soudainement une violente envie de vomir.

Comment pouvait-on prétendre aimer son conjoint et lui faire courir le risque, au mieux de choper une infection, au pire... ?

*À toi désormais de subir les tests qui t'assureront que tu n'as pas été contaminée par une saloperie de virus. Mais qu'est-ce que tu as bien pu faire pour mériter une telle trahison ?*

*Est-ce que tu le dégoûtes à ce point ?*

*Peu importe. Quelle que soit la réponse, il aurait dû t'en parler.*

*Mais, quand même, avoue que tu t'es laissée aller. Toi qui étais plutôt athlétique, tu n'as plus mis les pieds dans une salle de sport depuis dix ans.*

Son hygiène de vie s'était détériorée : un sandwich ingurgité à midi en cinq minutes, une bonne cuillère de Nutella le soir histoire de se donner du baume au cœur pour la journée du lendemain... Mais si la fidélité ne tenait qu'à la capacité des femmes à rester éternellement fraîches et toniques, toutes avaient vraiment du mouron à se faire !

*Xavier a dû préférer se taper un Tubeless bien ferme au lieu de se consacrer à la chambre à air passablement dégonflée qui lui servait d'épouse.*

Aude se sentit subitement mal dans sa peau. Elle l'aurait juré, la femme assise en face d'elle la regardait d'un air bizarre : elle fixa sa robe avant de la gratifier d'un sourire condescendant qui signifiait clairement « ma pauvre fille ».

*C'est vrai qu'il ne faudra pas compter sur toi pour lancer une* new wave *vestimentaire. Le tissu fleuri rappelle le papier peint psychédélique des années 1970, et les couleurs sont passées au fil des lavages. Mais bon ! Faut-il être une* fashion victim *pour se voir considérée comme une femme ?*

*Apparemment oui.*

Elle essaya en vain de se rappeler la dernière fois qu'elle était entrée dans un magasin de vêtements...

*Tu es vraisemblablement trop vieille dans ta tête pour penser qu'une jupe ras-la-table-de-jeu est le top du sexy.*

*Tu es devenue un vieux machin...*

Elle lutta pour ne pas éclater en sanglots.

*Tranquille, Aude. Tu n'as que quarante et un ans, quand même...*

*« Que » ? Déjà, tu veux dire... Quarante et un ans pour une femme, c'est l'équivalent de soixante piges pour un mec.*

Elle se sentait oppressée. Ses yeux la brûlaient.

*Tu es aussi moderne qu'une chambre à air de Talbot Horizon...*

Il allait pourtant falloir qu'elle se ressaisisse et qu'elle reconnecte rapidement ses neurones.

*Que faire ? Partir ou rester ?*

Elle ne voulait pas rejoindre ces femmes qui se taisaient et fermaient les yeux par peur de perdre leur confort social. Et puis, comment retourner à l'étude le lendemain sans que toute l'équipe lise sur son visage qu'il y avait un problème ?

Station Gare-de-l'Est.

Elle n'était pas loin du parc des Buttes-Chaumont. Là où tout avait commencé avec Xavier, lorsqu'il l'avait demandée en mariage...

Et si elle y allait ? Tenter de remonter le temps pour comprendre où leur histoire avait dérapé, ça marcherait peut-être. Si tant est qu'il y eût quelque chose à comprendre.

Aude sortit précipitamment de la rame en se faufilant entre les passagers.

De toute façon, comment pourrait-elle retourner dans leur appartement et dormir dans cette chambre où... ? Inimaginable. Il ne lui restait qu'à trouver un hôtel. Pour une durée indéterminée.

Partir ou rester ?

*Là, tu as juste envie de demander le divorce. Par principe. Et cette réaction est normale.*

Elle sentit une larme couler sur sa joue. Elle aurait aimé qu'on la rassure, qu'on lui dise qu'elle était belle.

*À moins de tomber sur un mec à lunettes à quadruple foyer, il va falloir patienter avant que ton physique ne déclenche la flamme dans un regard masculin.*

*En attendant, arrête de chialer comme une Madeleine. Les gens doivent imaginer que tu viens de perdre ta mère.*

*Tu vois, tu pensais être heureuse en ménage. Mais avec sa « testostéronite » aiguë, ton mari vient de dynamiter cette illusion. Et il t'ouvre les yeux sur ce bonheur qui n'existe pas.*

Son regard tomba sur une immense affiche Gleeden, « le premier site de relations extraconjugales pensé par des femmes ». Peut-être était-elle complètement à côté de la plaque, mais cette démocratisation de l'adultère la choquait, et elle n'arrivait pas à considérer que tromper son mari soit le meilleur antidépresseur ou un remède à la routine.

Les questions et les images grouillaient dans sa tête comme des milliers d'asticots : depuis combien de temps Xavier la trompait-il ? Cindy était-elle la première ? Leur relation avait-elle duré toutes ces années ?

Dehors, l'air lui parut toujours aussi irrespirable. Elle s'avança vers la file de taxis et monta dans la première voiture. Le conducteur venait de lui jeter un coup d'œil goguenard. Mon Dieu, ça se voyait sur son visage, tout le monde savait ce qui venait de se passer, la honte...

*C'est surtout que tu deviens complètement parano !*

— Le parc des Buttes-Chaumont, s'il vous plaît.

Un coup d'œil sur sa montre. 7 h 40. Le parc serait-il seulement ouvert à cette heure-ci ?

*Sûrement, en plein mois de mai. Et en semaine, il n'y aura pas grand monde, tant mieux.*

Partir ou rester ?

Choisir de divorcer à son âge alors que Xavier et elle avaient une affaire ensemble était suicidaire. Leur entreprise, n'était-ce pas l'enfant qu'ils n'avaient pas eu ?

*Non.*

*C'est toi que tu as besoin de convaincre d'une telle absurdité.*

*Parce que tu n'as pas le cran de tout foutre en l'air.*

*Parce que tu as la trouille de finir seule maintenant que tu te sais vieille et moche.*

*Et parce que ta vie se résume finalement à ton boulot et à Xavier.*

— Ça vous va, l'entrée rue Botzaris ?

Elle remercia le chauffeur et s'éjecta du véhicule.

Il était 7 h 55, et le parc était bien ouvert. Aude descendit un escalier qui menait à un sentier. Puis elle tourna sur sa gauche. Elle retrouva la petite cascade. À cette heure matinale, il n'y avait effectivement que quelques joggeurs. Ralentissant le pas, elle savoura le silence entrecoupé du pépiement des oiseaux. Le Temple de la Sibylle n'était plus très loin. Curieusement, soudain, l'idée de se retrouver seule sous ce kiosque lui faisait peur.

Elle venait d'atteindre le magnifique pont de pierre qui reliait le parc à l'île du Belvédère. La vue sur Paris y était splendide. C'était le bon endroit pour commencer à réfléchir.

Manque de chance, quelqu'un s'y trouvait déjà : une jeune fille.

Face au lac, celle-ci tenait fermement les barreaux de la rambarde verte. Parfaitement insensible à la beauté du paysage qu'elle surplombait, elle fixait des yeux un téléphone portable posé sur l'avancée de ciment. Aude ne voyait que son profil, mais il était clair que cette jeune fille paraissait aussi abattue qu'elle...

Ce n'était pas grave : Aude allait prendre l'autre côté. Ce qui comptait, c'était le silence.

Au bout du pont, un homme assez jeune, accroupi, caressait avec amour son chien, un bouledogue noir de petite taille. Il tourna la tête dans sa direction et elle fut frappée par sa beauté : un visage fin, dont l'ovale était dessiné dans un ensemble harmonieux, de magnifiques yeux verts, un nez aquilin.

Elle revint contempler le paysage...

*

Toujours accroupi, Alexandre de Fontarnet laissa son regard se perdre au loin, tandis qu'il continuait à caresser le corps trapu et musclé de son chien. À l'heure qu'il était, il aurait dû être en train de se préparer pour son voyage vers Palma de Majorque. Avec Dimitri à ses côtés. Et au lieu de ça...

L'animal lui lécha l'avant-bras. Les yeux du jeune homme revinrent se poser sur le museau aplati et les babines pendantes. Dimitri avait été bien inspiré en lui offrant cette bête six mois plus tôt. Comment ne pas craquer ? Son index contourna affectueusement les oreilles de l'animal, aussi droites que celles des chauves-souris.

Six mois... La belle époque. Celle où Dimitri et lui filaient le parfait amour, où tous les espoirs étaient encore permis. Notamment celui d'imaginer qu'il aurait un jour le courage d'aller trouver ses parents pour leur annoncer que leur fils ne donnerait jamais la vie à la descendance qu'ils réclamaient. Celui encore de leur avouer que la personne qui faisait chavirer son cœur ne portait ni jupe ni talons. Mais entre imaginer et passer à l'action...

Quelle ironie. On lui reprochait ses manières précieuses et exubérantes, mais il devait préserver les illusions de mâle reproducteur. À quoi rimaient ce jeu hypocrite, ces faux-semblants permanents ?

Enfant très émotif chez qui la moindre joie provoquait une extase, la plus petite peine des sanglots sans fin, Alexandre s'était toujours senti en marge de sa famille où il était de bon ton de ne rien laisser paraître de ce que l'on ressentait.

S'il en était besoin, un événement lui avait permis de prendre conscience du rejet paternel. Un jour, alors qu'il s'extasiait sur la peinture d'une composition florale réalisée par sa mère, son père l'avait invité d'une voix cassante à le rejoindre dans le salon. Alexandre avait quinze ans. Il ne s'attendait pas à l'échange, bref mais mémorable, qui avait suivi. Son père était venu se planter face à lui pour lui déclarer sèchement qu'il n'aurait jamais imaginé enfanter un garçon si « singulier ». En le toisant d'un regard qui ne laissait aucun doute sur ce qu'il entendait par là.

Cette douche froide avait glacé le naturel enthousiaste d'Alexandre et ce court monologue marqué le début de remarques sarcastiques lancées à la moindre occasion par son père. Alors, pour échapper à ces quolibets qu'il vivait comme autant d'humiliations, Alexandre avait appris à devenir un autre en présence de ses parents. Jour après jour, il s'était appliqué à intérioriser ses émotions et à taire les questions qui l'assaillaient.

Depuis, chaque fois qu'il passait le seuil du domicile parental, il se métamorphosait en cet autre qui ne lui ressemblait en rien.

Dimitri savait tout cela. Il semblait même l'avoir compris.

Mais à présent, il mettait Alexandre au pied du mur en exigeant l'impossible.

Alexandre n'avait pas l'ombre d'un doute sur le fait que Dimitri et lui étaient faits pour vivre ensemble. Mais quand on s'appelait Alexandre de Fontarnet et qu'on avait été élevé dans la stricte observance de principes religieux rigides, les choses devenaient beaucoup moins simples. *Parce que ce n'est pas le cas dans des tas d'autres familles ? Je doute que ce soit plus facile pour un fils d'ouvrier...*

Il caressa la barbe de trois jours qu'il entretenait avec soin depuis ses seize ans. Comme un gage de masculinité.

Dimitri n'acceptait plus qu'Alexandre cache son homosexualité. Comment ce dernier aurait-il pu le lui reprocher ? La famille de Dimitri se résumait à une seule personne : un frère. Il n'avait donc aucune idée des pressions familiales qu'Alexandre pouvait subir.

La veille au soir avait été cauchemardesque. Dimitri lui avait posé un ultimatum. Un choix cornélien : ou Alexandre assumait leur relation et l'officialisait auprès de sa famille, ou ils rompaient. Pour couronner le tout, Dimitri, estimant que leurs vacances aux Baléares n'avaient plus de sens dans un tel contexte, avait annulé leur départ et était retourné dans son appartement.

— Qu'est-ce que je vais faire, Hannibal ? Allez, aide-moi. Dis-moi ce que je dois faire...

Un homme au visage encore juvénile passa à côté d'eux et le toisa d'un air dégoûté. Comme pris en faute, Alexandre rougit avant de lui renvoyer un coup d'œil agacé. Cet abruti n'avait-il donc jamais vu quelqu'un parler à son chien ?

Le monde était décidément peuplé de gens dépourvus de bienveillance. Pourtant, ce type avait une tête de « gentil » – un regard d'une grande douceur et les joues potelées malgré une silhouette svelte. Le gilet sans manches qu'il portait boutonné et ses vêtements parfaitement repassés lui conféraient une certaine élégance. Quant à ses mocassins, ils devaient avoir été cirés durant des heures pour briller autant. Comme quoi l'habit ne faisait pas le moine.

Alexandre songea non sans amertume qu'il correspondait mieux que lui aux critères paternels...

Le malotru poursuivit lentement son chemin vers le pont, où se trouvait toujours l'adolescente qu'il avait aperçue à son arrivée. Il remarqua qu'une femme avait également choisi ce pont pour venir méditer. À cette heure matinale, le jardin n'était-il pas assez vaste pour que tous viennent précisément ici ?

Encore plus agacé, il se leva et chercha la laisse de son chien pour le rattacher.

*

Ce type était complètement frappé ! Prendre conseil auprès de son cabot... Pourquoi ne pas lui demander l'heure, tant qu'il y était ?

Nicolas soupira. C'était en plus sans compter l'aspect répugnant de cette bête, dont les babines laissaient couler de longs filets de bave. Cette glu immonde devait contenir un taux de bactéries inimaginable ! Nicolas chassa la nausée qui l'envahissait et détourna son regard du mucus gluant. Comment pouvait-on vivre avec un chien pareil ?

Il s'engagea sur le pont tout en détaillant la femme sur sa gauche, qui avait les coudes posés sur la rambarde, ses cheveux châtains coiffés en chignon, le visage enfoui dans ses mains. Il crut voir une larme tomber sur la pierre et détourna les yeux. Sur sa droite, une jeune fille fixait son portable le visage fermé, les lèvres serrées. Elle tourna la tête vers lui, leurs regards se croisèrent, et l'expression qu'il y lut le mit mal à l'aise.

Décidément, cette journée semblait s'annoncer merdique pour pas mal de monde... Lui-même était venu ici à la demande de son frère, qu'il devait retrouver à 7 h 30 sur le pont suspendu. Travaillant comme cadreur dans le cinéma, Nicolas avait achevé un tournage tard dans la nuit, et il s'était écroulé de fatigue sur son lit. Réveillé en retard, il s'était précipité au parc pour être à l'heure au rendez-vous. Et c'est en allumant son portable, une fois arrivé au parc, qu'il avait découvert le SMS de son frère, qui lui expliquait avoir eu un imprévu. Nicolas avait essayé de le joindre mais son téléphone était coupé.

Son regard revint se poser sur la femme au chignon : elle paraissait vraiment mal en point. Bon, il avait trop à faire avec ses propres emmerdes pour s'occuper des névroses des autres.

Il haussa les épaules et continua à avancer : il n'était plus très loin de la sortie. Il pourrait s'arrêter dans un troquet et prendre sa dose quotidienne de vitamines C, ce qu'il n'avait pas eu le temps de faire ce matin.

Son pied se posa sur l'autre « rive » et il sourit.

*

Face à la rambarde opposée à l'adolescente, Aude inspira à pleins poumons et ferma les yeux.

Alexandre fit coulisser le système d'ouverture du mousqueton de la laisse.

Nicolas s'interrogea sur la direction à prendre : le chemin de gauche ou bien celui de droite ?

C'est à cet instant précis qu'un hurlement à glacer le sang les cloua tous les trois sur place.

## 2.

Aude demeura quelques secondes pétrifiée. Faisant volte-face, elle se retrouva subitement face à la jeune fille. Celle-ci venait d'enjamber le parapet, et se trouvait maintenant sur le rebord du côté du précipice.

Qu'est-ce qui pouvait bien provoquer un tel hurlement ?

La jeune fille, tout en se tenant agrippée aux barreaux, jeta un regard vers le vide avant de replonger ses yeux dans les siens :

— N'approchez pas, ou je saute !

À quelle hauteur se situait cette saloperie de pont ? Vingt mètres ? Trente ? Si elle sautait... Une image atroce s'imposa à l'esprit d'Aude, ce qui acheva de la paralyser. Tout en restant clouée sur place, elle se souvint de l'homme et du chien. Si seulement...

Au prix d'un immense effort, elle tourna la tête sur sa droite.

Alexandre demeurait lui aussi paralysé.

Mais qu'est-ce qui leur prenait à tous aujourd'hui ? Ils avaient décidé de se liguer contre lui ou quoi ? D'abord ce sale type qui l'avait toisé, ensuite cette nana en larmes, et maintenant cette gamine qui gesticulait au bord du vide...

Il tira sur la laisse et se précipita vers l'adolescente, Hannibal sur les talons.

— Oh là là, mon trésor, je ne sais pas ce que tu envisages pour le reste de la journée mais si j'en crois ce que je vois, ce n'est pas du tout, mais alors pas du tout une bonne idée...

La voix fluette d'Alexandre contrastait avec le tragique de la situation. La jeune fille fut un instant désarçonnée. Mais elle se ressaisit vite :

— N'approchez pas plus ou je vous jure que je saute !

— Moi je crois plutôt que tu devrais...

— Elle vient de vous dire de rester là où vous êtes. C'est plutôt clair comme consigne, non ?

Le type aux mocassins s'était approché à son tour, sans quitter la jeune imprudente des yeux, comme si son regard seul pouvait parvenir à la maintenir accrochée au parapet. La jeune fille lui adressa un triste sourire avant d'ajouter :

— Je suis désolée mais je n'ai pas le choix. Ne bougez pas !

Aude, Alexandre et Nicolas retinrent leur souffle. La jeune fille manipula son portable, qu'elle posa sur le parapet. Une sonnerie retentit au travers du haut-parleur qu'elle avait activé.

Au bout de deux sonneries, une voix grave s'éleva :

— Qu'est-ce que tu fous, Charlène ? Ça fait deux plombes que j'essaie de te joindre alors que je dois aller bosser !

— Je t'avais prévenu, papa. Maintenant, nous y voilà. Je suis au parc. Sur le grand pont. J'ai trois témoins en face de moi. Alors soit tu me promets de m'aider, et cette fois tu tiens ta promesse, soit je saute... DÉCIDE-TOI.

La voix masculine résonna à nouveau dans le silence sépulcral que seuls quelques oiseaux insouciants continuaient d'interrompre.

— Non mais qu'est-ce que c'est que ce bordel ? Arrête ton cinéma et rentre immédiatement à la maison !

— Y a pas moyen ! hurla Charlène.

Aude regarda tour à tour les deux hommes à ses côtés comme pour vérifier que la scène à laquelle elle assistait était bien réelle.

— Ou tu viens et tu me promets, ou je saute, répéta la jeune fille, manifestement décidée.

Un ange passa. Tous fixaient maintenant le portable, d'où une voix calme s'éleva :

— Tu es insupportable et tes caprices m'horripilent, Charlène. Saute si ça te fait plaisir !

Que se passait-il entre ces deux-là ? Aude se sentait au bord de l'évanouissement mais parvint à réagir :

— Non, attends ! dit-elle en avançant d'un pas et en tendant les bras. Ne fais pas de bêtise ! Je pense que ton papa ne se représente pas bien la situation. Passe-moi ton téléphone, s'il te plaît... Je vais lui expliquer.

Charlène considéra son portable en plissant les yeux, comme pour mieux réfléchir. Puis elle l'agrippa d'une main et le balança en direction de la femme tout en lui lançant d'un ton ironique :

— Tenez ! Je vous passe mon « papa » !

Par miracle, Aude parvint à attraper le téléphone à la volée. Elle regarda un instant ses deux voisins qui opinèrent du chef avec vigueur, puis contempla l'appareil comme s'il contenait une bombe à retardement.

Qu'était-on censé dire dans un tel cas ?

— Bonjour monsieur...

La voix tremblante, elle poursuivit :

— Écoutez, je ne vais pas me perdre dans des explications inutiles parce que là, voyez-vous, il y a vraiment urgence. Votre fille est suspendue dans le vide et si vous ne venez pas rapidement, je crains que les choses ne dérapent. S'il vous plaît...

— Bonjour madame. Ravi de faire votre connaissance. Je suis bien le « papa » en question, mais figurez-vous que je ne vais pas rappliquer ventre à terre parce que ma fille me siffle !

— D'accord ! Alors je saute ! hurla Charlène.

— Non !

Alexandre s'était à son tour jeté vers la jeune fille, lâchant la laisse d'Hannibal, les traits décomposés par la terreur.

— Non, attends, je t'en prie. Laisse-nous expliquer à ton père...

Nicolas regarda Aude. Elle était livide. Les mains moites et le cœur battant la chamade à son tour, il lui prit le téléphone des mains :

— Monsieur, je crois que vous ne comprenez pas bien... Votre fille vous appelle au secours !

— Écoutez, je ne sais pas qui vous êtes, mais vous ne connaissez pas ma fille et vous n'avez pas idée de ce dont elle est capable pour parvenir à ses fins. Elle est intelligente. Elle ne sautera pas. Il ne faut pas prendre au pied de la lettre tout ce que les jeu...

Alexandre le coupa, la voix tremblante :

— Non mais, nom de Dieu de nom de Dieu ! Qu'est-ce qui ne tourne pas rond chez vous ?

Il vérifia machinalement que la jeune fille était toujours bien accrochée et poursuivit, ses gestes agités trahissant son angoisse :

— Votre gamine menace de se jeter dans le vide et vous nous faites un cours magistral ?! Mais enfin, monsieur, vous dire que la situation est épouvantable serait un euphémisme ! Qu'est-ce que v...

— Aaaaaargh ! brailla Nicolas.

Terrifié par ce nouveau cri, Alexandre sursauta et lâcha le portable, qui heurta le sol avec fracas.

— Eh ! Mon téléphone ! hurla Charlène.

— Allô ! Allô ? Qu'est-ce qui se passe ? s'égosilla la voix dans le téléphone.

Aude et Alexandre avaient les yeux rivés sur Nicolas en train de se démener tant bien que mal avec Hannibal, qui venait de lui sauter dessus pour lui faire la fête.

— Aidez-moi ! Mais virez-moi cet abruti de clebs ! vociféra-t-il, paniqué.

Dans un sursaut, il parvint à décocher un magnifique coup de pied à l'animal, qui fut projeté à un mètre de lui dans un couinement à fendre l'âme.

Ulcéré, Alexandre se précipita vers son chien tout en s'adressant à Nicolas d'une voix glaciale :

— Mais ça va pas, non ? Vous n'êtes qu'un grossier personnage, et chez vous non plus ça ne tourne pas rond. Hannibal voulait simplement des caresses. Vous êtes un monstre !

Nicolas lui rétorqua froidement :

— Et vous, un inconscient, même pas capable de maintenir en laisse votre molossoïde répugnant ! Et vu comme il vient de baver sur ma godasse, il va me falloir des heures pour éradiquer l'invasion bactérienne causée par votre bestiole immonde !

— Hannibal, une bestiole immonde ? Non mais vou...

— Non mais, qu'est-ce que c'est que ce bordel ? s'énerva la voix dans le téléphone. J'arrive !

Aude était tétanisée. Si elle ne faisait rien, la jeune fille allait sauter et elle aurait cette mort sur la conscience toute sa vie durant.

Elle inspira longuement et lança à la cantonade :

— Ça suffit ! On n'arrivera à rien comme ça. On se calme ! Tous, et tout de suite !

Ses deux voisins la regardèrent avec une mine déconfite. L'homme aux mocassins se racla la gorge.

— Vous avez raison. Pour commencer, lança-t-il en direction de la jeune fille, il serait plus prudent que tu reviennes du bon côté de cette fichue rambarde pour nous expliquer ton problème. Ta position au-dessus du vide ne nous aide pas à nous détendre.

— Hors de question ! Vous me prenez pour une imbécile ou quoi ? Je ne bougerai pas d'ici tant que mon père n'aura pas accepté de m'aider.

— C'est absurde ! Le temps qu'il arrive...

— Oh ! Pour ça rassurez-vous : nous habitons à deux minutes d'ici et mon père a dû partir dès mon appel...

Nicolas soupira en se frottant les tempes.

— ...

— Eh bien me voilà ! On peut savoir ce qui se passe ici ?

— Qu'est-ce que je vous disais ?... marmonna la jeune fille.

Tous les regards convergèrent vers la voix qui les interpellait.

Un homme d'une quarantaine d'années venait vers eux. Le visage carré, un menton fort, des arcades sourcilières bien dessinées abritant des yeux aussi bruns que ses cheveux en bataille. Il émanait quelque chose de farouche de ce regard perçant.

Ulcéré par la question, Alexandre sortit de ses gonds :

— *Ce qui se passe ici ?* Eh bien, je serais ravi que vous me l'expliquiez ! Votre fille est suspendue au-dessus du vide et vous appelle au secours. Et nous, qui n'avons sûrement pas demandé à être mêlés à vos affaires, faisons ce que nous pouvons pour qu'elle reste parmi nous, malgré vos invitations répétées à lui faire lâcher cette rambarde. J'ai bien résumé la situation ou j'ai omis un détail ? finit-il en interrogeant du regard ses deux voisins.

— J'hallucine... Ce n'est pas possible autrement, murmura Aude comme si elle se parlait à elle-même.

La trahison de Xavier, cette pouffiasse dans leur lit, et maintenant ça... D'un coup, elle se sentit complètement submergée, bonne à rien. Seul Nicolas parvint à se ressaisir. Il s'approcha de l'homme et lui chuchota :

— Avez-vous appelé les secours ? Parce que là, il n'y a personne pour nous aider en cas de chute. Même accidentelle.

— Bien sûr que non, répondit son interlocuteur sur un ton parfaitement calme. Je vous l'ai déjà dit : Charlène est intelligente. Elle ne sautera pas.

Sur le coup, Alexandre demeura interdit. Mais quelle idée avait-il eue de venir se promener dans ce coin du parc ? Il se promit d'aller s'enfiler cul sec un ou deux verres de vendanges tardives dès qu'il sortirait de ce cauchemar. Trois, même.

— Non mais vous plaisantez, j'espère ! beugla-t-il. Vous voyez où est votre fille, là ? Sa menace n'est pas assez sérieuse, pour vous ? Et vous trouvez vraiment que tout ce... *binz* ressemble à une blagounette ?

— Non, mais vous ne la connaissez pas. Croyez-moi, jamais elle ne sautera. Vous dramatisez.

Alexandre frisait maintenant l'apoplexie. Aude, qui avait recouvré ses esprits, prit le relais :

— On *dramatise* ? Mais c'est pas possible ! Elle est où, là, votre gamine ? Vous ne voyez pas ? Elle n'est pas en train de vous faire un caprice. Elle lance un appel au secours !

— Et je vous remercie d'avoir accepté de patienter près d'elle jusqu'à mon arrivée. Maintenant rentrez chez vous, il n'y a plus rien à voir.

Aude marmonna entre ses dents serrées, assez fort pour qu'il l'entende bien :

— Bravo ! Si vous aviez l'intention de la faire sauter, vous ne pourriez pas mieux vous y prendre !

Chaque syllabe lui avait coûté. Elle mourait d'envie de coller une bonne paire de gifles à ce type odieux.

— Combien d'enfants avez-vous à votre actif, madame ? répliqua-t-il en la détaillant d'un œil froid, des pieds à la tête.

Déstabilisée, Aude répondit machinalement :

— Euh... je n'ai pas d'enfant. Mais là n'est pas le sujet.

— Bien sûr. Alors vous comprendrez qu'il me faudra davantage que votre expérience pour me convaincre que je m'y prends mal avec ma propre fille. Essayez déjà d'avoir un enfant, si c'est encore possible, et nous en reparlerons dans quelques années...

Quel goujat ! Piquée au vif, Aude lui retourna un regard incendiaire. Elle allait ouvrir la bouche pour le remettre à sa place quand Alexandre lui posa une main apaisante sur l'avant-bras tout en intervenant fermement :

— Écoutez, monsieur, ce n'est pas madame le problème, c'est vous, et votre fille perchée sur ce fichu pont à nous foutre une trouille pas possible ! Alors la moindre des choses serait de prendre ce... ce bordel un peu au sérieux !

— Je n'en peux plus, papa ! lança Charlène. Et ça n'a que trop duré. Tu te moques de ce que je te dis. Tu ne fais aucun effort pour me comprendre. Et je suis sûre que tu m'empêches de partir à sa recherche parce que tu as peur de la revoir. Mais tu ne peux pas m'interdire ça... Ce n'est pas juste, papa.

Son visage était à présent couvert de larmes.

— Descends de là, Charlie..., répondit l'homme en soupirant. Je *sais* que tu n'as aucune intention de sauter. Nous le savons tous les deux. Ce n'est pas en nous donnant en spectacle que tout va s'arranger.

— Non, papa, c'est bien ça le problème. C'est vrai que j'ai escaladé sur un coup de tête. Mais là, tu vois, je me dis que peut-être ce serait mieux que tout s'arrête. Qu'est-ce qui se passerait si je me jetais ? Qu'il y ait du monde ou pas, je me le demande réellement.

L'homme fut un instant décontenancé. Mais il se ressaisit rapidement.

— Charlène, arrête, ne sois pas ridicule. Regarde tout ce que tu fais : tu terrorises ces pauvres gens ! C'est une championne d'escalade, ajouta-t-il à l'intention d'Aude, Alexandre et Nicolas.

— Non, papa. Cette fois-ci c'est différent. Si on doit continuer comme ça, je préfère que tout s'arrête. Et championne d'escalade ou pas, si je saute dans le vide je ne me raterai pas. Alors je ne redescendrai pas sur la passerelle. Pas tant que tu ne m'auras pas promis de m'aider.

L'homme resta de longues secondes silencieux.

— J'en mourrais de chagrin. C'est ça que tu veux ?

Ils se parlaient à présent comme s'ils étaient seuls.

Le père laissa passer un nouveau silence, avant d'ajouter à voix basse :

— Ce n'est pas aussi simple que ça, ma puce. Et tu le sais...

L'espace d'un instant, sa voix grave avait légèrement vacillé. Suffisamment pour révéler une fêlure. Cet homme aurait-il un cœur, finalement ? Aude n'eut pas le temps de se pencher sur la question, Nicolas s'était légèrement avancé : il émanait de lui une force calme. Aude remarqua un énorme grain de beauté sur sa pommette.

— Charlène ? appela-t-il doucement.

La jeune fille se tourna vers lui.

— Je comprends parfaitement que certaines raisons nous poussent à faire des choses terribles. Et je suis certain que tu as de bonnes raisons de faire ce que tu fais aujourd'hui. Mais, Charlène, je t'en prie, laisse-moi te convaincre que nous pouvons trouver ensemble une solution à ton problème. Quel qu'il soit. Parce qu'à plusieurs on est toujours plus forts que tout seul.

Aude déglutit péniblement. La détresse de cette gamine le touchait visiblement autant qu'elle. Elle décida de s'adresser à elle à son tour :

— Écoute, Charlène, nous ne nous connaissons pas et je ne vais pas te raconter ma vie, mais tu sais, moi aussi j'ai connu des moments difficiles. Et j'en traverse même un particulièrement douloureux aujourd'hui. Alors, l'envie de me foutre en l'air, crois bien que moi aussi ça m'a traversé l'esprit.

Elle sentit le regard inquisiteur de la jeune fille et leva les yeux sur elle.

— Mais juste une seconde. Parce que ça, ce n'est pas une solution envisageable.

Les yeux dans les siens, Charlène réfléchit avant de lui répondre :

— Je ne suis pas certaine que votre problème soit aussi compliqué que le mien.

— Ah oui, tu crois ? ricana Aude, une expression d'amertume sur le visage. J'ai bossé comme une tarée toute ma vie, je n'ai jamais eu d'enfant et, comme me l'a fait remarquer ton père avec beaucoup de délicatesse, il vaudrait mieux qu'il ne me prenne pas l'envie d'en avoir un à mon âge. Et pour couronner le tout, ce matin j'ai découvert...

Elle s'interrompit et rectifia :

— Et après avoir appris une terrible nouvelle ce matin, me voici incapable de te dire où je vais pouvoir dormir ce soir. Alors, tu vois, j'aimerais avoir vingt ans de moins pour me dire que j'ai encore toute la vie devant moi pour faire les bons choix.

Elle s'arrêta encore, soudain consciente des quatre paires d'yeux qui la fixaient. Elle ne s'était pas aperçue qu'elle pleurait. Elle baissa la tête, honteuse de s'être ainsi dévoilée devant des étrangers.

Alexandre se sentit ému par les aveux de cette femme. Il devait reconnaître qu'elle avait un truc qui attirait l'attention. Et elle était encore très jolie... Oui, les années passaient vite. Et le bonheur était effectivement fragile. Des images se mirent à défiler devant ses yeux : Dimitri, la première fois qu'ils s'étaient rencontrés, leur première escapade amoureuse à Rome, le mont Palatin, le resto libanais auquel ils aimaient se rendre tous les vendredis soir... Il se passa la main sur sa fine barbe comme pour chasser ces souvenirs et son regard revint se poser sur cette femme qui avait eu le cran d'évoquer ainsi sa blessure.

— Tu es jeune, tu es belle, et ton père dit que tu es intelligente, reprit Aude avec un léger tremblement dans la voix. Alors, je n'ai peut-être aucune expérience de mère, mais en tant que femme je peux te dire que l'avenir te tend les bras.

Elle plongea à nouveau ses yeux dans ceux de la gamine. La jeune fille évaluait la sincérité de sa détresse. Elle soutint donc son regard sans ciller. Au bout d'un moment interminable, le front de Charlène parut se détendre, et elle adressa à Aude un faible sourire.

— Vous êtes courageuse de vous mettre à nu, madame, murmura Alexandre. Enfin, si je peux me permettre, ajouta-t-il, subitement gêné par la maladresse de son propos.

Il se tourna à son tour vers Charlène.

— Tu vois, si je suis venu ce matin me balader avec Hannibal, c'est parce que je suis moi aussi malheureux. À cause d'un chagrin d'amour. Ça n'arrive pas qu'aux filles...

Charlène les observa les uns après les autres un long moment. Son père lui répétait souvent qu'on avait tous un destin. D'habitude, elle trouvait ça grandiloquent. Là, pour la première fois, elle comprenait ce qu'il voulait dire. Parce qu'elle n'aurait pas pu mieux tomber : ce mec hyper canon, qui était sûrement homo et qu'elle trouvait attachant, semblait finalement plus perdu qu'elle, cette femme, à laquelle elle avait bien du mal à donner un âge, n'avait pas l'air tellement plus flambant, et le dernier, avec son visage de gosse et son grain de beauté, paraissait sincèrement bouleversé de la voir derrière ce muret. Avoir mis ces trois personnes sur son chemin précisément ce matin était peut-être un signe de ce fameux destin.

Charlène tourna légèrement la tête et échangea un regard avec son père. Elle l'aimait profondément. Elle savait que c'était réciproque. Mais elle savait aussi qu'il ne lui donnerait jamais ce qu'elle attendait de lui aujourd'hui. Non pas qu'il ne soit pas de parole, simplement parce que c'était au-dessus de ses forces. Alors elle devait trouver un autre moyen de parvenir à ses fins. Et le type au visage de gosse venait peut-être de lui souffler une idée. Qu'avait-il dit, déjà ? Qu'ils pouvaient l'aider à trouver une solution. Parce qu'à plusieurs on était toujours plus forts que tout seul.

Elle s'accroupit sur l'étroite partie cimentée. Ses genoux commençaient à la faire souffrir. Ses mains et ses bras aussi, à force de se cramponner et de rester immobile. Elle baissa les yeux vers le vide, et on entendit un « Oh non ! » étouffé de la part de la femme. Charlène vit son père avancer d'un pas. Il pouvait dire ce qu'il voulait, elle savait qu'il avait peur. Pas qu'elle saute. Bien sûr qu'elle ne lui ferait jamais ça. Mais qu'elle tombe. Et même si elle était habituée à la sensation du vide depuis qu'elle s'adonnait à de l'escalade en club, ses muscles commençaient à faiblir et elle n'était plus à l'abri d'un accident. Mais il fallait qu'elle tienne bon. Qu'elle ne relâche pas la pression sur son père. Combien de fois lui avait-il promis de l'aider, pour ne rien faire finalement...

— Je veux bien remonter sur la passerelle mais à une seule condition. À une seule condition, vous m'entendez ? Que vous me fassiez tous les trois une promesse.

Ils se regardèrent avec étonnement. La jeune fille s'adressa d'abord à son père :

— Je sais que tu m'aimes, papa. Mais je sais aussi que tu te défileras. Comme à chaque fois.

Son regard revint se poser tour à tour sur Aude, Alexandre et Nicolas.

— Et vous, je sens que vous tiendrez parole. Je veux que vous me promettiez de rester à mes côtés le temps de m'aider à résoudre mon problème.

— Je suis désolé mais tu nous demandes quelque chose d'impossible, là ! réagit Nicolas. Tu crois que nous pouvons interrompre nos vies comme ça, juste parce que tu nous le demandes ? Nous avons un travail, des amis, une famille... Ce n'est pas possible. Et nous ne sommes pas les bonnes fées marraines !

— Je suis consciente de tout ça. Mais toute seule, je n'y arriverai pas. Et c'est toi qui as dit qu'à plusieurs on était toujours plus forts... Alors si on s'y met tous, vraiment... Je vous jure que je ne chercherai pas à vous retenir plus que nécessaire, et que plus jamais je ne referai ce que je suis prête à faire si...

— Ça s'appelle du chantage, ma petite poulette, la coupa Alexandre. Et ce n'est pas joli, joli...

— Je sais. Je peux sauter, si vous préférez, rétorqua Charlène en faisant mine de lâcher la rambarde.

Aude se recouvrit le visage des mains. Mais pourquoi avait-elle choisi de venir dans ce parc ? Et pourquoi avait-elle oublié cette saloperie de dossier ? À l'heure qu'il est, elle serait au boulot, Xavier l'y aurait rejointe après son entraînement acrobatique, entraînement dont elle n'aurait rien su. Et la vie serait merveilleuse.

*Merveilleuse ?*

*Tu parles !*

Finalement, qu'est-ce qu'elle avait à perdre ? Qu'avait-elle de mieux à faire de ses prochaines journées ? Retourner à l'agence comme si de rien n'était ? Si au moins elle pouvait se rendre utile... Et cela lui laisserait du temps pour réfléchir. Ce dont elle avait rudement besoin.

— Si ça ne dure pas des mois, pour moi c'est d'accord, lança-t-elle sous le regard sidéré des autres.

Le visage de Charlène s'éclaira, et elle la remercia.

— Et vous ? ajouta-t-elle en direction d'Alexandre et de Nicolas.

Les deux jeunes hommes se regardèrent, embarrassés. Alexandre tenta de jauger Nicolas. N'était-ce pas lui qui avait soufflé cette idée absurde à la gamine ? Sûr qu'il ne s'attendait pas à ce qu'elle leur propose ce type de marché... En tout cas, le concernant, il n'était pas question de prendre la responsabilité de voir la petite plonger. Mais à en juger l'attitude de ce bonhomme, il mettrait sa tête à couper qu'il n'allait sûrement pas se faire suer à promettre un truc pareil. Il se détendit donc et lança :

— D'accord pour moi aussi ! Je te donne ma parole, même si je ne vois pas ce que tu attends de moi.

Là-dessus, il se tourna vers Nicolas en l'incitant à répondre à son tour, un sourire goguenard aux lèvres. Celui-ci comprit immédiatement la technique d'Alexandre. Un coup d'œil vers le chien salivant augmenta son agacement et son dégoût.

— Arrêtez de me coller, avec votre cabot.

Il sentait tous les regards posés sur lui.

— Si vous attendez que je me confesse ou que je pleure à mon tour, nous allons gagner du temps : moi, je n'ai rien à dire...

Un coureur déboula sur le pont et s'arrêta net lorsqu'il vit Charlène derrière le parapet.

— Mon Dieu ! s'exclama-t-il tout en enlevant les écouteurs de ses oreilles. Que se passe-t-il ?

D'un même élan, ils lui signifièrent tous les quatre que tout allait bien. Sans demander son reste, le joggeur repartit au trot.

Nicolas revint sur Charlène. Cette gamine le touchait profondément. Ce n'était pas une ado classique. Quelque chose de juste et de mature émanait d'elle. Comme une quête de vérité. Et ça, ça lui parlait.

D'autre part, il était parfaitement conscient d'être à l'origine de ce pacte étrange et, malgré sa première réaction, il n'entendait pas se défiler : il allait s'occuper de cette petite, vraiment.

Il s'avança donc vers elle et lui tendit la main :

— C'est également d'accord pour moi.

Alexandre le regarda d'un air atterré, ce qui réjouit instantanément Nicolas. Le père de Charlène hocha la tête en soupirant. Lucide, il salua la tactique avec laquelle sa fille était parvenue à embobiner trois adultes. Elle ne simulait pas, évidemment non – n'était-il pas le mieux placé pour comprendre à quel point ce blanc dans son histoire était une souffrance ? Mais elle avait su appuyer sur le bon ressort de chacun pour les convaincre. Pour autant, avoir senti que sa fille adorée ait pu, ne serait-ce qu'une seconde, réellement envisager de sauter le déstabilisait plus qu'il n'était prêt à l'admettre. N'aurait-il pas dû mieux mesurer à quel point cette situation la rendait malheureuse ? Avait-il eu tort de faire les choix qu'il avait faits ?

— Vraiment, vous me promettez tous les trois ? insistait Charlène.

— OUI ! s'écrièrent-ils à l'unisson.

— Tout ça est ridicule. Je te laisse avec tes nouvelles nounous, Charlène ! lâcha son père d'un ton agacé. À plus tard ! acheva-t-il en tournant les talons.

Éberlués, Aude, Nicolas et Alexandre le regardèrent s'éloigner en se demandant dans quel guêpier ils s'étaient fourrés.

— Euh... et éventuellement, on pourrait savoir ce que tu attends de nous ? finit par demander Alexandre.

— Pas si vite ! répliqua la jeune fille. Qu'est-ce qui me dit que vous n'allez pas déguerpir dès que je serai revenue sur le pont ? Ou que vous n'allez pas me laisser tomber à la première occasion ? Je vous préviens : si jamais l'un d'entre vous se défile, un seul, je reviendrai ici, et cette fois j'irai jusqu'au bout !

— Je crois qu'on a tous compris..., déclara Nicolas à voix basse.

Aude et Alexandre acquiescèrent en silence.

— Je voulais juste m'en assurer, murmura Charlène.

— Tu peux passer du bon côté de cette putain de rambarde, maintenant, s'il te plaît ? ajouta-t-il en lui attrapant la main.

D'un mouvement souple, elle sauta sur le sol et les regarda tour à tour, droit dans les yeux.

— Donc, à partir de maintenant, nous sommes tous liés jusqu'à nouvel ordre. Ou plutôt, jusqu'à la fin de votre mission...

— Qui est... ? insista Alexandre.

— Vous allez m'aider à retrouver ma mère...

# 3.

Alexandre, Aude et Charlène remontaient côte à côte l'allée de la Cascade et Nicolas, à la traîne, fermait la marche.

S'être engagé dans une telle promesse était une vraie folie. En premier lieu parce que cela signifiait qu'il allait devoir supporter Alexandre, cet abruti fanatique de la gent canine. Ensuite parce qu'il ne voyait pas comment ils allaient pouvoir retrouver la mère de Charlène. Lui n'était ni flic ni magicien... Et nul besoin d'être un fin psychologue pour deviner que ses deux nouveaux camarades de jeu ne l'étaient pas davantage.

Existait-il une autre option ? Ils s'étaient trouvés là par hasard, unis par la seule nécessité d'empêcher à tout prix cette gamine de sauter.

Il soupira. Peut-être que cette rencontre étrange et improbable n'était en fait pas un hasard... L'avenir le dirait.

Le film sur lequel il travaillait s'était achevé cette nuit. Ces derniers mois, il avait enchaîné projet sur projet et il était épuisé. Il était temps que ça se calme un peu. Il avait maintenant quelques semaines devant lui avant de repartir sur un nouveau tournage.

Il accéléra le pas et se retrouva à la hauteur de ses nouveaux compagnons. Il ne put réprimer une grimace de dégoût à la vue du chien.

*Vivement que cette galère soit terminée...*

Mais ce n'était vraisemblablement pas pour tout de suite.

Aude poussait la porte de la brasserie lorsque Nicolas s'exclama :

— Attendez, ils ne vont jamais nous laisser entrer avec une bête !

— C'est Hannibal, la « bête » en question ? s'écria Alexandre, ulcéré. Hannibal n'a rien d'un crotale ou d'un dragon, je vous ferais remarquer ! C'est un petit chien. Et figurez-vous que dans les endroits civilisés, on les accepte.

— Ces bestioles sont bourrées de puces et de microbes ! Je trouve délirant qu'on impose ça à des gens qui viennent se désaltérer !

Alexandre resta quelques secondes sans voix avant de rétorquer :

— Je suis sûr qu'il y a plus de chances de trouver des puces sur vous que sur Hannibal !

Puis il se baissa, attrapa son chien, le serra contre lui et passa devant Nicolas la tête haute. Ce dernier leva les yeux au ciel et entra à son tour.

Alexandre se glissa avec Aude sur une banquette, Charlène et Nicolas s'installèrent en face d'eux sur des chaises. Nicolas ne quitta le chien des yeux que lorsque celui-ci fut couché aux pieds de son maître.

— Bien... Par où commence-t-on ? lança Aude.

Elle n'avait pas fini de poser sa question qu'elle sentit son sac vibrer. Le cœur battant, elle attrapa son téléphone sans remarquer que tous l'observaient. Elle inspira un grand coup et s'interdit de décrocher. Elle ne devait pas prendre de décision hâtive, et surtout pas sous le coup de l'émotion. Elle poursuivit donc :

— Alors, Charlène, raconte-nous...

La jeune fille les regarda tour à tour, puis démarra :

— Je m'appelle Charlène, je viens d'avoir dix-sept ans, et j'ai toujours vécu seule avec mon père.

— Bonjour messieurs dames. Qu'est-ce que je vous sers ?

Un serveur venait de faire irruption, un grand sourire aux lèvres.

— Un café bien serré pour moi ! répondit Alexandre.

— Je prendrai un double, dit Aude.

— Que veux-tu boire, Charlène ? interrogea Nicolas.

— Je n'ai pas soif, merci.

— Mettez-nous deux oranges pressées, s'il vous plaît. Quelques vitamines ne te feront pas de mal, affirma-t-il en s'adressant à la jeune fille.

Le téléphone d'Aude vibrait de nouveau dans son sac à main. Elle fit mine de ne pas l'entendre.

— Ta mère ne vit pas avec vous ?

— Elle a quitté mon père, Jérôme, juste après ma naissance, expliqua la jeune fille. Papa ne s'en est jamais remis.

Aude posa son imper sur son téléphone pour ne plus l'entendre.

Finalement, ce genre d'histoires glauques concernait aussi les hommes. Elle éprouva un fugace élan de compassion pour ce Jérôme qu'elle avait trouvé de prime abord si antipathique.

*Sauf que lui était jeune lorsque ça lui est arrivé.*

*Et un mec célibataire, surtout quand il est avantagé physiquement, ça vaut son pesant d'or sur le marché.*

*Alors qu'une Talbot Horizon, ça n'est même plus coté à l'Argus.*

Mais se faire plaquer juste après la naissance d'un enfant, n'était-ce pas pire encore ?

— ... plus de nouvelles, entendit-elle de la bouche de Charlène.

— Excuse-moi, Charlène. Tu peux répéter ? J'avais la tête ailleurs...

— Je disais que l'an dernier, je suis entrée en contact avec ma mère. Par SMS. On a commencé à apprendre à se connaître. C'était sympa. Et puis, du jour au lendemain, plus de nouvelles.

— Mon pauvre lapin, compatit Alexandre. Mais tu n'as jamais cherché à la rencontrer ?

Le portable d'Aude vibra à nouveau. Nul doute que c'était encore Xavier.

*Il est vraiment gonflé.*

*Non mais, qu'est-ce qu'il s'imagine ?*

*Que tu vas décrocher et faire comme si de rien n'était ?*

*Trop facile.*

*Ouais. Mais en même temps, s'il s'en foutait totalement, ça te ferait quoi ?*

Bzzz... Bzzz...

— Si je peux me permettre, madame, risqua Nicolas avec douceur, vous devriez répondre ou bien couper votre portable.

Aude rougit.

— Oui, vous avez raison. Désolée. Et appelez-moi Aude.

Elle s'empara de l'appareil et jeta un coup d'œil sur le dernier SMS reçu : « Je t'en supplie, décroche. Je t'aime. » Sentant tous les regards posés sur elle, elle veilla à ne rien laisser paraître.

En relevant la tête, elle croisa le regard scrutateur de Charlène et eut l'impression que la gamine, du haut de ses dix-sept ans, avait parfaitement compris ce qui se passait.

— Mais... Entre ta naissance et le dernier message de ta mère, j'imagine que tu as quand même bien eu des contacts avec elle, non ? parvint-elle à articuler.

— Non, aucun. Je ne l'ai jamais vue.

Aude et Nicolas masquèrent leur étonnement, pas Alexandre, qui s'exclama :

— Non mais, c'est juste délirant ! Comment peut-on être mère et ne jamais chercher à connaître sa fille ? Ma pauvre loute, tu es vraiment mal tombée, c'est sûr !

Un coup de Nicolas sur sa cheville lui fit comprendre sa maladresse. Gêné, il bégaya :

— Enfin... En même temps, ta situation... Je veux dire, ton cas n'est pas isolé. Il y a des tas de personnes qui n'ont jamais connu leurs parents.

Nicolas leva les yeux au ciel.

Un ange passa. Le serveur revint à point nommé avec leur commande. Chacun s'empara de sa tasse ou de son verre et se mit à le contempler comme s'il s'agissait d'une œuvre d'art. Seule Charlène délaissa son jus de fruit pour fixer Alexandre avec intensité. Sa spontanéité lui plaisait, et même sa naïveté. Et puis il était drôle. Elle s'attacha immédiatement à lui.

Aude considéra à son tour Alexandre. Il était aussi beau que peu doué pour la diplomatie, visiblement. Pourtant, Aude aurait juré que la jeune fille lui avait retourné un sourire complice. Décidément, elle n'y comprenait plus rien. C'était peut-être ça son principal problème. Si elle arrivait à considérer des propos déplacés comme attendrissants, à percevoir Gleeden comme un nouveau parc Astérix, et à qualifier les acrobaties de son mari de passe-temps sportif, alors peut-être serait-elle moins larguée.

Nicolas rompit le silence.

— Parle-nous un peu de ton père, Charlène.

Sa voix douce tranchait nettement avec celle, tout en aigus, d'Alexandre. Les yeux de Charlène s'illuminèrent comme par magie.

— Papa est génial. Il est à la fois mon père, ma mère, mon meilleur ami et mon ange gardien. Il a toujours veillé sur moi, et il me guide dans tous mes choix. Il y a un lien unique entre nous. Et je l'aime à un point...

Elle se perdit quelques instants dans la contemplation de son jus d'orange, comme pour mieux réfléchir.

— Je suis aussi consciente qu'il a tout sacrifié pour moi. Avant ma naissance, il était pilote automobile sur circuit. Il l'est encore aujourd'hui mais il ne joue plus dans la même catégorie. Il y a dix-sept ans, il était pilote de F1. Et il avait été repéré pour rejoindre une célèbre écurie et concourir à des grands prix.

— Waouh ! C'est génial ! s'écria Alexandre. Ça doit être un sacré mec, ton père. Tu te rends compte du niveau de sélection qui existe dans ce milieu ? Il ne suffit pas de savoir tourner le volant pour piloter une telle bagnole ! Moi je ne suis pas fan de ce sport mais je dois reconnaître que j'admire leur talent et leur sang-froid...

— Oui, il a ça dans le sang. Pourtant, il a refusé la proposition qui lui était faite.

— Non ?! s'exclama Alexandre, consterné.

— Lui qui aurait pu s'aligner sur les plus grands circuits du monde en compétition a choisi d'être raisonnable et est aujourd'hui pilote d'essai pour des constructeurs automobiles sur des voitures de sport ou des fabricants de pneus.

Elle s'interrompit avant de reprendre :

— Je sais qu'il est heureux de bosser pour des marques prestigieuses et de tester des voitures hyper puissantes. Mais je suis certaine, au fond, qu'il a mis sa carrière entre parenthèses pour moi. Il m'affirme que c'est faux, mais c'est évident.

La question du dévouement parlait bien à Aude. Xavier rêvait de leur cabinet pour lequel ils avaient bossé nuit et jour. Au point de ne prendre aucun repos durant les dix premières années. Et d'en avoir oublié de faire un enfant. Pourtant, à maintes reprises, elle lui avait glissé que c'était peut-être le moment. À chaque fois, il avait argué qu'il fallait d'abord faire tourner le cabinet. Le jeu en valait-il la chandelle ? Pas le moins du monde.

— En grandissant, je prends conscience de beaucoup de choses, poursuivait Charlène. Je suppose que c'est normal. Mais cela me fait peur pour l'avenir. Parce qu'un jour je devrai partir à mon tour, et imaginer mon père seul face à tous ces sacrifices et à des regrets, c'est insupportable. Je déteste le savoir malheureux.

— Mais qui te dit qu'il est malheureux ? questionna Nicolas.

— Oui, excuse-moi, enchaîna Alexandre, moi j'ai plutôt vu un type arrogant qui restait détendu alors qu'on vivait un truc...

Il chercha le mot qui convenait le mieux :

— ... hallucinant ! Foi d'Alex, ajouta-t-il en se touchant la poitrine, tu nous as fait vivre une scène digne d'Hollywood !

Charlène rit.

— Mais non, c'est juste qu'il m'a souvent vue suspendue dans le vide et il sait que je maîtrise parfaitement les techniques d'escalade et d'équilibre. En plus, il sait que je ne suis pas suicidaire.

— D'accord, mon trésor, mais si je peux me permettre, je doute que tu aies des aptitudes pour voler, et si tu étais tombée dans le vide, championne d'escalade ou pas, je n'aurais pas voulu voir ce que ça aurait donné sur le sol !

— Si je résume correctement l'histoire, Charlène, intervint Aude sans chercher à masquer son énervement, tu es en train de nous dire que, finalement, nous sommes trois imbéciles qui ont cru en une simple mascarade, c'est bien ça ?

— Non madame, je vous promets, je ne jouais pas, et c'est ce qui a échappé à papa. En montant sur ce pont, je voulais juste lui faire peur. Mais face à lui, je ne saurais pas vous l'expliquer, pour la première fois de ma vie, je me suis réellement demandé si sauter n'était pas la meilleure solution.

— « Aude », s'il te plaît. Pas « madame ». J'ai l'impression d'être une ancêtre !

Charlène opina du chef.

— Aude, je vous assure que j'étais sincère. Ce n'est pas un caprice, j'ai vraiment besoin de retrouver ma mère. J'imagine qu'elle me manque, mais je ne sais pas, puisque j'ai grandi sans mère, je ne peux pas savoir ce que c'est... C'est surtout par rapport à mon père, en fait. Maintenant, je suis assez grande pour comprendre que je suis un poids pour lui. Il est temps que la roue tourne. Il mène une vie de moine à cause de moi ! Il n'amène jamais de femme à la maison, refuse régulièrement des missions à l'étranger pour ne pas me laisser seule, sort rarement le soir pour m'aider à réviser... Il se prive d'être heureux, et ça depuis que je suis toute petite.

— Tu ne peux pas dire ça, s'écria Nicolas. Le seul à pouvoir te dire s'il est malheureux ou non, c'est lui. Pourquoi t'obstines-tu à penser ça ?

— Parce que toute son existence est centrée sur moi et que j'ai un âge où ça ne devrait plus être le cas ! Vous avez vu, il est plutôt beau mec, non ? Je vois bien le regard des femmes sur lui. Eh bien il n'y répond jamais. Jamais. Vous trouvez ça normal, vous ?

— Tu penses qu'il faut succomber à la première allumeuse qui passe pour être normal ? fustigea Aude.

Le coup d'œil échangé entre Nicolas et Alexandre ne lui échappa pas. Elle tenta tant bien que mal de se rattraper :

— Ce que je veux dire, c'est que ton père peut très bien avoir une vie sentimentale et la garder secrète. Et cela lui suffit peut-être.

— Non, je le saurais forcément. Et je suis sûre d'une chose, c'est que papa ne s'est jamais remis du départ de ma mère. Je suis persuadée qu'il l'aime encore. Et donc qu'il lui reste fidèle.

Alexandre éclata de rire.

— Ma chérie, je ne vais pas rentrer dans les détails, mais si tu as dix-sept ans, tu es en mesure d'entendre que ton père ne sera pas resté fidèle sur tous les plans. C'est un homme, voyons !

— Mais qu'est-ce que c'est que cette remarque débile ? s'emporta Aude.

— Il faut vous faire un dessin ? s'esclaffa Alexandre tout en la regardant d'un air incrédule. Dix-sept ans ! En dehors de la castration chimique, je ne vois pas beaucoup de raisons qui expliqueraient qu'un homme normalement constitué n'éprouve pas le besoin d'aller plugger sa clé USB dans une unité centrale !

— Charmant..., marmonna Nicolas, alors que Charlène pouffait de rire.

Aude, elle, serrait les dents. Clé USB, unité centrale... Décidément, elle était complètement déphasée avec ce monde et ses pratiques. Elle n'aurait jamais dû donner sa parole.

Tapotant nerveusement sa tasse de café du bout des ongles, elle croisa le regard perçant de Nicolas : sa moue signifiait combien il était désolé. Était-elle transparente à ce point ? Elle se sentit ridicule. Un sourire bienveillant se dessina sur les lèvres du garçon, et Aude en fut si touchée qu'elle faillit éclater en sanglots.

Voilà ce dont elle avait réellement besoin : de chaleur humaine.

— Vous savez, murmura Charlène, je suis vraiment désolée de vous ennuyer. Je sais que vous avez vos vies et bien autre chose à faire que d'aider une ado que vous ne connaissez pas.

Alexandre lui attrapa une main.

— Tu sais, Charlène, moi, j'adore les expressions et les citations. Et il y en a une de Paul Éluard qui me revient souvent : « Il n'y a pas de hasard, il n'y a que des rendez-vous. » Eh bien, vois-tu, je suis convaincu que notre rencontre sur ce pont n'était pas une coïncidence. L'avenir nous dira si j'ai eu tort ou raison. Vous ne croyez pas, vous tous ? lança-t-il à la cantonade avant de s'arrêter sur Nicolas.

Ce dernier sentait le regard anxieux de la gamine posé sur lui. Il savait qu'elle culpabilisait autant qu'elle se rassurait de les savoir à ses côtés.

— J'espère sincèrement que nous pourrons t'aider à retrouver ta mère, Charlène, lui dit-il d'une voix douce. Je ne sais pas encore comment. Mais je ferai tout mon possible. Et crois-moi, le suicide n'est jamais la solution.

La gueule d'Hannibal apparut au-dessus de la table : il haletait et tirait la langue. Nicolas tira la table d'un mouvement brusque. Heureusement, seul le verre de Charlène était resté plein, et une giclée de jus d'orange vint atterrir sur le plateau en formica.

— Mais enfin, il faut vous détendre, mon pauvre vieux ! s'exclama Alexandre. Vous êtes carrément sur les nerfs, vous. Hannibal n'est ni un blaireau ni un pitbull ! C'est sa manière d'exprimer qu'il a soif...

— Je vous remercie mais je ne suis pas à la recherche de cours de psychologie canine !

Alexandre lui jeta un regard froid avant de se diriger vers le bar pour réclamer un bol d'eau.

— Vous n'aimez pas les chiens, Nicolas ? questionna Charlène.

— Disons simplement qu'ils me dégoûtent. Ils véhiculent un nombre de microbes qu'on n'imagine pas... Et je préfère m'intéresser aux humains. Ils ont tous une histoire à raconter. Ou à enfouir..., termina-t-il plus bas.

*

Avait-il loupé quelque chose avec Charlène ? N'était-il finalement pas le bon père qu'il s'était toujours évertué à être ?

Jérôme veilla à se laisser doucement retomber sur le sol. Il n'avait pas été au bout de son entraînement, mais il sentait bien qu'il ne parvenait pas à se concentrer comme à son habitude. Et ce n'était pas le moment de se blesser. Il avait fait ses exercices de traction en pronation, ses soulevés de terre, sa série de pompes, et venait d'achever son programme de gainage intensif. Cela suffirait pour aujourd'hui.

Dans son métier, il ne fallait pas négliger sa condition physique. Elle devait être parfaite. Parce que lorsqu'on supportait des forces latérales s'élevant à plusieurs G, qu'on y ajoutait des contraintes de durées longues, de port de combinaison et de casque difficilement tolérables l'été, il fallait être doté d'une sacrée résistance physique et d'une bonne endurance mentale...

Seulement, là, l'esprit de Jérôme était totalement accaparé par la scène du matin avec Charlène. Il avait surpris dans son regard une détermination qui l'inquiétait.

Avait-il commis une grosse erreur en choisissant d'agir comme il l'avait fait quelques années plus tôt ?

Il se releva, passa la serviette sur son buste trempé par la sueur.

Était-elle encore avec les trois zigotos de ce matin ?

Il jeta un coup d'œil sur la pendule centrale de la salle : 9 h 40.

Il lutta contre l'envie d'appeler sa fille. Une discussion entre eux s'imposait mais il ne pouvait l'avoir par téléphone.

Il attendrait donc ce soir. Mais il lui fallait quand même savoir si elle allait mieux et ne pas passer la journée à se faire un sang d'encre. Attrapant la bouteille d'eau, il se dirigea vers les vestiaires. Il lui enverrait un SMS.

*

Ils remontaient à présent tous les quatre l'avenue de Laumière, lentement. Étonnamment, malgré les différences flagrantes qui existaient entre eux, Aude se sentait en connivence avec le groupe. Sa peine abattait peut-être les barrières...

Aude éprouvait de l'admiration pour cette gamine qui s'était construite sans figure maternelle, et qui se révélait à la fois forte et vulnérable. Charlène vouait à son père un amour inconditionnel. Et

Aude avait beaucoup de mal à reconnaître dans la description qu'elle leur en avait faite l'individu de ce matin. Parce que si tout cela était vrai, cet homme, Jérôme, était un homme brisé.

Aude calcula : si sa compagne l'avait quitté dès la naissance de Charlène, Jérôme avait à l'époque... quoi ? Moins de trente ans ? Pourquoi n'avait-il pas cherché à refaire sa vie ? « *Plus l'armure est épaisse, plus l'être est fragile.* »

Qui avait écrit ça, déjà ?

— J'ai beaucoup de chance d'être tombée sur vous, dit Charlène, interrompant le fil de ses pensées. Je sens, je sais que nous allons réussir à retrouver ma mère ensemble.

Son portable vibra. Elle le sortit de la poche de son jean et sourit en consultant l'écran. Puis elle tapa en réponse au SMS de son père : « Ne tkt pas. Suis avec mes nouveaux amis de ce matin. »

Si aucun de nous n'avait été présent à cet instant-là, pensa Aude, où en serait Charlène à présent ? Peut-être, en effet, Nicolas, Alexandre et elle étaient-ils sa chance.

— Et toi ? l'interrogea justement Charlène en rangeant son portable. À ton tour de nous raconter. Ça n'a pas l'air facile non plus ce que tu vis.

Aude soupira. Qu'est-ce qu'une gamine de dix-sept ans pouvait comprendre à sa situation personnelle ?

— Tu disais que tu étais à la rue. Mais on ne le dirait vraiment pas quand on te voit. Alors quoi ? Tu viens de perdre ton taf ? Ou tu t'es fait plaquer ?

— Oh... ni l'un ni l'autre. Ou un peu des deux..., bafouilla Aude, déstabilisée par son ton direct.

— Ah oui, là, ça aide tout de suite à mieux te connaître !

Après tout, que risquait-elle à se confier ? Vider une partie de ce qu'elle avait sur le cœur ne pouvait pas lui faire de mal.

Alors elle entreprit de résumer sa vie depuis son mariage avec Xavier. Elle raconta leurs ambitions partagées, la construction du cabinet d'architecture, leur vie uniquement centrée autour de ça. Jusqu'à la vision de ce matin, qu'elle résuma par ces quelques mots : « Je viens de le surprendre avec une autre femme. »

Charlène pouvait-elle seulement imaginer ce que représentaient seize années de vie commune avec un homme ? Et Alexandre ? Si les gens excentriques ou un peu précieux ne se révélaient pas tous être homosexuels, elle aurait mis sa main à couper qu'Alexandre l'était. Récemment, elle avait lu que les gays étaient plus infidèles que les hétéros. Pouvait-il donc comprendre ce qu'elle ressentait ?

— Et qu'est-ce que tu comptes faire ? lui demanda Charlène.

— Ce que je compte faire ? Que veux-tu dire ?

— Ce que je veux dire, c'est que non seulement tu te trouves dans une situation galère parce que tu ne peux même plus faire comme si de rien n'était vis-à-vis de ton mari, mais qu'en plus tu as le même problème au niveau de ton boulot, puisque vous bossez ensemble. Waouh... Deux pour le prix d'un.

Aude accusa le coup sans répondre. C'était exact.

— Je n'aimerais pas être à ta place non plus, finalement, ajouta la jeune fille.

— Moi non plus, je n'aime pas être à la mienne.

— Juste ciel... Bonjour la tribu de déprimés ! On devrait s'organiser un petit suicide collectif pour bien terminer la journée, proposa Alexandre sur un ton enjoué.

« Ce type est un vrai phénomène de foire », ne put s'empêcher de penser Nicolas, qui répliqua sèchement :

— En temps normal, ce serait d'une finesse assez remarquable, mais compte tenu de ce qui a failli se produire il y a quelques heures à peine, je trouve ça d'une indélicatesse inégalable.

— Oh là là... Il ne doit pas rigoler souvent monsieur Mocassins, lança Alexandre en adressant un clin d'œil à Charlène.

Celle-ci sourit, tandis que Nicolas demandait à Aude :

— Est-ce que vous l'aimez ?

Interloquée, Aude bredouilla :

— Seize années de vie commune, ça signifie quelque chose, vous savez.

— Oui, probablement beaucoup d'habitudes, et sûrement encore beaucoup de souvenirs et de complicité. Mais pas forcément que vous vous aimez encore.

Cette fois-ci, Aude s'arrêta net, fouillant désespérément dans son esprit pour trouver quelque chose à répliquer. En vain. Qui était donc ce jeune homme aux chaussures impeccablement cirées ? Que connaissait-il à l'amour ?

*Vraisemblablement pas grand-chose.*

*Mais en tout cas sa question est bonne.*

— Je suis désolé, Aude. Je ne voulais pas... Je me disais juste qu'avant de décider quoi que ce soit, il vous fallait répondre à cette question. Excusez-moi.

*Et il a raison.*

Aude se remit en marche sans répondre. Plus personne ne pipait mot. Aude gambergeait à toute vitesse. Elle sentait son portable vibrer. Ne suffirait-il pas qu'elle décroche enfin ? Xavier la supplierait de lui pardonner et de rentrer à la maison, il plaquerait sa pétasse, et la vie repartirait comme avant...

— Comment avez-vous découvert qu'il vous trompait ? interrogea soudainement Charlène.

— Je suis rentrée chez moi alors que cela n'était pas prévu...

— Parce qu'il a fait ça chez vous ? Mais c'est un véritable salaud ! s'insurgea Alexandre.

— Vous trouvez que ça change le fond du problème, vous ?

— Ah bah plutôt ! dit-il en cherchant sans succès une confirmation auprès de Nicolas. Je dirais même que ça change tout ! poursuivit-il avec véhémence.

Aude laissa échapper un petit rire.

— Je ne pensais pas que les gens comme vous portaient un tel regard sur l'infidélité...

— Les gens comme moi ? releva-t-il.

Aude ne voulait pas le blesser. Rouge comme une pivoine, elle chercha du secours auprès de Nicolas, aussi embarrassé qu'elle.

— Ben, t'es homo, non ? questionna tout naturellement Charlène. Pas besoin d'une boule de cristal pour le deviner. Pourquoi, c'est gênant de le dire ?

Alexandre rendit les armes.

— Oui, vous avez raison. C'est assez limpide chez moi. Mais tout le monde n'est pas prêt à accepter cette différence. Certains la perçoivent encore comme une tare.

Il s'éclaircit la voix :

— Et donc pour répondre à votre question, Aude, eh bien je ne me retrouve pas du tout dans la rumeur qui veut que les homos soient plus souvent infidèles sur le plan sexuel.

— Parce qu'il existe une distinction entre l'infidélité sexuelle et... ? interrogea Aude.

— Et morale ! compléta Alexandre. Encore une fois, je n'adhère pas nécessairement à cette théorie, qui concerne d'ailleurs aussi les hétéros. C'est une question de point de vue.

— Je trouve ça un peu facile, moi, de dire qu'on a trompé l'autre juste pour le sexe et que ça n'a rien à voir avec les sentiments. Parce que, pour répondre à la question de Nicolas tout à l'heure, oui, j'aime Xavier. Et j'espère vraiment qu'il me sortira un autre baratin, parce que celui-là n'est pas près de passer, croyez-moi.

— Je comprends, Aude. Et je l'espère vraiment pour vous, parce que dire un truc pareil alors qu'il s'est envoyé en l'air avec une autre nana dans votre propre lit, ce serait franchement vous prendre pour une cruche...

— Je ne vous ai pas dit qu'ils étaient dans notre chambre !

— Ah oui, si vous les avez surpris sur le canapé du salon, c'est sûr, c'est différent ! se moqua-t-il gentiment avant d'ajouter : Il a souillé votre nid. C'est une question de respect.

— Peut-être seriez-vous moins catégorique si vous étiez à la place de celui qui découvre et non pas de celui qui fait. Enfin, si vous savez ce qu'est l'amour...

Alexandre accusa le coup quelques instants avant de murmurer :

— Je souffre précisément de l'absence d'un homme qui compte plus que tout au monde pour moi, et qui est sur le point de rompre. Alors, je crois savoir de quoi vous parlez.

Aude vit une larme sourdre de ses paupières et couler sur sa joue. Elle s'en voulut d'avoir été si maladroite. Cela n'échappa pas à Nicolas qui intervint immédiatement :

— Allez, passons à autre chose. On peut apprendre à se connaître, sans avoir à dévoiler l'intégralité de nos CV. Parlez-nous un peu de v...

— Vous ne vous rendez pas compte, Nicolas, le coupa Aude. Xavier est mon seul repère. Sans lui, toute mon existence serait à réinventer. Et repartir d'une page blanche à mon âge me terrifie. Tout comme je suis terrorisée à l'idée de finir seule.

Elle se redressa subitement, consciente qu'elle se confiait comme jamais elle ne l'avait fait à des personnes qui ce matin encore étaient pour elle de parfaits inconnus.

— Excusez-moi, je pensais à voix haute. Je dois prendre un peu de recul pour bien réfléchir. Mais j'avoue ne pas savoir quoi faire, même à très court terme. Alors, Alexandre, vous qui semblez si fleur bleue, que feriez-vous à ma place ?

Alexandre prit quelques secondes pour réfléchir et décréta :

— Déjà, on peut se tutoyer. Dans ce domaine, mes connaissances sont limitées. Je n'ai jamais vécu avec quelqu'un. Mais, quand bien même, je crois que si j'étais toi, pour commencer je prendrais une valise, la bagnole, et je me casserais quelques jours sans donner aucune nouvelle.

Aude le regarda en secouant la tête.

— Impossible. Nous n'avons qu'une voiture et il y tient comme à la prunelle de ses yeux.

— Pauvre mec ! Montre-moi ta bagnole et je te dirai qui tu es... Dépasser la quarantaine et rester accro à un tas de ferraille en dit long sur le personnage. Moi je lui en ferais baver.

— Ça ne se résume quand même pas à ça, lâcha Aude, soudain agacée. Disons qu'il en prend soin. En même temps, elle coûte cher, c'est la moindre des choses.

— Alex a raison ! intervint Charlène. Quand on voit comment il t'a traitée... Moi, si j'étais toi, je lui dézinguerais sa caisse. Histoire de l'abîmer comme il t'a dézinguée toi.

— Pourquoi, j'ai l'air si décatie que ça ? répliqua Aude, agressive.

Pour la première fois, Alexandre resta sans voix. Il s'arrêta net de marcher.

— Excusez-moi... Je suis perdue, ajouta Aude. Et j'ai l'impression de me réveiller après deux décennies de sommeil sans avoir vu passer les plus belles années de ma vie.

Nicolas choisit ce moment pour s'exprimer à son tour :

— Tout ça est normal... Que cela vous aide à reprendre confiance en vous.

— On a décidé qu'on se tutoyait, railla Alexandre. Ou est-ce que ça choque aussi monsieur ?

— Mais il est trop tard, poursuivit Aude en ignorant la remarque d'Alexandre. Quand je vois ce que je suis devenue..., murmura-t-elle en écartant les bras en signe d'impuissance.

— Oh là là ! Ça sent la vraie déprime, ça ! s'exclama Alexandre. Moi qui pensais avoir le moral dans les chaussettes, je fais figure de joyeux luron à côté de vous...

Il fit volte-face et se planta devant Aude.

— On sait tous que l'adultère nuit gravement à l'estime de soi. Donc, ton objectif numéro 1 doit être de faire peau neuve, comme les serpents. Transforme-toi, et montre à cet abruti ce qu'il a perdu !

— Moi, je dirais plutôt de te retrouver, toi, telle que tu étais, corrigea Nicolas.

— Pour que je redevienne jolie ? Il y a du boulot : j'ai le ventre qui déborde par-dessus le pantalon et des ailes de chauve-souris à la place des bras. Mais à part ça...

— Tu sais, moi, je te trouve canon, dit Charlène. Il faut juste que tu t'arranges un peu, c'est tout !

Alexandre hocha la tête tout en la détaillant de pied en cap :

— Ben oui parce que c'est sûr qu'affublée d'un tel chignon, et attifée avec de la toile de tente, ça va être dur de remonter la pente. Mais rien n'est jamais perdu ! annonça-t-il triomphalement.

Aucun d'eux ne protesta. Une telle franchise était déroutante, mais aussi blessante. Aude sentit les larmes lui piquer les yeux.

— Ttt, ttt, on ne pleure pas ! Allez, suis-moi ! ajouta Alexandre en la tirant par le bras. On va te remettre sur de bons rails.

Il leur fit traverser la rue et bifurquer sur leur droite.

— Et voilà ! jubila-t-il en balayant de la main la devanture d'un club de sport, où un mannequin aux mensurations de rêve posait sur un rameur. Rien de tel que le *revenge body* pour se remettre d'aplomb.

— Waouh ! Avec ses jambes de quinze mètres de long, il va au moins falloir que je me fasse greffer cinq paires de tibias...

— Tu vas commencer par t'inscrire en me promettant de venir en baver au moins deux fois par semaine. Aucune excuse, il y en a dans tout Paris. Et en dehors du fait que ça va raffermir tout ça, ajouta-t-il en tâtant le bras d'Aude avec un clin d'œil à Charlène, eh bien tu vas sécréter des endorphines et donc renforcer ton mental. Tu verras !

— Classe ! Ça va décupler tes forces pour aller lui saccager sa caisse ! Moi, je ne demande qu'à être présente ce jour-là, pouffa Charlène.

— Et moi donc ! Je ne louperais ça pour rien au monde ! se réjouit Alexandre.

— Vous êtes complètement détraqué ! lança Nicolas à l'intention d'Alexandre, qui répliqua aussitôt :

— Et à part aboyer et détester les chiens, qu'est-ce que vous faites, vous ?

— Il m'arrive de mordre, aussi !

Imaginer la tête de Xavier découvrant sa Mercedes AMG ravagée arracha un sourire à Aude. Alexandre et Charlène semblaient si enjoués à l'idée de faire payer Xavier que cela lui faisait du bien. À côté d'elle, Nicolas, plus calme et réservé, guettait sa réaction. Sa manière d'observer les gens, son attention étaient vraiment quelque chose de rare, qui vous enveloppait. Ça aussi ça lui faisait du bien.

— Bien ! Je suis ravie d'être devenue le clou du spectacle mais je tiens à vous rappeler que si nous sommes tous réunis, c'est pour Charlène, dit-elle, soudain revigorée. Il faudrait peut-être nous y mettre !

— Je suis d'accord ! fit Alexandre. Mais on n'est pas non plus sortis de l'auberge s'il s'agit de te rendre un peu sexy, mon chou. Alors on va commencer par là.

Il s'effaça pour la laisser entrer la première dans le club de sport tandis que Charlène éclatait de rire.

# 4.

Aude se laissa glisser contre la porte du vestiaire, éreintée et dégoulinante de sueur, tout en jetant un coup d'œil sur la pendule murale : 18 h 20. Plus d'une heure et demie qu'elle était ici, elle qui n'avait pas contracté le moindre abdo depuis plus de dix ans... Et dans une heure, elle avait rendez-vous chez Charlène avec les autres comme si elle allait retrouver une bande de vieux amis.

Tout cela était surréaliste.

Et la journée n'était pas terminée...

Elle tenta de se relever mais une douleur sourde provenant de sa cuisse gauche lui imposa de rester au sol. Tant mieux. Rien de tel qu'une séance de torture physique pour apaiser une blessure d'ego. Alexandre avait bien raison : le *revenge body* reboostait le capital « confiance en soi ». À cette allure, elle n'aurait plus grand-chose à envier aux Cindy du monde entier.

Songer à son avenir déclencha en elle une profonde angoisse. Tout se dérobait sous ses pieds. À commencer par le confortable sentiment de sécurité qui l'avait longtemps habitée.

*Normal : tout ce que tu as construit vient de s'écrouler.*

Oui, sa réaction était légitime.

Elle resta ainsi assise trente bonnes minutes à se repasser le film de ces dix dernières heures. Au premier mouvement, elle comprit qu'elle allait payer cher cette séance de fitness intensif. Ses muscles refroidissaient lentement, et elle sentait tout son corps devenir raide.

La douleur ne lui permettait plus de penser à autre chose.

*Tant mieux, ma vieille. Ça, c'est tout à fait ce qu'il te fallait !*

À la seconde tentative pour se lever, elle dut se rasseoir. Une jeune femme qui finissait son cours de renforcement musculaire passa devant elle.

*Différence entre cette fille sculpturale et toi : vingt-cinq ans. Et au moins 5 kilos de muscles.*

La jeune femme la salua. Aude lui rendit son salut en masquant les élancements qui lui vrillaient la nuque. Elle serra les mâchoires et se remit debout. Un supplice. Dans quel état serait-elle demain ? Et même sans attendre demain... Elle songea avec horreur aux escaliers qu'elle allait devoir monter pour retourner chez Charlène.

Elle n'avait plus qu'à se traîner jusqu'à son casier et repartir. Le regard en coin de sa jeune voisine l'incita à étouffer un gémissement lorsqu'elle posa ses affaires sur le banc.

Son portable annonçait sept appels en absence. Tous provenaient de Xavier. Et il y avait un message.

Aude posa l'appareil contre son oreille et ferma les yeux. Allait-il la supplier de lui pardonner ? Lui jurer qu'il ne recommencerait plus ? Elle espéra de toutes ses forces des mots qui effaceraient par miracle tous les maux qui la ravageaient... Et que tout redeviendrait comme avant.

« Aude, je comprends que tu m'en veuilles. Bon, d'accord, j'ai fait une connerie. Mais ce n'est pas si grave. Parlons-en et passons à autre chose. Il faut que tu reviennes à la maison. Je t'aime, tu le sais bien. *Pause.* Allez, rentre, s'il te plaît. »

Écœurée, Aude balança le portable dans son sac à main.

— Pauvre mec ! s'exclama-t-elle à voix haute, ce qui lui valut un regard étonné de la part de la jeune sportive qui rangeait son vestiaire.

Aude chercha à se rattraper en lui adressant un grand sourire et en effectuant un demi-tour gracieux. Elle eut l'impression qu'on lui arrachait les quadriceps.

C'était trop facile ! Bien sûr qu'elle ne demandait qu'à rentrer et à oublier. Mais était-elle en mesure de faire comme si rien ne s'était passé ? Non. Il ne pourrait pas tout effacer d'un simple coup d'éponge.

Aude se dirigea péniblement vers la sortie. Et se jura de ne plus jamais pester contre les petites vieilles qui traversaient les passages protégés au ralenti.

*

Jérôme était crevé. Il n'avait qu'une envie : aller se coucher. Mais avant ça, une vraie discussion avec Charlène s'imposait.

Il introduisit la clé dans la serrure en soupirant. Et sursauta lorsque, poussant la porte, il vit Nicolas quitter la cuisine, une tasse de café à la main.

Ce dernier se retourna et balbutia : « Bonsoir monsieur » avant de s'engouffrer dans le salon.

— Je vois que vous avez fait plus ample connaissance avec Charlène, fit Jérôme d'un ton sec en le suivant.

Le jeune homme lui répondit d'un air gêné :

— Oui, en effet. Je... Enfin, je suis vraiment désolé de vous imposer notre présence mais... Votre fille a lourdement insisté pour que nous restions auprès d'elle et compte tenu de... l'« incident » de ce matin, nous avons jugé plus prudent de le faire.

— Nous ?

— Euh... Oui. Aude et Alexandre vont venir aussi.

— Ah. Je vois...

Génial. À défaut d'avoir une discussion avec Charlène, il allait devoir se coltiner trois parfaits étrangers. Mais difficile de les foutre dehors, après toute l'attention qu'ils avaient portée à sa fille.

Jérôme se laissa tomber sur le canapé. Toujours embarrassé, Nicolas restait debout, sa tasse à la main.

— Si je n'étais pas rentré, je suppose que vous vous seriez assis, non ?

— Euh... Oui, mais...

Agacé, Jérôme lui intima de s'asseoir.

— Écoutez, monsieur... ?

— Nicolas. Je m'appelle Nicolas.

— Bien. Donc, Nicolas, je vous remercie tous de tout cœur pour ce que vous avez fait pour Charlène.

Parce que j'en déduis que vous êtes resté toute la journée auprès d'elle alors que vous aviez nécessairement d'autres choses de prévues. Je vous suis très reconnaissant de cela. Mais maintenant que je suis là, vous pouvez rentrer chez vous.

Nicolas le scruta, essayant de jauger s'il cherchait juste à se montrer poli.

— Vous plaisantez, monsieur ?

— En ai-je l'air ?

— Vous vous rappelez que nous avons fait une promesse à Charlène ?

— Oui, mais rassurez-moi : vous n'étiez pas sérieux, ce matin ?

Un regard dur vint obscurcir le visage aux traits encore enfantins de Nicolas. Il regarda Jérôme droit dans les yeux et lui lança :

— Je trouve que vous prenez un peu à la légère la détresse de votre fille.

— Nicolas, franchement, je me contrefous de ce que vous pensez. Je ne sais pas ce que Charlène vous a raconté, mais je vous assure que, contrairement à ce que vous semblez croire, j'aime ma fille plus que tout. Et je la connais mieux que quiconque. Je n'ignore donc rien de ses craintes, peines et autres. Je sais qu'elle traverse une période difficile. Je vais donc l'aider, et vous autres, vous êtes libres.

Nicolas parut décontenancé. Il se cala au fond de son fauteuil.

— Vous avez bien sûr le droit de nous mettre à la porte. Mais sachez que je n'ai qu'une parole. Personnellement, j'ai promis à votre gamine de l'aider à retrouver sa mère, et je ferai tout mon possible pour y arriver.

— Magnifique ! ricana Jérôme. Allons, Nicolas, soyez réaliste ! Vous n'avez rien d'un détective. Ça me surprend de la part de Charlène, elle m'a habitué à davantage de maturité et de finesse. Mais bon, je vais mettre ça sur le compte de la perturbation qu'elle traverse.

— La perturbation ?

— Charlène a toujours été une élève brillante. Et elle a de grandes ambitions. Elle vise Polytechnique. Elle est aujourd'hui en terminale S et son rêve serait d'être prise à Ginette, l'une des plus belles prépas aux grandes écoles. Seulement la compétition est rude, et il faut un dossier béton pour y être accepté. Mais Charlène a tellement de volonté. Enfin, avait...

La fierté qui transparaissait dans chacun de ses mots venait de laisser place à un sentiment d'impuissance. Conscient du regard scrutateur de Nicolas, Jérôme se ressaisit et enchaîna :

— Du jour au lendemain, elle a lâché. Je ne lui ai pourtant jamais mis la moindre pression. Mais elle a commencé par arrêter de bosser. Puis par ne plus aller en cours. Et le bac est dans trois semaines...

— Charlène nous a parlé de sa mère, de sa vie en général, mais elle n'a pas abordé ce sujet-là.

— Ce n'est pourtant pas un détail. Vous savez combien de gamins sont pris en première année de prépa à Ginette ? Son trimestre est foutu, et je sais très bien qu'elle l'a délibérément fait pour me faire payer tout ça...

— « Tout ça » ?

— Oui. Je ne sais pas ce qu'elle vous a raconté mais... Elle n'a pas eu la chance d'avoir une mère à ses côtés, et j'ai essayé de combler cette absence au mieux. Et je crois qu'elle m'en veut.

Cet homme n'était pas aussi insensible qu'il voulait le faire croire, pensa Nicolas. Il fallait juste qu'il prenne la mesure de la situation.

— Vous savez, le suicide est un fléau qui touche beaucoup de monde, et tout particulièrement les jeunes. Alors, vous avez peut-être raison, et peut-être que Charlène ne mettra pas sa menace à exécution. Mais, dans le doute, ne croyez-vous pas plus prudent d'être bien attentif à ce qu'elle cherche à nous dire ?

— Papa, tu es rentré ? Je ne t'ai pas entendu.

Charlène entra dans le salon, suivie d'Alexandre. Elle se jeta dans les bras de son père et le serra contre elle avant de lui déposer un baiser sur la joue.

— Papa, tu as fait connaissance avec Nicolas. Je te présente Alexandre !

Après un bref mouvement de tête en direction de ce dernier, Jérôme attaqua aussitôt :

— Ma chérie, tu pourrais peut-être libérer tes otages maintenant que je suis de retour...

— Ce ne sont pas mes otages, papa ! Et ils resteront à mes côtés le temps de m'aider à y voir un peu plus clair, affirma Charlène.

Le bruit de l'interphone retentit et elle se précipita vers la porte d'entrée.

— C'est Aude !

Jérôme considéra les deux hommes : qu'est-ce qui les retenait auprès d'une ado qu'ils ne connaissaient pas il y avait encore quelques heures ?

— Waouh ! David Walker. J'adore ! s'extasia Alexandre en contemplant un tableau. Et celui-là, c'est de qui ?

— Vous êtes venu pour faire un inventaire ? le questionna sèchement Jérôme.

Alexandre s'immobilisa devant l'encadrement de la porte, la mine déconfite.

Derrière apparurent Charlène et Aude.

Charlène affichait, elle, une mine radieuse :

— Tout le monde est là !

Jérôme tenta de reprendre la parole :

— Bien ! Il se fait tard, non ? lâcha-t-il en appuyant lourdement sur le dernier mot.

— Justement, je voulais te demander si Aude pouvait rester ici quelques jours. Pour le moment, elle n'est pas obligée de rentrer chez elle.

— Comment ça, « pas obligée de rentrer chez elle » ?

— C'est compliqué, mais pour faire simple, j'aimerais qu'elle reste dormir à la maison. Nous avons de la place. Et ça me ferait plaisir, papa.

Jérôme bondit hors du canapé.

— Bon, maintenant ça suffit : on arrête là le délire. Nicolas, Aude, Alexandre, merci pour tout. Mais vous pouvez regagner vos pénates : la petite est entre de bonnes mains !

Aude voulut saisir son sac, mais une douleur fulgurante l'arrêta net. Elle parvint par miracle à retenir un cri.

— Ne vous méprenez pas : je ne suis pas une SDF et si j'avais dû rester, je l'aurais fait uniquement pour votre fille. Mais croyez bien que je me passerai moi aussi volontiers de votre compagnie !

— J'en suis fort aise. Mais le fait est que je ne vous connais ni d'Ève ni d'Adam, et j'ai pour principe de ne pas faire dormir d'étrangers chez moi.

Aude recula et se tourna vers Charlène.

— Je te propose de nous retrouver demain. Je suis libre toute la journée. À moins que ton charmant père ne s'y oppose. Après tout, tu es mineure et compte tenu de son caractère, je ne voudrais pas avoir les flics aux trousses !

Charlène vint à son tour se planter devant son père, les poings sur les hanches et le regard noir.

— Papa, je tiens vraiment à ce qu'Aude dorme ici. Si tu refuses, je pars avec elle !

— N'importe quoi ! Tu ne bougeras pas d'ici !

Nicolas intervint pour essayer de calmer les choses :

— Holà ! On se calme. Charlène, pas de chantage ! Nous te retrouverons demain et...

— Pas question ! Je n'ai jamais invité personne ici. Jamais. Alors aujourd'hui, papa, je te le demande : je voudrais qu'Aude reste pour quelques nuits.

Dans n'importe quelle autre situation, Aude serait illico partie. Mais le plaisir de faire suer ce sale type prenait le dessus sur toute règle de bienséance. Elle attendit sa réaction. Lui choisit de couper court à la discussion :

— Après tout, ça m'est égal. Elle peut dormir dans la salle de bains, tant qu'elle me laisse ma chambre, finit par grommeler Jérôme.

Et il quitta la pièce.

Aude se surprit à savourer cette petite revanche.

— Super ! Eh bien maintenant que ce problème est réglé, je vous propose un Deliveroo pour le dîner. Papa, je peux prendre ton portable ? cria-t-elle. Thaï, ça vous dit ? ajouta-t-elle.

Sans attendre la réponse de son père, elle s'empara du téléphone posé sur la table basse, se laissa choir sur un fauteuil et se concentra sur l'appareil.

— Ah parce qu'il y a un chien, en plus ! s'exclama Jérôme, en revenant dans la pièce et en remarquant le bouledogue assis près de la fenêtre.

— Oui, c'est Hannibal ! s'écria Alexandre en s'élançant vers l'animal comme s'il fallait le protéger.

Jérôme haussa les épaules.

— C'est drôle comme nom, Hannibal..., souffla Aude, songeuse.

— C'est surtout très révélateur ! précisa Nicolas. De la bête ou du maître, on sera au moins averti qu'il va falloir se méfier...

— Je l'ai appelé ainsi parce que mon chien est atteint de prognathisme, comme tous ceux de sa race ! Et ça me rappelait un peu le masque d'Hannibal Lecter.

— Nous voilà donc rassurés, conclut Nicolas.

Tandis qu'Alexandre s'efforçait de se montrer totalement imperméable à cette pointe de sarcasme, Jérôme posa son journal et se tourna vers Aude :

— Et vous avez supporté ça toute la journée ou c'est seulement une mini-récréation, là ?

Aude coupa court :

— Arrêtez de vous crêper le chignon à propos de ce chien. Qu'il s'appelle Hannibal ou Jésus, on s'en fiche. Ça ne change rien au fait qu'il soit adorable.

Nicolas esquissa une moue signifiant qu'il avait un sérieux doute là-dessus.

Alexandre serra Hannibal contre lui. Il n'y avait pas plus fidèle et loyal qu'un chien. Lui ne le jugeait pas. Il se contentait des caresses données par son maître. Alors ce que le monde entier pouvait penser de lui et d'Hannibal lui passait bien au-dessus de la tête. Et il ne désirait désormais qu'une chose : réfléchir à sa relation avec Dimitri.

— Je vais vous laisser quelques instants : il a besoin de sortir...

D'un claquement de langue, il fit signe à son chien de le suivre et quitta la pièce.

Il dévala les escaliers, Hannibal sur les talons. L'air du dehors lui fit du bien. Et seul, il n'avait pas besoin de donner le change.

Très tôt dans l'enfance, Alexandre s'était senti différent de ses cousins. Ses réactions, émotions et centres d'intérêt n'avaient rien de commun avec eux. Avec l'adolescence étaient venus les premiers émois : quelques attirances pour des camarades de collège, une intense émotion à la lecture des *Amitiés particulières* de Roger Peyrefitte... Autant de signes confirmant une différence avec les jeunes de son âge. Mais dans sa famille, il était absolument interdit ne serait-ce que d'évoquer le sujet, que ce soit par le biais d'un livre ou par celui d'une œuvre d'art.

Avec du recul, Alexandre avait longtemps espéré que s'il se taisait, les « choses » allaient disparaître d'elles-mêmes et que tout rentrerait dans l'ordre.

C'est lorsqu'il tomba éperdument amoureux de son professeur d'anglais qu'il comprit que l'homosexualité recouvrait des éléments bien plus profonds que des notions de goûts ou d'apparences.

Il avait cherché à lutter contre cette attirance, se convainquant que rien n'était perdu tant qu'il ne passerait pas à l'acte. Jusqu'à ce qu'il comprenne que le fait d'être gay ne se résumait pas à cela. Alors, il avait réalisé qui il était vraiment.

Mais entre se savoir gay et assumer...

Il était aujourd'hui responsable de formation dans une entreprise. En surface, tout semblait « normal ».

Dimitri avait-il raison ? Lui suffirait-il de franchir l'étape de l'aveu pour ne plus avoir honte d'être celui qu'il était ?

Il passa devant la vitrine d'une boutique de prêt-à-porter et étudia son reflet : ses vêtements de couleur, cette humeur toujours joyeuse le faisaient souvent passer pour un exubérant sympathique... Était-il le seul à voir la souffrance de cet homme qui le fixait ?

*Finalement, tu n'es qu'un clown.*

*Un clown triste...*

Il était aujourd'hui acculé à un choix cornélien : révéler à ses parents qui il était vraiment ou perdre Dimitri, l'amour de sa vie.

*Aujourd'hui, le bonheur te tend les bras. Tu peux le saisir.*

*Ou pas.*

Son père attendait toujours de lui qu'il assure la transmission de la particule des Fontarnet, et que le futur héritier soit conçu dans le lit conjugal, sans l'intermédiaire d'une éprouvette. Prendre le risque de devenir un paria pour sa propre famille, c'était difficile. N'était-ce pas une autre manière de se renier ?

Dimitri ne pouvait imaginer cette pression venant d'une grande famille, lui qui n'avait qu'un frère.

*Tu le contrains à ne jamais avoir la moindre manifestation extérieure de sentiments, de crainte que l'on te voie. Tu l'obliges à une relation qui s'apparente à une autre, adultère. Et cela ne convient pas à sa conception de l'amour.*

Plus de deux ans de passion vécue entre quatre murs, à l'abri de tout regard... Comment lui en vouloir ?

*Alors, maintenant, prends une décision. Et assume-la.*

Non, il lui était impossible de mettre fin à cette histoire d'amour. Il n'aimerait jamais un autre homme comme il aimait Dimitri. Quant à s'éprendre d'une femme...

*Tu veux quand même continuer à jouer le personnage marrant aux allures de dandy qui fait semblant d'être hétérosexuel ?*

Il pensa à sa mère, effacée et fragile. À sa sœur, raide et engluée dans ses manières bourgeoises.

Facile de clamer ici et là que le tabou de l'homosexualité était complètement dépassé ! Dans la réalité, c'était une autre histoire...

Puis l'image de son père dansa devant ses yeux. Sa voix puissante résonna dans ses oreilles. Sa froideur habituelle enveloppa instantanément Alexandre.

Non. Il ne pourrait pas affronter le regard de son père. Impossible. C'était au-dessus de ses forces. Il n'avait donc pas le choix : il devait rester dans le rang, et sacrifier son amour pour Dimitri.

*Et au prix de rester à jamais ce clown triste que tu regardais avec pitié dans la vitrine...*

Peut-être. Mais peut-être que Dimitri ne trouverait pas non plus le courage de rompre.

Alexandre espéra de toutes ses forces qu'il ne mettrait pas sa menace à exécution.

*

*Fleutière, village à 170 km de Paris*

La femme remonta lentement l'allée centrale du cimetière, un petit bouquet de marguerites à la main. Âgée d'une soixantaine d'années, elle en paraissait bien davantage, tant elle était voûtée. Elle semblait porter sur son dos toute la misère du monde.

Elle connaissait cette allée par cœur. Elle aurait presque pu citer le nom inscrit sur chaque pierre tombale qu'elle aurait à dépasser avant d'arriver à celle de sa Chloé.

Chloé...

Près de dix-huit ans déjà qu'on lui avait retiré son bien le plus précieux. La chair de sa chair. Sa fille.

Elle tourna sur sa gauche.

Elle aimait venir à cette heure-ci, alors que le cimetière venait de fermer. Heureusement, la petite porte en bois qui donnait sur l'arrière restait toujours ouverte et permettait une visite à toute heure. Combien de fois n'était-elle pas venue la nuit, surtout au début de ce cauchemar ? Maintenant elle venait une fois par semaine, seule, évidemment, et pour rien au monde elle n'aurait manqué ce rendez-vous avec celle qu'on lui avait arrachée.

Elle s'arrêta net et son visage se durcit. *Il* était passé. L'énorme bouquet de roses blanches en attestait.

Elle balança rageusement le vase et toutes les fleurs s'éparpillèrent au sol.

Chaque année, c'était le même manège.

Et, comme chaque année, vase et roses rejoignirent la poubelle placée au bord de l'allée.

*

La sonnerie de l'interphone retentit et Charlène bondit du fauteuil pour se précipiter vers la porte.

— Génial ! Je ne sais pas pour vous mais moi je meurs de faim.

Aude profita de son absence pour glisser à Nicolas :

— Cette gosse est déconcertante. Quand je la revois perchée sur le pont et que je la vois maintenant, toute contente, enthousiaste, je ne sais plus quoi penser.

— Je crois simplement que c'est la première fois qu'elle tombe sur des gens qui l'écoutent vraiment...

Charlène réapparut avec Alexandre en brandissant un sac Deliveroo.

— Et voilà ! Poulet au curry rouge et riz gluant. C'est un peu à la bonne franquette, mais c'est à tomber !

En deux temps trois mouvements elle avait réparti quatre des plats et tendait le dernier à Aude. Cette dernière s'en saisit sans enthousiasme : elle n'avait absolument pas faim. Jérôme vint s'asseoir face à l'une des barquettes, tandis que Nicolas sortait un petit flacon de gel hydroalcoolique de la poche de sa veste.

— Et sinon, qu'est-ce que tu fais dans la vie, toi ? lui demanda Charlène alors qu'il se frottait énergiquement les mains.

— Je suis cadreur. Cameraman, si tu préfères.

— Et vous travaillez sur quoi actuellement ? l'interrogea Jérôme, feignant un certain intérêt.

— Je viens de terminer un long métrage pour le ciné. Maintenant je suis libre jusqu'à la rentrée de septembre. C'est l'un des avantages du job, conclut-il en souriant.

— Waouh ! C'est trop *dar* ! s'extasia Charlène d'un air émerveillé.

— Ce milieu fait souvent rêver les jeunes filles de ton âge, mais je t'assure que tout n'y est pas rose, ajouta-t-il en ouvrant à son tour le récipient en plastique.

— Oh la vache ! s'exclama Jérôme, sous l'œil surpris de sa fille.

Il avala ce qu'il avait dans la bouche :

— Ils n'y sont pas allés de main morte sur l...

Un cri étouffé l'interrompit.

— ... sur le piment, termina-t-il.

Nicolas, devenu subitement rouge, se tenait le cou de la main droite, se cramponnant de l'autre à la table basse. Il ouvrit d'un seul coup la bouche pour y faire passer de l'air :

— J'ai la gorge qui me brûle !

— Oui, ils ont forcé la dose sur le piment, répéta Jérôme. Mais de là à se rouler par terre...

— Non, je vous assure, ça ne va pas, là. Je crois que je vais faire un œdème de Quincke !

— C'est quoi ce truc ? paniqua Charlène.

— Un œdème de Quincke ? s'écria Jérôme. Vous êtes allergique au piment ?

— Non, mais ça me gratte terriblement. Sûr que ça va gonfler et se transformer en Quincke !

Debout, Charlène et Aude guettaient les moindres expressions de Nicolas, qui tournait en rond dans le salon, de plus en plus agité.

— Mais vous avez du mal à respirer ou pas ? l'interrogea Jérôme.

— Je vous dis que ma gorge me brûle !

Ils restèrent quelques secondes à l'observer déambuler, les mains autour de la gorge, la bouche grande ouverte, la respiration courte.

— Au nom du ciel ! dit Aude. Faites quelque chose !

— J'appelle les secours ! décida Jérôme.

— Moi je pencherais plutôt pour les urgences psychiatriques ! conseilla Alexandre. Je trouve qu'il a quand même pas mal d'énergie et de souffle pour quelqu'un qui n'arrive pas à respirer !

— C'est vrai que vous ne gonflez pas, remarqua Jérôme. Et vous n'êtes même pas rouge. Je ne vois rien qui annonce un œdème de Quincke...

Cette observation lui valut un regard incendiaire de la part de Nicolas.

— Vous êtes médecin ou pilote ? Pilote, je crois ! Alors gardez votre diagnostic pour vous ! Moi, je n'ai pas envie de crever dans votre salon...

— Non mais vous êtes complètement à la masse, mon pauvre vieux.

— Vous commencez à me taper sur le système avec vos remarques à la con ! cria Nicolas, au bord de la crise de nerfs. Ça fait deux fois dans la journée que je me fais traiter de pauvre vieux ! Je suis à moitié à l'agonie et vous me harcelez de questions... Foutez-moi la paix !

Et il se dirigea à toute vitesse vers la porte d'entrée qu'il claqua derrière lui.

Charlène et Aude restèrent interdites.

— Ma chérie, je suis ravi de voir combien tu t'ouvres à la diversité dans le choix de tes amis, persifla Jérôme. De vrais collectionneurs de névroses !

— Papa, je t'assure que je ne comprends pas ce qui se passe. Il était hyper calme toute la journée. Comparé à Alexandre, c'est un vrai bonze...

— Voilà qui achève définitivement de me rassurer. Bien... Peut-on finir de dîner ou avez-vous prévu de prendre la relève ? railla-t-il en se tournant vers Aude.

Celle-ci était encore sous le choc. Nicolas, qui avait l'air si posé, si rassurant, était-il en fait un vrai cinglé ? L'air implorant de Charlène la convainquit de se rasseoir.

Il régnait à présent une ambiance de plomb.

Dix minutes plus tard, Nicolas sonna à la porte, la mine contrite.

Sans un mot, il reprit sa place, le dos voûté comme si le poids du monde reposait sur ses épaules, et bredouilla :

— Je suis désolé, je vous présente mes excuses...

Aude éprouva pour lui un sentiment de réelle compassion.

— Je vous dois quelques explications. J'ai un problème qui me gâche pas mal la vie : je suis hypocondriaque et nosophobe...

— Noso-quoi ? interrogea Charlène.

Nicolas toussa pour se débarrasser de la gêne qu'il sentait encore dans sa gorge.

— Cela signifie que je suis souvent convaincu d'être atteint par une maladie, et j'ai aussi une peur phobique de contracter la moindre pathologie.

— Euh... C'est pas la même chose, ça ?

— Pas exactement, mais les deux ravagent ma vie sociale. Je perçois toutes les bactéries qui nous entourent comme des monstres dangereux, et j'use de stratégies très élaborées pour les anéantir. J'arrive en général à ne rien laisser paraître car mon arsenal spécial décontamination me suit partout : j'ai toujours du désinfectant sur moi. Jamais vous ne me verrez toucher un Caddie ou une porte de métro à mains nues.

— Ah oui, quand même, murmura Charlène avec une expression médusée.

— Et ça ce n'est rien...

— Mais c'est génialement délirant ! s'enthousiasma Alexandre en pointant Nicolas du doigt. En fait, c'est Georgette, dans *Amélie Poulain* !

Aude lui jeta un regard noir pour le faire taire.

Ignorant la moquerie, Nicolas inspira profondément et poursuivit :

— Vous voyez, j'ai droit à ça à chaque fois. J'aurais largement préféré être alcoolique ! Parce que ça au moins, c'est une maladie reconnue ! On vous bichonne, on vous inscrit aux Alcooliques anonymes en vous donnant des pions en guise d'images pour vous récompenser sur la durée... Mais avoir peur des microbes, ça vous range dans la catégorie des hystériques, des fous quoi... Il n'y a aucune considération de la part des gens.

Il se tourna vers Alexandre qui baissa la tête, puis reprit d'un air penaud :

— C'est pourtant un cauchemar au quotidien, croyez-moi. Tous les organes de mon corps ont été atteints au moins une fois de maladie mortelle. Je connais mieux le Vidal que le « Notre Père », et aucune des maladies existantes n'a de secret pour moi, même orpheline. Du syndrome de Marfan à la maladie de Charcot, je peux lister tous les symptômes et traitements spécifiques. Une douleur brutale à l'occiput et le diagnostic est fait : méningite foudroyante. C'est tout juste si je ne rédige pas mon testament dans l'urgence. J'en ai déjà rédigé une bonne dizaine, d'ailleurs...

Il les regarda tour à tour.

— Je me sens tellement ridicule, dit-il dans un pauvre sourire.

— Nicolas, j'imagine combien ce doit être handicapant pour toi, plaida Aude. Ça doit même être invivable...

— Pour moi, oui...

— Et je ne vous dis pas pour les autres..., souligna Jérôme.

— ... parce que, en général, je n'en parle pas. Ce soir, j'avoue avoir été pris d'une peur panique quand ma gorge s'est mise à chauffer si brutalement... Vous n'imaginez pas combien c'est épuisant d'imaginer en permanence qu'on est attaqué de toute part, comme c'est angoissant cette sensation d'avoir constamment la mort aux trousses... Pourtant, je suis rationnel. Je suis parfaitement conscient d'être hypocondriaque. Mais lorsque ma petite voix me dit : « Et si là c'était pour de bon ? », je me focalise sur les symptômes et tout part en vrille... Alors voilà, toutes les semaines je me trouve un nouveau cancer, sans compter les suspicions d'anévrisme, d'infarctus ou d'embolie pulmonaire...

Un lourd silence accueillit ce dernier aveu. Jérôme jeta un regard amusé sur chacun. La consternation se lisait sur les visages.

Sûr qu'avec de tels personnages, il n'y avait pas de quoi s'ennuyer.

— Bien ! déclara-t-il en se levant. Tout ça est tout à fait passionnant mais il ne faut jamais abuser des bonnes choses et je dois me lever tôt demain. Je vous laisse donc entre vous !

Il leur adressa un mouvement du menton en guise d'au revoir et déposa un baiser affectueux sur le front de sa fille avant de s'éclipser.

*

Aude se rangea à l'avis de Nicolas et reformula ce qu'il venait de dire :

— ... Je suis d'accord, Charlène. Nous avons l'impression que tu attends de nous une chose que nous ne pourrons pas t'apporter. Aucun de nous trois n'est détective ; alors, pour retrouver quelqu'un dont on ne sait quasiment rien...

— Oui, et sans compter que Nicolas est plus givré qu'un bloc de glace, glissa Alexandre avec un plaisir manifeste. Quelle fine équipe ! ajouta-t-il, l'air victorieux et les pouces levés.

— Je pense que mon père sait où elle se trouve, dit Charlène.

Devant leur air sidéré, elle se tut quelques instants.

— J'ai été très malade à l'âge de dix ans. J'ai été hospitalisée. Je ne sais plus combien de temps, mais je me souviens que ça a été très long. J'ai réclamé ma mère à cor et à cri. Et elle est venue me voir. C'est ce que mon père m'a dit.

Une larme coula sur sa joue, qu'elle ne chercha pas à cacher.

— Parce que, manque de bol, j'avais tellement de fièvre que je ne m'en souviens absolument pas.

Encore une pause.

— Il paraît que j'ai failli mourir... Mais bon, j'ai fini par aller mieux. Et je suis enfin revenue à la maison. Je n'ai pas posé de questions à papa, mais elles ont fini par s'accumuler jusqu'à ce que j'explose l'année dernière. J'étais obsédée par l'idée de la rencontrer. Mon père a cherché à m'en dissuader mais ça n'a pas marché. Jusqu'alors nous n'avions jamais eu de disputes, et d'un seul coup nous avons commencé à en avoir pour un oui ou pour un non. Un soir, en rentrant du lycée, j'ai entendu mon père crier au téléphone. Il ne m'avait pas entendue et lorsqu'il a prononcé mon nom, je me suis approchée pour écouter mais il m'a grillée.

Elle releva la tête, guettant un signe d'encouragement pour poursuivre. Aude lui serra affectueusement l'épaule.

— Il avait l'air très en colère mais il s'est brusquement tu et a coupé l'appel. Plus tard, alors que nous étions à table, j'ai prétexté avoir envie de jouer à *Candy Crush* et pris son téléphone. J'ai cherché le dernier numéro d'appel mais il l'avait effacé...

Elle poussa un long soupir avant d'ajouter :

— Je suis convaincue qu'il sait précisément où elle se trouve. Un soir, je l'ai entendu passer un appel. Il était tard, j'étais censée dormir. Il chuchotait et parlait de moi. Je n'entendais pas bien mais je sentais que c'était elle.

Nicolas, Aude et Alexandre étaient suspendus à ses lèvres.

— Il a raccroché, a posé son téléphone sur la table basse et est allé dans sa salle de bains. J'ai aussitôt mémorisé le numéro qu'il avait appelé.

Tous retenaient maintenant leur souffle.

— C'est comme ça que je suis entrée en contact avec ma mère. Je l'ai appelée et lui ai laissé un message sur un répondeur anonyme. Je n'ai eu aucun retour. J'ai recommencé. Et j'ai fini par recevoir un SMS.

— Oh, c'est dingue cette histoire ! s'écria Alexandre. Et que disait ce SMS ?

— Qu'elle était bien la personne que je cherchais. Mais qu'il fallait que je comprenne qu'elle avait aujourd'hui une vie et que voir débarquer une fille dont elle n'avait jamais parlé à personne était impossible. Nous avons ensuite eu plusieurs échanges. Toujours par SMS. Elle refusait toute autre sorte de contact. Et puis, depuis quelques mois, plus rien...

— Comment ça, plus rien ? s'étonna Alexandre.

— Plus rien ! Évaporée... Plus aucune nouvelle. Elle ne répond plus à mes messages.

Un long silence s'installa. Aude finit par le rompre :

— Charlène, ton histoire est incroyable. Et j'aimerais pouvoir t'aider. Mais... je ne vois vraiment pas comment.

— Je vous l'ai dit : je suis convaincue que mon père sait où elle se trouve parce qu'il m'a dit qu'elle se rendait souvent à l'étranger. Il vous suffit de réussir à le faire parler, parce que avec moi il ne veut pas, et ensuite...

— Ensuite ? interrogea Nicolas.

Charlène se tourna vers lui :

— Il n'y aura plus qu'à la trouver...

— OK, répondit-il, songeur. Tu sais que le plus difficile risque d'être de réussir à faire parler ton père ?

Il se dirigea vers la patère fixée sur le mur de l'entrée, face au salon, et fouilla les poches de son manteau pour en sortir un flacon de gel hydroalcoolique. Il regagna ensuite son fauteuil, sans remarquer la forme humaine adossée au mur opposé. Volontairement plongé dans l'obscurité, Jérôme assistait silencieusement aux échanges qui se tenaient dans la pièce d'à côté.

— Et sinon, entre les réseaux sociaux et tous les moyens d'information et de communication modernes, avec son nom, on devrait pouvoir la retrouver, cette femme. Pas besoin d'être des détectives confirmés pour essayer en tout cas...

— Au point où nous en sommes, qu'est-ce que ça nous coûte d'essayer ? lança Aude sans en être convaincue.

Alexandre s'était accroupi au côté d'Hannibal et il lui caressait le dos d'un geste distrait.

Il inspira un grand coup, se leva lestement et avança sa main vers Charlène.

— Allez : topez là, les amis. Tous ensemble, on va arriver à rendre le sourire à notre Charlène !

*

Tandis que résonnaient les paroles de leur serment, Jérôme ferma les yeux en serrant poings et mâchoire.

Voilà qui le mettait dans un beau merdier. Comment arrêter tout ce cirque sans éveiller les soupçons de Charlène ? Comment allait-il réussir à les balader pour qu'ils ne découvrent pas la vérité ?

*Ressaisis-toi. Ce n'est pas le moment de penser à ça...*

Il sentit que le monstre de culpabilité qu'il combattait depuis des années allait refaire surface et il s'efforça de le chasser. Du calme. Il ne pouvait rien faire d'autre que laisser venir les choses. Et si jamais... il aviserait.

Il ouvrit les yeux, desserra les poings, et regagna furtivement sa chambre.

# 5.

Aude quitta à contrecœur le canapé sous les regards amusés de Charlène et d'Alexandre. Ce dernier trépignait à l'idée de l'emmener faire une virée shopping. Tout s'était décidé au petit matin, lorsqu'elle s'était retrouvée dans le salon en leur compagnie.

La veille, au moment d'aller dormir, Charlène avait insisté pour qu'Aude prenne son propre lit, tandis qu'elle-même s'était aménagé un couchage d'appoint sous la fenêtre. La chambre était spacieuse et, Jérôme se montrant particulièrement pointilleux sur le rangement, aucun vêtement ne traînait au sol et chaque chose était à sa place. Aude avait néanmoins passé une nuit épouvantable, d'une part à cogiter, de l'autre à endurer des élancements dans chacun de ses muscles au moindre mouvement. Xavier lui manquait. Son appartement aussi.

Au lever, lorsqu'elle était passée dans la salle de bains, Aude avait réalisé qu'elle n'avait rien pour se changer. Elle avait dû remettre ses affaires de la veille. Il fallait qu'elle sorte acheter quelques vêtements. Cela tombait à pic : Charlène n'ayant jamais cours le mercredi avant 15 heures, son père et elle déjeunaient ensemble ce jour-là. Charlène n'allait peut-être plus en cours, mais Jérôme avait tenu à maintenir ce moment sacré où ils échangeaient, complices, autour d'une assiette, souvent italienne – en promettant, bien sûr, de ne pas aborder la question du lycée. Nicolas avait quant à lui prévu de retrouver son frère en fin de matinée. Tous étaient convenus de se rejoindre à l'appartement pour 16 heures.

Charlène avait discrètement appelé Alexandre pour lui demander d'accompagner Aude dans ses emplettes. Toujours heureux de se sentir utile, et pas trop désireux – lui – de se retrouver seul, il avait sauté sur l'occasion.

Aude les écoutait à présent délirer sur la panoplie complète qu'ils envisageaient de lui faire acheter. L'une parlait de minijupes qui mettraient ses cuisses en valeur, l'autre fantasmait sur des étoffes de couleurs vives qui viendraient enfin supplanter les vêtements « de mémère » qu'elle avait sur le dos.

Elle saisit son sac à main en soupirant. Une *mémère*... C'était vraiment l'image qu'elle dégageait ? Alexandre se précipita vers elle dans un grand éclat de rire, et il l'attrapa par les épaules.

— Ma chérie, ne te vexe pas mais c'est vrai ! Il faut arrêter de te saper comme Sœur Sourire ! Tu vas voir, je suis devenu expert dans l'art du *relooking* et après être passée dans les mains aguerries de Charlène et de Grand Maître Alexandre, tu n'arriveras même pas à te reconnaître, parole de scout !

La familiarité d'Alexandre l'amusait autant qu'elle la déstabilisait. En d'autres circonstances,

Alexandre n'aurait jamais fait partie de ses fréquentations. Et pourtant, un tel décalage avec ce à quoi elle avait toujours été habituée – ambiance feutrée, langage réfléchi – lui faisait beaucoup de bien.

Aude décida qu'elle n'en était plus à un changement près, radical ou non... Cela lui était même totalement égal. Après la nuit qu'elle avait passée à ressasser sa vie en pleurant, elle n'aspirait plus qu'à une seule chose : faire le vide dans son esprit et tout oublier. Oublier même jusqu'à qui elle était. Et se contenter de se laisser guider sans réfléchir, y compris dans un magasin pour y effectuer des achats futiles...

— Nous n'aurons plus qu'à faire un immense feu de joie de toutes tes frusques au milieu de ton salon ! décréta Alexandre.

Aude ne put réprimer un sourire. À le voir si enjoué, qui aurait soupçonné que ce jeune homme traversait lui aussi un passage difficile, et donc qu'il devait dissimuler une grande tristesse ?

Deux petites notes de musique se firent entendre. Charlène se rua sur son smartphone.

— C'était mon père. Il sera là dans vingt minutes.

— Juste ciel ! Allez, on s'arrache ! claironna Alexandre avec entrain.

— T'inquiète ! Le temps qu'il arrive, *ça passera crème* !

— Ah non ! Pas question de taper la causette avec Dark Vador avant le repas : il va nous couper l'appétit. N'est-ce pas, Aude ?

L'intéressée se contenta de répondre par un sourire, sentant qu'elle serait de toute manière incapable d'avaler quoi que ce soit. Son estomac était vide depuis la veille au matin, et pourtant il ne criait toujours pas famine...

Décidément, le programme qu'on lui concoctait se révélait prometteur : lèche-vitrine alors qu'elle était cassée en deux et une bonne bouffe alors que le simple fait d'imaginer le moindre aliment comestible lui provoquait des nausées... Cette journée risquait elle aussi d'être sacrément longue. Si elle voulait tenir le coup elle avait intérêt à simuler un certain enthousiasme. La méthode Coué, en quelque sorte...

— Eh, Alexandre, attention, tu parles de mon père ! dit Charlène. Je comprends que tu ne l'aies pas trouvé très aimable hier, mais crois-moi, c'est quelqu'un d'extraordinaire.

Alexandre songea que ce merveilleux papa était probablement en train de réfléchir au meilleur moyen de se débarrasser d'eux, mais il se contenta de répondre, tout en tirant Aude par l'avant-bras vers la porte :

— Vivement qu'il nous surprenne, alors !

*

Attablé à la terrasse d'un café, Nicolas se félicitait d'avoir appris à gérer les symptômes du stress et de l'angoisse. Il suffisait de se focaliser sur des choses plus positives. En l'occurrence, il allait voir son frère, et cette simple idée lui mettait le cœur en joie.

Depuis toujours, l'amour qu'il vouait à son petit frère, de quatre ans son cadet, était profond.

Pour être franc, ne pas l'avoir vu la veille l'avait contrarié. Quelle histoire, quand même, que l'incroyable concours de circonstances qui l'avait poussé à se retrouver sur ce pont avec trois inconnus. Son frangin allait adorer !

Une main posée sur son épaule le sortit de ses réflexions.

— Salut Nico !

Comme à leur habitude, les deux frères s'embrassèrent avec affection. Mais lorsque Nicolas recula de quelques pas et que son regard croisa celui de son cadet, il comprit à sa mine déconfite que le moment serait mal choisi pour lui parler de son aventure de la veille. Il avait l'air inhabituellement préoccupé. Que se passait-il ?

*

En sortant de chez Charlène, Aude et Alexandre avaient voulu traverser le parc, mais de confidences en confidences, ils avaient fini par s'y arrêter un long moment. Alexandre avait tout raconté à Aude : la complexité de sa relation avec son père, la découverte de son homosexualité, les différentes rencontres qui avaient jalonné son chemin... jusqu'à celle avec Dimitri. Il parlait de ce dernier avec une sensibilité et un amour qui la remuèrent profondément. Elle-même avait-elle un jour aimé à ce point ? Son amour pour Xavier était pourtant réel et sincère. En cet instant, elle aurait aimé pouvoir se convaincre que rien de ce qu'elle avait vu ne s'était produit pour courir se jeter dans ses bras. Mais quelque chose s'était cassé en elle. Et c'était peut-être ce qui la rendait la plus triste.

Sur une impulsion, elle s'était tournée vers Alexandre et l'avait serré dans ses bras. Ils étaient restés ainsi de longues secondes avant de reprendre leur chemin. Quelque chose de fort les liait désormais.

Ils avaient ensuite rejoint une artère plus commerçante, avaient fait quelques boutiques, mais Aude n'avait rien trouvé à son goût. Elle n'avait vraiment pas le cœur à ça. Alexandre, adorable (et toujours aussi bavard), s'évertuait à la faire rire.

— Ah ! Un appel masqué... Je déteste ça. Mais si ça se trouve, c'est Dimitri. Je te laisse quelques instants.

Elle lui fit « bien sûr » de la tête tandis qu'il partait s'isoler sous une porte cochère, les yeux brillants d'espoir. Son regard fut attiré par une robe dans la vitrine de la boutique sur sa droite. Elle se décida à entrer et se dirigea directement vers le vêtement.

À peine eut-elle le temps d'en décrocher le cintre qu'une voix suraiguë lui vrilla les tympans :

— Non mais c'est une blague ? Un col Claudine ? Pourquoi ne pas aller directement chez Damart ? !

Rouge de honte devant la vendeuse qui la dévisageait d'un air pincé, elle reposa le vêtement sur son portant. Oui, il y avait encore quarante-huit heures, elle faisait partie des femmes qui portaient des cols Claudine. Parce qu'elle pensait que son mari l'aimait telle qu'elle était.

Cette robe et elle avaient en commun d'avoir fait leur temps, telle était la triste réalité.

— Je suis sûr qu'elle sort d'un couvent, lui murmura Alexandre à l'oreille en désignant discrètement la vendeuse du menton. Allez, viens ! ajouta-t-il en l'attrapant par le poignet pour la tirer hors du magasin. Un col Claudine, non mais quelle idée !...

— Mais j'adore les cols Claudine ! rétorqua-t-elle faiblement en le suivant.

— Et alors ? Moi, j'adore la fourrure et pour autant je ne me fais pas greffer des poils partout ! Et d'ailleurs, Hannibal et moi militons activement contre la barbarie du commerce de la fourrure, n'est-ce pas mon bébé ? minauda-t-il en déposant avec douceur sur le trottoir le bouledogue qu'il tenait d'un bras.

— Mais c'est très élégant, un col Claudine ! riposta-t-elle, maintenant vexée.

— Nom de Zeus ! C'est surtout rétro à souhait. C'est ça que tu veux être ? Allez, viens, je vais te montrer autre chose que des trucs qu'on trouve dans *Notre temps.*

Agacée, elle se dégagea brusquement.

— Pour avoir été si rapide, j'en déduis que ce n'était pas ton ami qui t'appelait ! grommela-t-elle.

— Non, c'était de la pub... Lui ne me rappelle pas, répondit-il, un peu amer.

Aude s'en voulut immédiatement. Pourquoi se montrait-elle aussi agressive ?

— Je suis une imbécile, excuse-moi, Alex...

Elle lui attrapa une main, il s'arrêta.

— La vérité, c'est que j'ai l'impression d'être une vieille dame de soixante-quinze ans, expliqua-t-elle. Je ne vois plus bien ce qui me reste de féminité, tu comprends ? Alors m'imaginer sapée en minette de vingt-cinq ans...

Elle lui lâcha la main.

— La vérité, c'est que psychologiquement je me sens sale, et physiquement diminuée. Je me sens vieille, je me sens moche. Je me sens nulle. Je me dis que je dois mériter ce qui m'est arrivé.

Elle fixait maintenant le trottoir, la tête baissée.

— Tu sais, c'est douloureux de se sentir ainsi salie. Et pourtant j'aime toujours mon mari. Finalement, c'est moi que je n'aime plus...

— Je suis très touché que tu me confies tout ça, Aude. D'autant que je ne suis vraiment pas celui qui pourrait te donner des leçons...

— Ne sous-estime justement pas qui tu es, le coupa-t-elle. Tout à l'heure, tu m'as donné une vraie leçon d'amour, toi l'homo que l'on montre souvent du doigt, à moi, la femme mariée dont on croit que je coche toutes les cases du mariage réussi. Et tu m'as bousculée. J'ai pris conscience d'une chose en t'écoutant parler : je n'ai jamais aimé mon mari comme toi tu aimes ton Dimitri.

Alexandre serra fortement Aude contre lui.

— Donc, si j'ai bien compris, fit-il en riant pour masquer son émotion, tu me demandes de trouver pour une moche des fringues qui la rendraient moins moche sans avoir l'air de vouloir la transformer en la souillon qu'elle a déjà l'impression d'être, c'est bien ça ?

Aude acquiesça avec une moue gênée.

— C'est dans mes cordes. Il faudra juste me faire confiance, et ne pas t'écouter. Parce que moi, ma chérie, je te vois belle, et si quelqu'un s'est sali dans ton histoire, ça ne peut en aucun cas être toi. Il faudra t'en souvenir, certains soirs où le vent soufflera un peu fort...

Elle lui adressa un clin d'œil et ils reprirent leur marche dans un silence confortable.

— Ne t'inquiète pas. Dimitri finira par t'appeler... souffla-t-elle au bout d'un moment.

Alexandre garda les yeux rivés au sol.

— Tu sais, je suis assez fataliste. Je pense vraiment que les choses arrivent rarement par hasard. Y compris les moments difficiles. Mais toutes ont un sens. Là, je n'en trouve aucun.

— Il n'y en a pas toujours. Regarde-moi...

Il s'arrêta net.

— Mais je ne suis pas d'accord avec toi, Aude. Je suis convaincu que ce qui t'arrive tombe à point nommé. Et qu'il y a une raison à tout ça, même si c'est encore trop tôt pour la découvrir. Tu verras : nous en reparlerons ! Et nous verrons à qui l'avenir donnera raison, dit-il en lui reprenant le bras.

Ils firent encore quelques pas, puis elle vit son regard s'illuminer.

— Jésus, Marie, Joseph ! Regarde : Zara, Maje, Sandro... Nous vivons décidément dans un monde merveilleux ! Pour sûr qu'on va y trouver ton bonheur !

Les heures suivantes se chargèrent de démontrer à Aude pourquoi Alexandre associait ces trois boutiques à la version contemporaine et commerciale du paradis.

*

Xavier Lanton venait de laisser un énième message à Aude. En cet instant précis, il aurait donné cher pour savoir où elle se trouvait. Les employés du cabinet commençaient à trouver son absence suspecte.

Pour le moment, il allait devoir s'atteler à un autre problème. Cindy l'attendait. Or, il avait pris une décision, ferme et irrévocable : donner la priorité à son mariage. Il allait devoir trouver les mots justes. Mais comment lui dire qu'il rompait parce qu'il n'avait pas le choix ? Parce que c'était ça, l'histoire. Bien sûr qu'il aurait aimé rester avec elle. C'était une femme drôle et elle était particulièrement douée au lit. D'un SMS, elle l'excitait en lui disant à quoi elle pensait, ce dont elle avait envie. Avec elle, il n'existait aucun interdit. Aucun. Ni dans l'intimité des murs ni à l'extérieur. Elle seule était capable de lui mettre le bas-ventre et la tête à l'envers sur un simple appel. Partout. N'importe quand.

Mais il ne partageait pas avec elle ce qu'il partageait avec Aude. C'est-à-dire tout le reste.

« Quel con ! » laissa-t-il échapper à voix haute. Oui, il avait été sacrément con d'emmener Cindy chez lui. Tout ça parce qu'il avait eu la flemme de se rendre chez elle ce matin-là... Maintenant, non seulement il était dans de beaux draps, mais en plus il était acculé à faire un choix.

Il reprit sa marche et remonta la rue de Chaligny, s'arrêta devant un immeuble, tapa un code sur l'interphone, attrapa son trousseau de clés professionnel. Plus de deux ans de liaison, ça tissait quand même pas mal de liens. Quand il était chez Cindy, il s'y sentait presque comme chez lui.

Pourtant, dans quelques instants, le trousseau qu'il tenait en main compterait une clé de moins.

*

Durant plus de deux heures, Aude essaya une quantité incroyable de vêtements sélectionnés par Alexandre. Elle avait commencé par tester un premier ensemble avant de passer, effrayée, à un second en expliquant à Alexandre que « ça n'était pas possible ». C'était compter sans l'assurance du jeune homme qui, devant la vendeuse médusée, avait sans crier gare ouvert d'un seul coup le rideau de la cabine, qui la protégeait des regards. Découverte, Aude s'était retrouvée en jean et soutien-gorge, rouge comme une pivoine.

— Mais t'es jolie comme un cœur, ma chérie ! s'était-il exclamé avec un enthousiasme débordant, avant d'inviter la jeune vendeuse à se prononcer à son tour.

En dix minutes, Alexandre avait littéralement ambiancé le magasin. Seul homme présent, il y allait de ses commentaires personnels sur tout article sortant d'une cabine, et les clientes en vinrent même à solliciter son avis sur les tenues qu'elles essayaient.

Lorsque la séance s'acheva, Alexandre appelait la vendeuse et la responsable du magasin par leur prénom. On lui proposa même de travailler à la boutique.

Aude était quant à elle sur les rotules. À force de s'être contorsionnée dans des jeans trop serrés (« Alex, il manque au moins deux tailles, là ! »), de les avoir troqués contre des jupes trop courtes (« Mais, Alex, ça c'est une ceinture ! »), puis d'avoir négocié sur les tops (« Alex, euh... le décolleté jusqu'au nombril, c'est un problème de coupe ou c'est *vraiment* voulu ? »), elle se sentait vidée. Elle avait fini par cesser de s'étonner ou s'inquiéter, s'était contentée d'acquiescer mollement et de passer en caisse, devant un Alexandre qui exultait. Aude avait l'impression que c'était son dressing à lui qu'on venait de remplir, tellement il semblait excité par tous ces achats.

Elle n'en pouvait plus, le moindre mouvement la faisait gémir, et les sacs remplis qui pendaient à chacun de ses bras s'apparentaient à des haltères pour bodybuilders confirmés.

— Ma chérie, arrête de te plaindre. Tu vois, là-dedans, il y a une autre femme ! proféra Alexandre avec fierté en agitant à bout de bras l'autre partie des sacs qu'il tenait. Tu vas te métamorphoser.

Aude se retint de rétorquer que ce n'était pas son but. Mais, au fond d'elle, n'était-ce pas un peu le cas ? Se retrouver comme par magie dans la peau d'une autre. Elle ne serait alors plus celle qui...

S'efforçant de chasser les images qui la hantaient depuis la veille, elle répondit à Alexandre :

— Vu l'argent que je viens d'y laisser, je pense que j'aurais pu gagner dix ans avec une ou deux petites injections moins onéreuses...

— Hors de question ! Elles commencent toutes avec une petite goutte de Botox avant de finir à l'acide hyaluronique, gonflées comme des poissons-boules !

Elle éclata de rire et ils échangèrent un regard complice avant de reprendre leur route.

— Tu devrais l'appeler, Alexandre... reprit Aude.

Il feignit de ne pas comprendre et se pencha pour flatter affectueusement le flanc d'Hannibal.

— Appeler qui, ma chérie ?

— Tu le sais très bien, Alex.

Il fixa le sol avant de réagir :

— Pour lui dire quoi ? Que je l'aime à en crever mais que je crève autant de trouille d'affronter mon père ?

Son visage s'assombrit.

— Je ne suis pas sûr qu'il ait envie d'entendre ça...

— S'il se dit la même chose, l'histoire risque effectivement de mal finir.

Il concéda :

— En même temps, si tu savais combien je meurs d'envie de lui parler...

D'un signe du menton, elle désigna sa poche de jean pour qu'il en sorte son portable. Sans un mot de plus, elle attrapa la laisse d'Hannibal et avança lentement avec l'animal, pour le laisser seul.

Alexandre les regarda s'éloigner, le cœur cognant dans sa poitrine.

Une bouffée d'angoisse l'envahit. Mais Aude avait raison. Il ne pouvait plus rester ainsi.

*Notre histoire ne doit pas se terminer là-dessus.*

Cette perspective le fit blêmir. Il lança l'appel, qui bascula sur la messagerie de Dimitri. Il allait raccrocher mais songea à ce qu'Aude éprouvait en cet instant précis : la sensation d'être passée à côté de sa vie. Voulait-il à son tour prendre le risque de passer à côté de la sienne ? Après le bip, il se lança dans un long message. « Il faut qu'on parle, rappelle-moi, je t'en supplie », dit-il avant de raccrocher.

*

Charlène releva l'écran de son ordinateur portable, la boule au ventre. Aurait-elle enfin une réponse de l'internat qu'elle convoitait ?

Depuis toute petite, elle manifestait un réel intérêt pour la recherche scientifique. Et pour se donner toutes les chances d'intégrer Polytechnique, elle avait dès fin janvier exprimé en premier vœu sur Parcoursup son souhait de rejoindre le lycée Sainte-Geneviève, plus communément connu sous le nom de Ginette.

Au sujet de sa mère, hier, en expliquant tout à Aude, Alexandre et Nicolas, elle avait omis un détail important. Elle leur avait parlé d'un échange de SMS entre elles, puis plus rien. Mais elle ne leur avait pas dit que, mi-décembre, cette dernière l'avait appelée. Lorsque Charlène avait vu son numéro s'afficher sur l'écran de son téléphone, elle avait senti son cœur s'arrêter. Tremblante et émue, elle avait décroché. La personne avait aussitôt raccroché. En vain, Charlène avait cherché à la rappeler. Quelques minutes plus tard, Charlène recevait ce

SMS : « Pardonne-moi, Charlène, mais je ne suis pas prête. Je n'ai pas de place pour toi dans ma vie. Je ne suis pas faite pour être mère... J'espère que tu me comprendras. » Elle n'avait pas non plus révélé le contenu définitif de ce dernier message à ses nouveaux amis.

Ce soir-là, elle s'était effondrée dans les bras de son père. Il lui avait expliqué qu'elle n'était responsable en rien de ce qui se passait, et que sa mère l'aimait à sa manière. Mais qu'il ne fallait plus insister.

Pour la première fois de sa vie, Charlène avait levé le nez de ses cahiers. Elle n'acceptait pas de se laisser ainsi rejeter sans explication. Ses résultats scolaires avaient commencé à s'effondrer. Son professeur principal avait suggéré à son père que Charlène faisait sans doute sa crise d'ado, qui arrivait parfois sur le tard. Jérôme avait espéré qu'elle se redresserait. En vain.

Comme ses notes continuaient à baisser, son père avait durci le ton. Leur relation s'était tendue.

Lorsqu'ils s'étaient tous deux penchés sur Parcoursup, Charlène avait non seulement persisté dans son choix pour Ginette, mais elle avait même décrété qu'elle n'irait nulle part ailleurs. Il avait fallu tous les efforts de persuasion de Jérôme pour la raisonner et la contraindre à faire figurer d'autres établissements.

Progressivement, Charlène s'était mise à sécher certains cours, à ne plus faire ses devoirs. Jérôme avait alors cherché à sévir. Charlène avait tenu tête à son père en objectant que retrouver sa mère était plus important pour elle que tout le reste. Sa moyenne chuta de 19,5 à 14.

Pourtant, sa volonté d'intégrer Ginette ne lui était pas passée. Et aujourd'hui, là, devant son ordinateur, elle n'en menait pas large... Elle prenait soudainement conscience d'être entrée en concurrence avec d'autres jeunes de son âge qui, eux, n'avaient pas lâché une once de terrain.

Elle ravala sa salive, tapa ses codes d'identification. Le cœur battant, elle découvrit que le lycée Louis-le-Grand lui offrait une place.

Bien sûr, c'était une sacrée reconnaissance. « Louis-le-Grand », cela sonnait « royal ». Mais elle lui préférait nettement « Ginette », qui résonnait davantage en elle comme le prénom d'une mère... Lentement, elle fit remonter le curseur sur son premier choix.

La ligne affichait « en attente ».

Elle ne faisait donc pas partie des heureux élus du premier tour. Mais il lui fallait absolument Ginette. Intégrer cet internat les obligerait, son père et elle, à sortir de cette relation fusionnelle qui faisait d'elle, elle en était convaincue, un vrai boulet qui l'empêchait de refaire sa vie.

Tant d'années studieuses pouvaient-elles être soudainement balayées par un décrochage de quelques semaines ? Louis-le-Grand lui proposait une place. Si elle cochait « oui », la place lui était définitivement attribuée, mais sa candidature à Ginette serait annulée. Hors de question. Un « non » libérerait sa place à Louis-le-Grand, qui serait attribuée à un autre lycéen. Le « oui mais » lui permettait d'attendre la décision finale de Ginette tout en conservant son droit à intégrer le prestigieux lycée parisien.

Son père serait heureux. Elle non. Et si Ginette ne voulait pas d'elle, son père l'obligerait à intégrer Louis-le-Grand.

Elle frappa rageusement son bureau de la main. Ce serait Ginette ou rien. Que cela plaise ou non à son père.

Devait-elle prendre le temps de réfléchir avant de refuser de manière irrévocable la proposition d'affectation qui lui était faite de Louis-le-Grand ? « Une folie », comme son père ne manquerait pas de qualifier sa réaction. Elle se mordilla la lèvre inférieure. Il avait toujours été là pour elle. Et elle l'aimait plus que tout.

*Et pourtant, je m'apprête à faire quelque chose qui va tellement le décevoir...*

La sonnerie de l'interphone retentit.

Sans se laisser davantage de temps pour réfléchir, elle refusa la proposition du prestigieux établissement. Le caractère irrévocable de sa décision amplifiait encore le risque qu'elle venait de prendre. Celui de se retrouver sans aucune école.

*Sûr que papa ne me le pardonnera jamais...*

Avec colère, elle referma son ordinateur.

Avant de s'apercevoir que ses joues ruisselaient de larmes.

*

Ils étaient tous les quatre assis dans le salon, et Charlène venait de leur servir un cocktail de jus de fruits pressés par ses soins. Nicolas en était à se demander si une bonne dose de vitamines parerait à une éventuelle offensive contre son système digestif (son frère lui avait annoncé avoir une gastro) lorsqu'un claquement de mains le sortit de ses réflexions.

— Bon, alors récapitulons ! commença Alexandre en se levant. On a un portable mais qui ne sert à rien, puisqu'elle n'y répond plus. Et on a le nom de ta mère, Sophie Voiront, c'est bien ça, Charlène ?

— C'est ça.

— Parfait ! Donc...

— Pourquoi « parfait » ? le coupa Nicolas.

Alexandre se tourna vers lui en lâchant un soupir.

— Parce que pour chercher quelqu'un sur Internet c'est plus facile quand on connaît au moins son nom et son prénom, cette bonne blague ! Charlène, tu nous apportes ton ordi ?

— Il n'y en aura pas trop de deux : j'ai également le mien, annonça Nicolas en sortant un PC de son sac.

— Bonne idée ! s'exclama Alexandre en attrapant le Mac que Charlène lui tendait. Alors, on commence par quoi ?

— Ben les moteurs de recherche, aussi bien français qu'internationaux...

— J'ai déjà cherché de mon côté, qu'est-ce que vous croyez ! s'énerva Charlène. Y compris sur des moteurs de recherche ou des sites payants. Je n'ai jamais rien trouvé.

— Évidemment, ç'aurait été trop facile, soupira Aude.

— Tranquilles, les amis ! conseilla Alexandre. Internet obéit parfois à des règles très strictes. Nous allons donc essayer avec le nom entre guillemets, pareil pour le numéro de téléphone, puis on poursuivra notre recherche avec des présentations différentes. Moi, j'essaie avec des chiffres séparés par des traits d'union. Nicolas, tu essaies avec des points. On essaiera aussi avec des parenthèses. Parfois, ça se joue à peu de chose...

Nicolas acquiesça et se lança aussitôt. Aude se glissa derrière lui, tandis que Charlène rejoignait Alexandre. On n'entendit plus que le bruit de cliquetis des claviers.

Mais, trente minutes plus tard, tous sortaient bredouilles de leurs recherches.

— Il nous faudrait davantage d'infos, décréta Alexandre. Charlène, est-ce que tu sais de quel endroit ta mère est originaire ? Ça pourrait nous aider...

— Aucune idée. Papa ne m'en a jamais rien dit. Dès que je lui pose une question sur elle, il l'élude. Il a toujours fait ça...

— Passons sur les réseaux sociaux, proposa Nicolas. Je prends Facebook, Instagram et LinkedIn. Alexandre, tu prends Google +, Copains d'avant et tout ce qui te passe par la tête, ça te va ?

Charlène haussa les épaules.

— Ça aussi j'ai essayé... Vous me prenez pour une imbécile ou quoi ?

— Eh, oh, nous sommes là pour t'aider, Charlène, intervint Nicolas. On fait ce qu'on peut, et on n'a jamais prétendu qu'on était Colombo ! Est-ce que tu as d'autres infos, je ne sais pas, moi : où elle est née, sa date de naissance... ?

— Sur mon livret de famille !

Charlène s'était jetée sur l'un des tiroirs d'un meuble du salon. Elle en sortit un petit carnet marron.

— Voiront Sophie, née le 4 novembre 1981 à Guéret, lut-elle à haute voix.

— Bon, on recommence et on essaie de croiser toutes ces infos sur les différents moteurs de recherche, proposa Nicolas. Je prends Google et Yahoo. Tu en choisis deux ou trois autres ? demanda-t-il à Alexandre, qui opina mollement de la tête.

*

*Village de Fleutière*

La femme tendit l'oreille pour être sûre que Pierre, son mari, partait s'allonger.

Souvent il éprouvait le besoin de s'isoler lorsque arrivait la fin de l'après-midi. Il était définitivement usé. Cassé par la vie.

Maintenant qu'elle était seule, elle pouvait sortir cette satanée enveloppe de sa cachette, derrière tout son arsenal de casseroles. Elle l'avait cachée là la veille, lorsqu'elle était revenue du cimetière.

Elle avait l'habitude. Elle savait que chaque fois que ce type passait sur la tombe de Chloé, il y avait pour elle une enveloppe dans la boîte aux lettres. Pierre n'avait eu connaissance que de la première. Celle qu'elle tenait à présent entre les mains allait rejoindre les autres. Dans une cachette sûre, pour que Pierre n'en sache rien.

La première fois, les nombreux billets avaient été accompagnés d'un seul mot.

*Pardon.*

Pierre et elle en avaient rapidement déduit que le salopard éprouvait finalement du remords. Pierre avait réagi avec emportement en affirmant qu'il ne toucherait pas un centime de ce fric sale. Que ce type ne pourrait jamais racheter la vie de sa fille.

Il avait tout brûlé.

Et ils avaient continué à vivoter en tentant tant bien que mal de finir dignement chaque mois. Le commerce dans lequel ils avaient investi tous leurs biens des années plus tôt n'était plus qu'un souvenir. Pierre s'étant écroulé au décès de leur fille, il n'avait plus jamais confectionné la moindre pâtisserie ou viennoiserie. Après Chloé, tout s'était asséché, du cœur de ses parents jusqu'à ce four à pain qui n'avait plus jamais fonctionné. La boulangerie avait définitivement fermé ses portes.

Depuis, seuls les maigres revenus qu'elle tirait de son travail à temps partiel leur permettaient de survivre. Mais c'était dur. Très dur. Trop dur.

Alors, lorsque la deuxième enveloppe était arrivée, elle s'était montrée plus pragmatique. Et discrète.

Non, cet argent ne rachèterait jamais la conduite de ce salopard. Mais il lui permettrait peut-être de les sauver de la misère.

Elle déchira prudemment le papier kraft. Sans surprise, elle sortit la liasse de billets de 50 euros. Combien y avait-il cette fois-ci ? Cinq mille ? Six mille euros ?

Un bruit de chaise tirée sur le plancher de l'étage la fit sursauter. Précipitamment, elle rangea les billets dans leur enveloppe, qu'elle remit à la même place.

*

Nicolas et Charlène ne cessaient de discuter au-dessus de l'ordinateur, tandis qu'Aude faisait face à un Alexandre inhabituellement taiseux. Elle en profita pour écouter les trois messages laissés par Xavier sur son portable, qui lui intimaient de rentrer.

Deux jours plus tôt, il s'envoyait en l'air avec une autre femme, et la seule chose qui importait à ses yeux était de la voir revenir à la maison, comme si de rien n'était... Était-il donc à ce point incapable d'imaginer combien elle se sentait profondément meurtrie ?

Sans réfléchir, elle commença à taper :

« J'ai bien eu tous tes messages. Je crois que tu ne comprends pas combien je souffre. Je me sens souillée en tant qu'épouse, trahie en tant qu'amie, et dépouillée en tant que femme. Il y a deux jours, le monde d'illusions dans lequel je vivais s'est écroulé. Les images qui me hantent depuis avant-hier m'obligent à réfléchir à ce qui fait qu'aujourd'hui j'ai l'impression de n'être plus rien. Essaie de comprendre ma blessure, respecte mon besoin de prendre du recul. Je crois nécessaire de faire un bout de chemin seuls, de poser nos valises respectives et d'en inspecter soigneusement le contenu. Pour le moment, mon bagage à moi est bien trop lourd pour imaginer reprendre la route à tes côtés. Me laisser seule est de loin la meilleure chose que tu puisses faire pour le moment. Je t'embrasse. Aude »

Elle relut son message. Certes, il n'avait plus grand-chose d'un SMS, et Charlène se serait sans doute moquée d'elle. Mais il lui semblait suffisamment explicite. Et c'était là le plus important. Elle appuya sur « envoi ».

Elle se rapprocha d'Alexandre lorsque son téléphone vibra à nouveau. Xavier la rappelait. Elle ne décrocha pas, interloquée de voir de quelle manière il répondait à sa demande de prendre du recul. Quelques secondes encore, et elle reçut un SMS : « Allons, Aude, je suis vraiment désolé et je donnerais cher pour remonter le temps. Mais je ne le peux pas. Alors, reviens et retrouvons notre vie d'avant. Je t'aime. »

C'était la goutte de trop.

Se moquait-il à ce point de ce dont elle avait besoin ? Si au moins il cherchait à échanger avec elle pour mettre les choses à plat et comprendre pourquoi ils en étaient arrivés là... Non, sa seule préoccupation était de savoir quand elle rentrerait au bercail. Qu'il aille se faire voir ! Furieuse, elle coupa son portable, et fit mine de se concentrer sur les recherches effectuées par Alexandre.

— C'est quand même dingue ! Je ne connais personne capable de passer au travers des mailles du filet du Net. Ne serait-ce que par son travail ! Tu n'as vraiment aucune idée de son métier ? dit Nicolas.

Ça faisait une bonne heure qu'ils essayaient toutes les pistes, en vain.

Charlène secoua la tête. Elle se rendait souvent à l'étranger, cela pouvait signifier qu'elle y travaillait, non ?

— Raison de plus pour que ce soit louche ! Moi, je ne connais pas grand monde qui ait aujourd'hui un poste en entreprise et qui ne soit pas sur Internet. Mais travailler à l'international, cela suppose un certain niveau de poste. Et là elle serait *forcément* sur LinkedIn ! Non mais, avouez que c'est quand même bizarre ! s'exclama-t-il à nouveau. Ou bien cette femme n'existe pas, ou bien...

Tout le monde comprit ce qu'il sous-entendait. Charlène se décomposa.

Nicolas chercha à se rattraper :

— Enfin, nous savons qu'elle existe puisqu'elle t'a écrit, Charlène...

— Donc, on peut considérer la possibilité qu'elle soit au chômage, ou encore l'éventualité qu'elle n'ait pas un job « normal », en déduisit Aude. Ou en tout cas pas un travail qui nécessite une existence sociale sur le Net.

— Mouais... Y a quand même un truc pas logique, ajouta Nicolas d'un air songeur. On a une femme qui ne donne aucun signe de vie à sa fille pendant dix-sept ans, qui répond soudain aux SMS que sa gamine lui envoie sans poser davantage de questions... Et d'un seul coup, cette femme part en vrille en décrétant qu'elle ne veut pas avoir de relation avec elle et s'évapore dans la nature. C'est quand même bizarre, non ?

— Peut-être utilise-t-elle un autre nom ? envisagea Alexandre.

— Bonne idée ! Elle est peut-être mariée. On va réessayer mais en ajoutant « née » à chaque variante dans nos critères de recherche.

— Même avec le nom incomplet, on aurait quand même eu des infos s'il y avait eu quelque chose, maugréa Alexandre en secouant la tête d'un air exaspéré.

— Pas forcément, répliqua Nicolas. Et puis on n'a pas d'autre option de toute manière. Mais si tu as une meilleure idée, vas-y, on t'écoute.

Alexandre n'en avait pas et obtempéra en silence. Aucun d'eux n'entendit Jérôme rentrer. Celui-ci s'arrêta dans l'encadrement de la porte du salon. Que faisaient-ils ainsi affairés sur leurs écrans ? À force de fouiner, se pourrait-il qu'ils arrivent à dégoter quelque chose sur Sophie ?

Il s'efforça de masquer la nervosité qui le gagnait, et parvint à lancer sur un ton enjoué :

— Waouh ! On se croirait sur un campus d'étudiants !

Tous levèrent le nez comme s'ils étaient pris la main dans le sac.

— Et qu'est-ce qui nécessite chez vous une telle concentration ? ajouta-t-il d'un air innocent.

Charlène bondit sur ses pieds et se jeta dans les bras de son père.

— Salut, p'pa ! On regardait un truc sur le Net !

Il préféra faire semblant d'y croire et passa en mode éducatif :

— Je te rappelle que tu passes des épreuves dans quelques jours, Charlie.

— Je sais, papa. J'ai révisé tout à l'heure.

— Nous allions justement partir, ajouta Alexandre en se levant.

— Bien ! Et la prof, elle part aussi ?

Aude piqua un fard. Combien de temps encore allait-elle devoir supporter ce type de sarcasme ?

Alexandre et Nicolas prirent congé après s'être entendus avec Aude et Charlène pour que tous quatre se retrouvent le lendemain à 10 h 30, sur l'île du Belvédère. Les deux garçons s'engouffrèrent dans l'escalier sans s'adresser la parole.

# 6.

*Jeudi 30 mai 2019*

Aude revint dans le salon, une tasse de café à la main. La troisième de la matinée. Et elle n'avait toujours rien de solide dans le ventre. En ce jour où l'on célébrait l'Ascension, sans doute pourrait-elle rester seule encore un bon moment avant que Jérôme ou Charlène ne se lèvent.

La deuxième nuit avait été aussi épouvantable que la première.

Comment trouver le sommeil avec de telles images dans la tête ?

Sans compter ses courbatures, toujours aussi vives...

Elle s'assit à la table du salon, l'écran noir de son smartphone semblant la narguer. Xavier lui avait envoyé quatre SMS, et laissé deux messages vocaux pendant la nuit.

Que devait-elle faire ? Pour Xavier, il s'agissait d'un « accident de parcours ». N'était-ce donc que cela ?

Non, il y avait un « avant » et un « après ». Le souvenir des gémissements qui l'avaient poussée à entrer dans leur chambre lui était insupportable.

Elle enfouit son visage entre ses mains. Toutes ses certitudes s'étaient effondrées. Comment pourrait-elle ignorer cette déchirure et faire comme si rien de grave ne s'était produit ?

De nouveau Xavier appela. L'écran affichait son visage, un franc sourire sur les lèvres. Il brandissait avec fierté un mathusalem de champagne Heidsieck gagné à une foire de province. À combien de temps cela remontait-il ?

À une époque où elle se pensait à l'abri de ce genre de situation.

Une partie d'elle la poussait à décrocher. Un seul geste, une bonne engueulade et elle pourrait rentrer chez elle, quitter l'appartement de ce type insupportable qui la toisait telle une demeurée, et qui ne pouvait vraisemblablement pas la saquer.

*Alors ? Décrocher ? Ne pas décrocher ?*

Le sujet était plutôt de savoir si elle devait continuer à remettre leur échange aux calendes grecques.

Nul doute que rejeter les appels de Xavier n'était pas une solution...

Elle inspira calmement et fit glisser son doigt sur « répondre ».

— Ouf, tu décroches enfin ! s'exclama Xavier.

Elle marqua un temps avant de lâcher d'une voix lasse :

— Je t'ai pourtant écrit que j'avais besoin de prendre du recul, Xavier.

— Aude, je t'ai déjà dit que je regrettais. Si tu ignores mes appels, on ne va pas avancer. Rentre à la maison et là on pourra discuter.

— Tes regrets n'enlèvent rien à ce qui s'est passé, ni aux questions que je me pose.

— Mais cette fille n'a aucune importance à mes yeux ! Ne lui en donne pas davantage. On ne va quand même pas foutre notre couple en l'air pour ça !

— *Pour ça* ? répéta-t-elle.

— Écoute, chérie, on ne va pas en parler par téléphone. Rentre, que nous puissions en discuter de vive voix.

Les mots se fracassaient dans la tête d'Aude. « Pour *ça* » ? Avait-il expliqué à Cindy qu'elle n'était que « ça » pour lui ? La vérité lui éclata à la figure.

*Tu penses bien qu'il ne l'a pas retrouvée par hasard. Cette Cindy n'est pas qu'une erreur de parcours. C'est une voie parallèle qu'il longe en catimini depuis plus de deux ans...*

Avait-elle envie de reconnaître cette vérité-là ? Elle dut s'avouer que non. Elle aurait même carrément préféré rester dans la plus totale ignorance.

*Tu es donc devenue lâche à ce point ?*

Elle avait encore envie de pleurer. Évidemment, elle ne souhaitait pas vivre dans le mensonge. Mais celui qui vivait dans l'illusion ne souffrait qu'une fois rattrapé par la réalité. Voilà, elle y était.

*Et tu n'as plus le choix maintenant : il va falloir prendre une décision.*

— Tu m'entends, Aude ? Allez, dis-moi où tu te trouves. Je viens te chercher.

Mais avoir ainsi entretenu ces fameuses illusions ne relevait-il pas de sa responsabilité à elle ?

*Non, parce qu'il faut quand même bien dire qu'il s'évertuait à cacher l'envers du décor. Pour que tu endosses le rôle de la cocue qui s'ignore.*

*Si tu as une responsabilité, c'est d'être restée la conne qui n'a pas su voir.*

— Allô ?

Le cœur battant la chamade, elle interrogea :

— Est-ce que tu l'aimes, Xavier ?

Après tout, n'était-ce pas là la seule question qui méritait d'être posée à celui qui lui avait un jour juré fidélité devant Dieu ?

— Non mais tu délires, chérie ! Je n'aime que toi !

La douloureuse piqûre de la jalousie, de la trahison la poussait à vouloir connaître les détails de cette liaison : *Quand la voyait-il ? Quels endroits fréquentaient-ils ensemble ? Que se confiaient-ils ? Comment faisaient-ils l'amour ?...*

— Il faut que tu me pardonnes, Aude.

*Lui avait-il un jour dit « je t'aime » ? Avaient-ils rompu ?*

— Et au boulot, tout le monde s'inquiète. Je leur ai dit que tu étais malade, mais après je vais être à court...

Le boulot ? Elle ne se sentait pas le courage d'affronter leur regard. Qu'ils sachent ou non.

*Qui te dit qu'ils ne sont pas au courant ?*

*Le cocu est souvent le dernier informé...*

Ça n'était pas à exclure.

— Aude... Ce que nous traversons arrive à des millions de couples. J'ai déconné, mais si tu n'étais pas rentrée à ce moment-là, tu n'en aurais jamais rien su et tout serait comme avant !

Interdite, elle demeura un instant la mâchoire tremblante.

Son unique remords était d'avoir été pris la main dans le sac...

Incapable d'ajouter le moindre mot, elle raccrocha, fit glisser son téléphone à l'autre bout de la table et s'efforça de prendre lentement une grande inspiration.

— Je vais me faire griller un toast. Vous en prendrez un ?

Elle se retourna brutalement : Jérôme se tenait en caleçon et tee-shirt dans l'encadrement de la porte, légèrement appuyé contre le chambranle.

— Depuis combien de temps êtes-vous là ? répliqua-t-elle sur un ton peu engageant.

— De rien, je vous en prie, répondit-il en partant vers la cuisine.

Aude sentit ses joues s'empourprer. Pourquoi avait-elle réagi ainsi ? Pour une fois qu'il se montrait aimable... Qu'avait-il entendu de sa conversation avec Xavier ? Un sentiment de honte l'envahit. Jérôme revenait déjà avec un bol de café.

À l'autre bout de la table, son portable vibra à nouveau. Xavier, sans aucun doute.

— Dom Juan tient vraiment à convaincre sa dulcinée de rentrer au bercail, on dirait, commenta Jérôme.

Elle saisit son téléphone et bascula l'appel sur sa messagerie.

— Il n'est pas très correct d'écouter les conversations des autres. Je crois que vous avez suffisamment de problèmes personnels à gérer. Nul besoin de venir farfouiller dans ceux des autres !

Il hocha la tête avec un petit sourire et repartit vers la cuisine, d'où il revint avec un plateau bien rempli.

— Vous devriez vous restaurer un peu. Je n'ai pas l'impression que vous ayez avalé grand-chose ces derniers jours.

— Je vais bien, et j'ai suffisamment mangé hier, merci.

— D'accord pour la deuxième partie mais pour ce qui est de la première, permettez-moi d'en douter... Votre visage est un véritable émoticône : on y lit la moindre expression à livre ouvert !

— Eh bien disons que je suis simplement fatiguée.

Elle se mit à espérer que Xavier lui ait laissé un nouveau message. Un SOS où il réaliserait le mal qu'il leur avait fait. Un mea culpa où il avouerait la détresse dans laquelle il était plongé depuis son départ. Une main tendue qu'au fond elle ne demandait qu'à saisir...

Elle se leva et s'approcha du bow-window.

Elle s'évertua à conserver les yeux fixés sur l'une des fenêtres de l'immeuble opposé. Avant de réaliser qu'elle serrait de toutes ses forces son poing gauche. Comme si celui-ci contenait les larmes qu'elle ne voulait pas laisser couler sur ses joues.

« *Ce que nous traversons arrive à des millions de couples.* »

« *Si tu n'étais pas rentrée à ce moment-là...* »

Une vague de colère monta en elle. Il la rendait responsable de cette situation. Et balayait d'un revers de main sa propre trahison.

— Je vais me refaire un café, ça me réveillera. Si je vous en propose un autre, allez-vous me sauter dessus toutes griffes dehors pour m'arracher les yeux ?

Il y avait une telle sollicitude dans la voix de Jérôme qu'Aude se demanda s'il s'agissait bien du même homme. Leurs regards s'accrochèrent quelques secondes. Suffisamment pour qu'elle lise dans ses yeux une réelle bienveillance.

— Pourquoi pas ? Oui, merci, s'entendit-elle répondre.

Les mots de Xavier tournaient toujours en boucle dans sa tête. Brusquement, une vague irrépressible la traversa. Le besoin d'exister. L'envie de plaire. La nécessité de se rassurer. Ainsi qu'un terrible désir de vengeance.

Elle pensa à tous ces sites de rencontre dont les pubs placardaient de nombreux murs parisiens. Un truc comme Tinder où elle pourrait mesurer sa cote à coups de « *likes* ».

Que risquait-elle à évaluer son capital séduction ? Rien ne l'obligeait à conclure. Il lui fallait se voir au travers d'autres hommes. Qu'elle mesure son pouvoir de plaire en tant que femme et non en tant qu'épouse. Et le faire ensuite savoir à Xavier.

À cette idée, sa colère s'apaisa un peu. Elle venait de se trouver deux buts. Reprendre confiance en elle et démontrer à Xavier qu'elle aussi pouvait encore séduire.

Lorsque Jérôme revint avec les cafés, sa décision était prise : elle allait immédiatement s'inscrire sur un site de rencontres.

Charlène arriva à son tour, en sifflotant. Elle s'attabla et ils échangèrent sur des sujets anodins. Au bout de dix minutes, Aude n'avait plus qu'une idée en tête, qui virait presque à l'obsession : s'inscrire sur l'un de ces satanés sites.

Elle se hâta de terminer sa tasse et prit congé.

— Tu as bien dormi, papa ? demanda Charlène. Tu veux que je te prépare quelque chose ? Un café, une tartine ?

Jérôme contempla sa tasse remplie et le toast beurré qu'il tenait dans sa main, avant de scruter sa fille.

— J'ai très bien dormi, ma chérie. Mais je pense que nous gagnerions tous les deux du temps si tu m'expliquais le pourquoi de cette soudaine attention ?

La jeune fille rougit puis commença, mal à l'aise :

— Non, c'est juste que... Tu sais que Nicolas, Aude et Alexandre m'ont promis de m'aider à retrouver maman. Mais... il faudrait qu'on ait une piste de départ. Alors... je me disais qu...

— Est-ce que tu aurais sauté de ce pont, Charlène ? la coupa soudainement Jérôme.

Elle marqua une pause et sembla chercher ses mots dans le verre de jus posé face à elle. Elle se devait d'être honnête.

— Un court instant, je me suis dit que, peut-être... Sincèrement. Mais ça n'a duré qu'une microseconde. Il en faut davantage pour lâcher une rambarde et se jeter dans le vide, murmura-t-elle.

Jérôme apposa brutalement ses paumes contre ses tempes pour chasser l'image qui avait surgi dans sa tête.

— Un instant, j'ai juste pensé que si je sautais, tu serais enfin débarrassé de moi et tu pourrais reprendre ta vie là où tu l'avais laissée...

— Mais tu te rends compte de ce que tu dis, Charlène ?

— Papa, je crois que je mélange un peu tout. Mais je n'arrive pas à comprendre pourquoi ma propre mère refuse de me rencontrer.

Jérôme éprouva le besoin impérieux de se lever.

— Charlie, tu confonds ta propre blessure avec une autre qui n'est pas la mienne mais que tu m'attribues !

Il contourna la table et vint s'asseoir à ses côtés :

— Ce qui me rend vraiment malheureux aujourd'hui, c'est de voir la manière dont tu gâches tes chances de réaliser ton rêve. Comment envisages-tu d'intégrer une grande école si tu continues ainsi ? Tu passes le bac dans quelques jours et, au lieu de réviser, tu t'obstines à rechercher cette femme qui ne souh...

— « Cette femme » est ma mère ! Et au lieu de m'aider à la retrouver, tu ne fais rien. Pourquoi ? Qu'est-ce qui t'arrête ?

Jérôme se releva.

— Charlène, je ne peux pas te donner des informations que je n'ai pas ! Je ne lui connaissais aucun ami à part les miens, et ces derniers ne la supportaient que pour m'être agréables. Elle a toujours refusé de me parler de sa famille.

Il plongea ses yeux dans ceux, perlés de larmes, de sa fille, et lui prit la main.

— Je comprends ta déception, je comprends que cela te fasse mal. Mais tu ne reverras jamais ta mère, Charlie. Et il vaut mieux que tu acceptes cet état de fait. Je n'ai pas la moindre idée de ce qu'elle est devenue.

Charlène ne cilla pas. Elle était bien trop absorbée par ce qu'elle venait de lire dans le regard de son père. Elle dégagea violemment sa main et se leva.

— Merci pour ton aide, papa. J'apprendrai à m'en passer.

C'était certes douloureux mais évident : il lui mentait.

*

Ils avaient rendez-vous à 10 h 30, mais Nicolas avait souhaité venir un peu plus tôt. Il faisait beau, et il appréciait de se poser dans ce parc tandis qu'il observait les inconnus qui l'entouraient. Il était assis depuis un bon quart d'heure lorsque Alexandre se présenta. Ce dernier avait mauvaise mine.

Nicolas l'interrogea gentiment :

— Ça va, tu tiens le coup ? Y a-t-il quelque chose que je puisse faire pour toi ?

Alexandre comprit qu'Aude avait dû dévoiler sa situation. Il laissa échapper :

— Je pensais que tu avais une dent contre les homos...

— Et tu faisais fausse route. Mon frère n'a jamais aimé les femmes : c'est son choix et je le respecte.

— C'est tout moi, ça... Tirer des conclusions hâtives. Mais je n'ai guère envie d'en parler. Parle-moi plutôt de toi, Nicolas. Tu as quelqu'un dans ta vie ?

— Pas vraiment. Je ne veux m'engager que lorsque je serai certain d'avoir trouvé ma moitié. Et cela ne m'est pas encore arrivé. Mais je n'ai que trente et un ans...

— C'est beau, chuchota Alexandre. Mais cela se découvre parfois en plein milieu de la route...

— Oui, je le sais. Mais regarde, toi... Tu as vraisemblablement senti que c'était le bon, non ?

— C'est vrai, mais pour ce que j'en fais... Je risque de tout foutre en l'air pour une histoire d'honneur de famille. Et je n'arrive pas à...

Il se tut quelques instants, la voix éraillée par l'émotion.

— J'ai l'impression que ma position n'est pas facile à comprendre. À part un frère, tu as de la famille ?

— Non, je n'ai que mon frangin. Nous sommes très proches...

Cela se voyait et s'entendait. Alexandre décelait une immense tendresse dans le ton de sa voix.

— J'espère vraiment que les choses vont s'arranger entre toi et ton ami, Alexandre, ajouta Nicolas. Tu peux te montrer un brin excentrique mais je crois que tu es quelqu'un de bien.

Alexandre hocha la tête, pas convaincu, avant de passer à un autre sujet :

— Hier soir, j'ai poursuivi mes investigations sur Internet. J'ai entamé mes recherches sur des sites internationaux comme Pipl.com. J'ai même laissé une annonce sur Lost Trekkers. Ensuite j'ai listé tous les Voiront de France et appelé ceux qui se trouvaient à proximité du lieu de naissance de cette Sophie.

Il tapa son poing contre sa paume.

— Eh bien bingo ! Je suis tombé sur un cousin, qui ne l'a apparemment pas beaucoup connue, mais qui m'a précisé qu'elle avait quitté sa région natale il y a une vingtaine d'années. Il semblerait que plus personne n'ait jamais eu de nouvelles depuis 2001.

— Plus personne ? C'est-à-dire ?

— Ce cousin avait une tante, la mère de Sophie. Elles sont toutes deux décédées à six mois d'intervalle, sans jamais avoir reçu la moindre nouvelle de Sophie depuis son départ. C'est fou, non ?

Nicolas réfléchit.

— Je trouve ça bizarre comme attitude. Partir sans jamais donner aucun signe de vie... Il faut être sacrément en colère. Ou égoïste.

— Ou mort, laissa échapper Alexandre.

Nicolas resta interloqué.

— Je plaisante, tempéra Alexandre, et je suis complètement d'accord avec toi. Mais on découvre qu'elle s'est volatilisée d'un seul coup il y a deux décennies. C'est quand même étrange...

*

Xavier considéra les meubles qui l'entouraient. Finalement, un jour de boulot était préférable à un jour férié. L'absence d'Aude résonnait douloureusement entre ces quatre murs du salon. Ce week-end de l'Ascension s'annonçait bien morose.

Son affaire apparaissait plus complexe que la fois précédente. Non seulement Aude ne fléchissait pas face à ses remords, mais par-dessus le marché, Cindy n'entendait pas accepter la rupture. Elle n'avait cessé de le harceler, menaçant même de révéler à Aude l'existence de leur liaison depuis deux ans et demi.

*Tu parles d'une « liaison » !*

Ils avaient rompu lorsque Aude avait découvert le pot aux roses, et n'avaient récidivé que bien plus tard, il y avait presque un an. Pour lui, elle était juste un « plan cul ».

*Pas sûr qu'Aude partage ton avis sur ce point...*

Sa situation s'apparentait à un mauvais vaudeville. Ou peut-être à un remake de *Liaison fatale.*

Il était vraiment dans un sacré pétrin. Comment convaincre l'une de revenir et l'autre de disparaître sans que les deux s'entrechoquent ?

Son téléphone vibra : le nom de « Jacques V. » apparut à l'écran, pseudonyme sous lequel Cindy était enregistrée.

Il jura à voix haute avant de balancer un coussin à l'autre bout de la pièce. Cinquième fois qu'elle appelait ! C'était du harcèlement !

Il devait régler le problème Cindy.

Apparemment, ça n'allait pas être simple.

Il prit l'appel.

*

Aude et Charlène les rejoignirent à 10 h 30 précises. Alexandre, égal à lui-même, les accueillit en fanfare avec moult embrassades, puis s'extasia sur le top écru porté par Aude, qu'ils avaient acheté ensemble. Enfin, il présenta les conclusions de son enquête de la veille et du matin même.

— Mais alors, on est toujours dans une impasse, dit Aude dès qu'il eut terminé.

— Peut-être, mais on a quand même appris que la mère de Charlène a disparu des radars du jour au lendemain, même vis-à-vis de sa propre mère.

— Il faut quand même que je vous dise que ma mère a essayé de me téléphoner une fois, mi-décembre, intervint Charlène. Elle n'a laissé aucun message et n'a pas décroché quand j'ai rappelé. C'est à ce moment-là qu'elle m'a envoyé un SMS qui ressemblait à un message d'adieu.

— Ça nous apporte un éclairage supplémentaire, souligna Alexandre qui observait l'expression inquiète du visage de Charlène.

— Ah oui ? Moi je trouve au contraire que ça nous emmène dans un truc encore plus obscur ! s'exclama Nicolas.

— C'est-à-dire ? interrogea la jeune fille. Tu penses à quoi quand tu dis ça ?

Nicolas avait pris un air gêné. Alexandre se hâta de venir à son secours :

— Peu importe. Nous allons devoir imaginer des pistes ou des moyens un peu plus originaux que le *networking* ou les réseaux sociaux pour la retrouver...

Trois paires d'yeux se posèrent sur lui.

— Vas-y, on t'écoute ! acquiesça Nicolas en époussetant les infimes traces de terre qui se trouvaient sur ses mocassins.

Alexandre développa :

— Deux options s'offrent à nous : soit on continue à chercher nous-mêmes, soit on fait appel à un détective privé...

— Un détective privé ? Mais on n'est pas dans *Monk*, Alex ! le coupa Charlène.

Aude lui passa affectueusement la main dans les cheveux.

— Les détectives privés, c'est très réel. Et d'ailleurs j'aurais moi-même dû y penser un peu plus tôt.

— Le seul problème, embraya Alexandre, c'est que ça va nous coûter un bras. Évidemment, Charlène n'aura pas les moyens de le payer. Je n'ai rien contre le fait de participer, mais... sommes-nous tous les trois d'accord pour assumer cette dépense ?

Aude hocha la tête en guise d'approbation.

— J'ai de gros soucis mais s'il y en a un que je n'ai pas pour le moment, c'est celui des finances. En plus, avec mon compte joint, Xavier pensera que j'ai engagé un détective pour le suivre et ça lui collera les jetons.

— Ça me semble prématuré. Nous n'avons pas encore exploré toutes les pistes, fit remarquer Nicolas.

— Quand tu dis pistes, tu penses à quoi plus précisément ? s'enquit Aude.

— Eh bien, on pourrait s'inscrire sur le site de l'ARPD. Il permet aux agents du maintien de l'ordre et au grand public d'échanger des infos sur des personnes déclarées disparues. On peut toujours essayer.

— Et pourquoi ne pas passer une petite annonce sur Le Bon Coin ? ironisa Alexandre.

Nicolas fit quelques pas et revint se placer au centre.

— Bon, sérieusement, si on commençait par le commencement ? Nous avons à proximité une source d'informations considérable...

Charlène leva un œil interrogateur.

— Ton père ! Ton père sait bien plus de choses qu'il ne t'en dit, tu nous l'as dit toi-même !

Charlène attrapa le sac Eastpak qu'elle avait posé à côté d'elle.

— Justement ! Tout à l'heure, j'ai fouillé dans le buffet du salon, là où il entrepose des photos. J'ai apporté toutes celles où se trouvait ma mère.

Elle étala soigneusement cinq vieux clichés sur une pierre.

Un front assez grand, un nez petit et rond, les pommettes un peu saillantes et deux grands yeux noisette révélant une certaine assurance. Presque une arrogance. Les longs cheveux châtains qui encadraient le visage étaient le seul point commun que Nicolas lui trouva avec Charlène.

Aude se concentra sur l'allure générale de la jeune femme.

Des bagues à plusieurs doigts, des vêtements bon marché mais qui mettaient son corps en valeur. Aude lut dans la pose fière une soif de revanche, de réussite. À tout prix ?

— Et si elle avait voulu changer de vie ? réfléchit-elle à voix haute. Si elle avait voulu tout laisser derrière elle pour devenir quelqu'un d'autre ? Elle aurait pu par exemple changer de nom pour disparaître...

— Oh oh, on se calme, là ! marmonna Nicolas. Essayons de rester rationn...

— Nicolas a raison ! le coupa Alexandre. Commençons par chercher au plus près. Et donc penchons-nous sur ce que sait ton père !

— C'est mort ! Je ne voudrais pas casser l'ambiance mais je vous rappelle que j'ai déjà essayé. Et même recommencé, n'est-ce pas, Aude ? Tu es témoin : il n'a rien voulu me dire.

Aude acquiesça en silence.

— Pourquoi dis-tu qu'il n'a rien « voulu » te dire ? insista Alexandre.

— Je le connais suffisamment pour savoir qu'il me cache un truc.

— Alors, il faut que nous t'aidions à le faire parler, constata Nicolas.

— Tu parles ! Autant nous envoyer tondre la banquise ! railla Alexandre.

— Eh bien justement ! Nous allons chercher à obtenir cette information malgré lui.

— Super idée ! applaudit Aude. Et on fait comment ? On l'attache et on le torture ? Merci, mais ce sera sans moi !

Sa réaction détendit l'atmosphère.

— Non, on va faire plus simple ! reprit Nicolas. Il faut que l'un de nous éloigne Jérôme de l'appartement pendant que les trois autres fouilleront sa chambre. S'il a un secret, il le cache dans cette pièce.

Le portable d'Aude se mit à sonner. Elle se fit violence pour ne pas décrocher. Le pouce prêt à glisser sur l'appareil pour prendre l'appel, elle fixait son écran, comme si elle y cherchait la bonne attitude à adopter.

— Ne fais surtout pas cette erreur, Aude ! fit Alexandre en lui prenant la main avec énergie. Rien de tel que de le laisser mariner...

Il n'avait pas terminé sa phrase que la musique de son propre téléphone retentit. Alexandre avait déjà dégainé l'appareil de sa poche et faisait les cent pas tout en répétant sur un ton affolé :

— Oh mon Dieu ! C'est lui... Oh mon Dieu, mon Dieu, mon Dieu...

Il se ressaisit et dit :

— Moi aussi je crève d'envie de décrocher. Mais le faire reviendrait à avouer combien nous sommes dépendants d'eux... Je préfère attendre son message.

— Moi, je n'en ai pas, fit remarquer Aude.

— C'est qu'il n'avait rien d'intéressant à te dire, Aude. Laisse-le mariner.

Nicolas, exaspéré, leva les yeux au ciel. Aude, elle, se força à sourire. Sans doute Alexandre avait-il raison. Il s'était mis à tourner en rond, le regard rivé sur son iPhone.

— Assieds-toi : tu nous donnes le tournis ! clama Nicolas.

La panique envahissait Alexandre. Lorsque l'écran afficha un message, soulagé, il brandit le trophée en direction de Nicolas.

— Et voilà ! exulta-t-il avant de s'isoler un peu plus loin pour interroger son répondeur.

Nicolas le suivit quelques instants des yeux avant de revenir sur leur sujet de discussion :

— Comment procédons-nous pour attirer Jérôme hors de chez lui ? Charlène, est-ce que tu pourr...

— Qu'est-ce qui se passe, Alex ? le coupa Aude.

La mine d'Alexandre faisait peine à voir : complètement abattu, au bord des larmes, il les regarda, l'air hagard.

— Mon copain vient de m'annoncer que notre histoire s'arrêtait là. Il vient de rompre...

— Par message ? s'exclama Aude. Mais c'est un vrai goujat, ce type !

Elle ajouta plus doucement :

— Appelle-le. Il est sans doute en colère mais il reviendra sur sa décision.

— Non, il ne reviendra pas.

Il gardait les yeux rivés au sol, sa lèvre inférieure tremblait.

— Il vient de m'avouer qu'il avait rencontré quelqu'un d'autre...

Alexandre brandit son téléphone :

— Écoute !

À contrecœur, elle porta l'appareil à son oreille. Dimitri lui annonçait qu'il s'en voulait de lui apprendre les choses ainsi, tout en lui avouant qu'il avait espéré tomber sur cette messagerie pour ne pas avoir à entrer dans les détails. Il ajoutait qu'il ne fallait pas lui en vouloir, et qu'ils étaient finalement lâches tous deux à leur façon : Alex pour ne pas avoir eu le cran d'avouer son homosexualité à son père, et lui pour n'avoir jamais osé lui parler du type qu'il avait rencontré. Il concluait en disant qu'il ne regrettait rien de leur histoire, qui avait été très belle, et qu'il lui souhaitait le meilleur pour sa vie à venir.

C'était tout.

Malgré la dureté de ce message, l'affection profonde que Dimitri portait à Alexandre, sa crainte de le blesser transpiraient dans chacun de ses mots. Aude songea un instant qu'elle aurait probablement préféré que Xavier lui laisse un tel message plutôt que de découvrir la vérité comme elle l'avait fait.

Alexandre restait suspendu à ses lèvres comme si elle avait le remède à ses maux. Mais elle ne voulait pas lui mentir.

Elle se contenta donc de lever les mains en signe d'impuissance.

— Je ne sais pas quoi te dire, Alex... Si ce n'est qu'au moins, il te respecte.

Un rictus nerveux crispa ses lèvres, puis, incapable de retenir sa peine, il se laissa tomber sur le sol, cacha son visage entre ses mains et éclata en sanglots. Gênés et désemparés, Aude et Nicolas cherchèrent à le réconforter : elle l'entoura maladroitement de ses bras, lui s'accroupit à ses côtés et ils restèrent ainsi, sans rien dire, à laisser le chagrin d'Alexandre s'exprimer...

*

Jérôme pénétra dans l'appartement désert.

Il profita de ces instants de calme pour analyser la situation.

Il avait face à lui trois adultes dont le seul défaut était d'être serviables. Ils n'étaient pas de fins limiers et cherchaient juste à aider Charlène. Alors, quoi ? Que craignait-il, au fond du fond ?

Pas grand-chose...

Il suffisait d'attendre qu'ils se fassent tous une raison.

Et avec un peu de chance, ils aideraient peut-être Charlène à accepter enfin la situation.

Il lâcha un « OK, tout va bien ! » à voix haute, comme pour s'en convaincre.

Oui, objectivement, il n'y avait pas grand risque qu'ils découvrent quoi que ce soit...

*

Sur le chemin de retour du parc, Charlène était perdue dans ses pensées. Elle cherchait un prétexte pour tenir son père éloigné de l'appartement. Pas facile.

Cela lui posait un vrai cas de conscience. La relation qu'elle entretenait avec lui était basée sur la confiance. Le fait d'aller fouiller dans sa chambre rompait ce pacte.

Elle glissa un œil vers Aude qui avançait résolument, la tête baissée, le visage fermé.

Aude se faisait beaucoup de souci pour Alexandre, qui avait refusé toute compagnie jusqu'à ce soir. De tous, elle se sentait la mieux placée pour comprendre ce qu'il vivait.

Les différents sites de rencontre sur lesquels elle avait surfé toute la matinée lui permettraient de sortir de la zone de confort dans laquelle elle se murait depuis des années. La campagne publicitaire de l'un d'eux l'avait particulièrement interpellée : *Love Your Imperfections.* Cela lui convenait bien.

Elle devait s'exposer à des regards neufs. Mais sous une autre identité. Et avec ses imperfections.

Lorsque Charlène et elle arrivèrent devant l'immeuble de Jérôme, Aude avait fait son choix : Meetic serait le site qui lui permettrait de devenir une autre...

*

Lorsque la porte de l'appartement se referma sur Aude et Jérôme, Charlène donna l'alerte :

— La pizzeria est à dix minutes d'ici. Le temps de passer commande, d'attendre qu'on leur prépare les pizzas puis de revenir, ça nous laisse quoi ? Une demi-heure, trois quarts d'heure grand max !

Alexandre grattouilla une dernière fois Hannibal entre les deux oreilles et le posa au sol. Jérôme avait bien exprimé un certain étonnement lorsque Aude lui avait proposé de l'accompagner chercher les pizzas, mais il avait accepté, au grand soulagement de tous.

Maintenant, il fallait faire vite.

Charlène se plaça dans la cage d'escalier et tendit l'oreille pour identifier le claquement de la porte palière du rez-de-chaussée. Puis elle se précipita dans la chambre de son père, Alexandre et Nicolas sur les talons. Tout y était impeccablement rangé, de nombreux trophées rappelaient çà et là ses succès passés. Le poids de la culpabilité s'abattit sur ses épaules.

— Ce n'est pas le moment de flancher, Charlène, entendit-elle Nicolas l'encourager. Nous cherchons un indice qui nous permettra de retrouver ta mère, rien d'autre.

Elle repensa à l'échange du matin avec son père. À ce regard dans lequel elle avait percé le mensonge. Puis aux photos de sa mère.

— OK. On y va.

Les deux garçons s'engouffrèrent aussitôt dans la pièce.

— Qu'est-ce que tu fais ? demanda-t-elle à Alexandre qui, muni de son smartphone, prenait déjà en photo la pile de livres posés sur la table de chevet.

— Vu comme ton père est maniaque, le moindre objet déplacé de plus d'un centimètre attirera son attention. Alors, j'assure nos arrières...

Elle haussa les épaules, admettant qu'il était plus prudent de procéder ainsi.

Alexandre s'attaqua au plateau d'une première table de chevet. Nicolas démarra par la penderie. Charlène se dirigea vers la porte d'entrée. Dire qu'elle laissait deux personnes fouiner dans les affaires de son père alors que trois jours plus tôt elle ne les connaissait même pas !

La cage d'escalier était totalement silencieuse.

Il n'y avait plus qu'à espérer que tout se passe bien, parce que si son père découvrait un jour ce qu'elle était en train de faire...

Charlène s'appuya contre la rambarde pour surveiller, la peur au ventre, les moindres entrées et sorties.

*

Aude et Jérôme avaient remonté la rue Botzaris et s'apprêtaient à bifurquer vers la pizzeria.

— Vous n'avez pas d'enfant, mais vous pouvez aisément imaginer combien je me fais du mouron pour Charlène, non ? Elle passe sa première épreuve de bac dans vingt jours... Vous semblez avoir de l'influence sur elle : s'il vous plaît, incitez-la à bachoter davantage.

— Je comprends votre inquiétude, Jérôme. Mais celle de Charlène est ailleurs. Tout ce que je pourrais lui dire ne servira à rien tant qu'elle n'aura pas retrouv...

— Fermée ! La pizzeria est fermée ! Pas étonnant, c'est l'Ascension. J'aurais dû m'écouter et faire livrer quelque chose à l'appart... Bon, allez, on y retourne et on avisera sur place !

Aude se pétrifia sur place. Elle dégaina son téléphone. Sept minutes qu'ils étaient partis. Ils n'étaient pas censés revenir si vite !

Elle tapa en toute hâte un SMS pour avertir Charlène de leur retour anticipé.

Et pria pour que celle-ci ait bien gardé son téléphone près d'elle.

*

Nicolas referma le dernier tiroir de la penderie. Il n'y avait rien trouvé. En revanche, il venait de repérer une boîte à chaussures placée sur une étagère en hauteur. Il se tournait pour chercher le marchepied qui lui permettrait de l'atteindre lorsqu'il entendit Alexandre marmonner : « Nom d'une pipe... »

Il pivota aussitôt sur lui-même et s'arrêta dans son élan : Alexandre tenait un revolver qu'il balançait du bout des doigts par le pontet.

— Tu as ça chez toi ? interrogea-t-il.

— Moi, non. Mais j'imagine qu'il n'est pas le seul ! répondit Nicolas.

— Avec tout un arsenal de balles à côté ? enchaîna Alexandre en attrapant deux boîtes de munitions. Eh bien laisse-moi quand même te dire qu'on a intérêt à décamper à toute berzingue de cette piaule parce que s'il nous découvre ici...

Ils entendirent un juron provenant du couloir avant de voir soudainement apparaître Charlène, effrayée :

— Vite les gars, rangez tout ! Ils reviennent !

Ses yeux se figèrent sur l'arme et son visage pâlit brutalement.

— C'est quoi, ça ?

Alexandre ne sut quelle attitude adopter.

Nicolas réagit promptement :

— Pas le temps de faire la causette. Alexandre, on remet tout comme c'était. On se magne !

*

Lorsque Jérôme et Aude rentrèrent dans l'appartement, ils découvrirent Alexandre en train de caresser Hannibal en silence. Nicolas, lui, semblait visiblement plus nerveux. *Qu'y avait-il dans cette satanée boîte à chaussures ?* se demandait-il. Il *sentait* qu'elle contenait quelque chose. Qui irait en effet cacher un flingue et ses balles dans le bas d'une table de nuit, pour mettre un truc plus insignifiant sur une étagère hors d'atteinte ?

*Vivement qu'on se retrouve tous les deux*, songea Jérôme qui confia à Charlène la mission de passer commande de pizzas et partit s'isoler dans sa chambre, le temps de la livraison.

Une impression étrange le gagna en pénétrant dans la pièce. Il n'y avait pas d'odeur particulière, l'ensemble des éléments demeurait bien à sa place. Mais quelque chose clochait.

Il examina avec attention le drap du lit, qu'aucun pli ne venait déranger. Mû par un réflexe, il leva la tête vers le haut de l'armoire, comme pour vérifier que tout s'y trouvait bien.

Il se frotta les paupières, ouvrit puis referma la porte de la penderie et s'allongea sur le lit, en songeant que ce bordel allait finir par le rendre complètement paranoïaque.

*

Quand Aude se tourna vers le réveil, il affichait 1 h 10. Un silence de plomb régnait dans l'appartement.

Le dîner avait été expédié. Alexandre n'avait pas touché à sa pizza et était parti en s'excusant. Nicolas avait rapidement avalé sa part et prétexté un coup de barre pour rentrer chez lui. Aude et Charlène n'avaient, elles, picoré qu'une ou deux bouchées de leur portion. Seul Jérôme avait fait honneur à son plat de lasagnes.

Couchée depuis un moment, Aude n'arrivait pas à trouver de bonne position, et se sentait envahie par une immense solitude. Si Charlène n'avait été si jeune, elle l'aurait réveillée pour parler de tout et de rien. Surtout de rien.

Elle se repassa le film de la journée. Elle avait pris une décision, pas glorieuse peut-être, mais quand même : elle venait de faire son entrée dans le monde du 2.0. Elle avait désormais une nouvelle identité. Grâce à son pseudo, Maude, elle pouvait être reliée en quelques secondes à d'autres milliers de solitaires. Peut-être des esquintés du cœur, comme elle.

Ce monde virtuel, où l'on avait le loisir de s'inventer l'existence que l'on voulait, l'aiderait peut-être à balayer pour un temps l'ensemble de ses problèmes.

Elle se leva sans faire de bruit, s'assit au bureau face à la fenêtre, ouvrit l'ordinateur de Charlène, tapa les codes que celle-ci lui avait confiés, et se connecta sur Meetic.

## 7.

Aude laissa son regard se noyer dans le kaléidoscope de lumières générées par l'écran de l'ordinateur de Charlène.

Alexandre et Nicolas échangeaient avec Charlène sur la tempête Miguel, attendue en fin d'après-midi sur l'Île-de-France.

Aude se concentra sur l'écran. Après être tombée sur bon nombre de pseudo-médecins ou avocats qui s'exprimaient de manière incompréhensible, et encore sur des types qui semblaient gravement perturbés, elle s'était demandé si ce genre de site n'était pas dédié exclusivement aux obsédés sexuels, dépressifs et autres psychopathes. Mais elle avait tout de même fini par entrer en contact avec deux hommes « normaux ». L'un d'eux lui avait adressé un message à 11 heures, dans lequel il lui proposait de le retrouver aux alentours de 19 heures, pour un verre suivi d'un éventuel dîner.

L'horloge de l'ordinateur indiquait 14 heures. Subitement, Aude paniqua...

— Hors de question d'accepter ! Je n'aurai jamais le temps de me préparer. Et puis c'est trop tôt !

Charlène se leva, contourna la table et vint lire par-dessus son épaule.

— Bien sûr que tu vas y aller ! Ça te laisse cinq heures ! Et tu ne vas quand même pas t'enfuir dès qu'un type t'invite au resto...

Aude protesta :

— Moi, je trouve que c'est un peu trop rapide.

— Trop rapide pour quoi ?

— Charlène, je ne me vois pas dîner seule avec un homme que je ne connais pas. J'ai besoin de comprendre qui il est, ses goûts, ses passions, son histoire...

— Houlà, tranquille ! Tu n'es pas en train de te chercher un mari. C'est juste un *date* !

— Un quoi ?

— Charlène a raison ! s'exclama Alexandre. Tu dois y aller !

— D'ailleurs, tu devrais passer sur Tinder. Meetic, c'est d'un ringard, fit observer Charlène.

— Tinder ? C'est un site de rencontres sexuelles ! glapit Aude.

Alexandre pouffa et vint s'asseoir à ses côtés.

— Tous mes potes sont des experts ! Et si tu savais combien de couples sont nés grâce à cette appli...

— C'est peut-être le moment de t'y remettre ! lui lança gentiment Charlène.

Il la considéra un instant puis enchaîna :

— En fait, ce qui est bien avec Tinder, c'est que c'est simple et que tu vas droit au but.

— Si aller droit au but est de viser la position horizontale dès qu'on a trinqué, Meetic répond aussi à ce critère. Le problème c'est que les mecs mariés se décrivent comme célibataires et viennent y chasser. C'est un gigantesque vivier pour ces salopards de prédateurs.

Elle se tut, consciente du regard consterné que Charlène et Alexandre posaient sur elle. Ce dernier la regarda avec attendrissement.

— Ma chérie, nous ne sommes plus au XVII^e siècle. Et si tu ne veux pas passer pour un vieux croûton totalement dépassé, il va te falloir révolutionner tous tes *a priori*, et ce à la vitesse de la lumière...

Aude se cala au fond de sa chaise. Ce n'était pas une révolution mais un voyage spatio-temporel qu'on lui demandait de faire. Elle était totalement *has been*. Et n'était pas certaine d'être prête à une telle métamorphose.

— J'essaie de me rassurer sur mon pouvoir de séduction. Ça ne signifie pas que je suis prête à m'envoyer en l'air avec le premier détraqué du caleçon venu !

— D'accord. Mais tu ne cherches pas non plus un type qui va te promettre deux beaux enfants et une jolie maison à l'île de Ré. Alors il faut te détendre un peu, quand même...

— Et c'est quoi le profil des mecs de Tinder ? Un sérieux penchant pour les histoires d'amour qui ne durent que trois quarts d'heure ? lâcha-t-elle, les sourcils froncés.

Alexandre s'approcha lentement d'elle, plongé dans une intense réflexion. Puis, comme en proie à une soudaine illumination, il exulta :

— Mais oui ! Pourquoi tu ne te ferais pas faire une petite piqûre de Botox, là, entre les deux yeux ? Cette ride du lion te donne un air contrarié.

— Je te remercie, marmonna Aude.

— Non mais, t'es malade ou quoi ? s'insurgea Nicolas qui les avait rejoints. Tu préférerais qu'elle ressemble à un canard ?

— À un canard ? Il faudrait te renseigner un minimum sur les injections, mon cher ! Le Botox, c'est très discret. Regarde-moi : j'en fais depuis deux ans sur le front. Est-ce que j'ai l'air gonflé à l'hélium ?

— Tu as vingt-neuf ans et tu t'injectes du Botox ? Mais tu es encore plus cinglé que ce que j'imaginais ! De la toxine botulique... Le poison le plus violent au monde ! Avec un gramme, tu peux tuer un million de personnes. Et toi, alors que tu n'as pas une ride, tu te colles ça sous la peau !

Visiblement agacé, Nicolas se tourna vers Aude.

— Ta ride du lion a du charme. Elle fait partie de ton histoire. Moi je te trouve vraiment belle telle que tu es.

— Pour une fois que je suis d'accord avec l'un d'entre vous, ajouta Jérôme qui venait de pénétrer dans la pièce.

L'expression de surprise sur le visage d'Aude le mit dans l'embarras.

— Je veux dire, sur le fait que cela fait partie de votre histoire, pas sur le fait de vous trouver belle...

— Oui, je me disais bien ! rétorqua Aude, vexée.

Jérôme se contenta d'un sourire puis adressa un clin d'œil à Charlène avant de se diriger vers sa chambre.

— Il n'empêche que je ne vois pas le rapport entre Tinder et ma ride du lion. Impossible d'aller au bout d'un sujet avec vous. C'est fatigant ! grommela Aude.

— OK, OK ! fit Charlène sur un ton apaisant. On va rester sur Meetic, ça ira très bien comme ça...

Elle ajouta un ton plus bas, pour que Jérôme ne puisse pas l'entendre :

— Il est clair que papa ne bougera pas aujourd'hui. C'est mort pour la boîte...

Elle avait à peine fini sa phrase qu'Alexandre poussa un cri :

— Miséricorde !

L'air dépité, il s'empara de l'ordinateur et tourna l'écran vers Aude :

— Non mais tu as vu ton profil ? Tu as écrit une bio plus longue que les Mémoires du général de Gaulle. Pas surprenant que tu attires tous les barges ! Bon, y a du boulot. Commençons par te créer un compte Facebook digne de « Maude », ton mystérieux pseudo...

Agacée, Aude se saisit de son téléphone et alla s'installer à l'écart sur le canapé. Elle décida de prendre connaissance de ses mails professionnels, pour les transférer à qui de droit, avec Xavier en copie.

Son travail ne lui manquait pas, si elle était honnête avec elle-même. Surprenant, pour quelqu'un qui avait toujours été hyperactif...

Sentant le regard de Nicolas sur elle, elle expliqua, comme pour se justifier :

— Excuse-moi, j'avais quelques messages à renvoyer au cabinet...

Il se contenta de hocher la tête et prit place à ses côtés sans dire un mot. Il lui fallut un long moment pour oser poser la question qui le taraudait :

— Tu te sens comment, Aude ?

— Je ne sais pas quoi te répondre. J'ai vécu près de vingt ans avec Xavier, et plus de la moitié de ce temps dans la boîte que nous avons créée ensemble. Et là, je dois prendre une décision radicale, comme je n'ai jamais eu à en prendre. Si je le quitte, je ne perds pas qu'un mari. Je dois aussi tout repenser question boulot. Je dois tout repenser sur... tout. Moi qui me pensais forte et indépendante...

Nicolas prit plusieurs secondes de réflexion avant de répondre :

— La seule chose que tu aies à faire pour le moment est justement de ne rien faire. Juste prendre le temps de souffler.

Il lui saisit la main.

— Personnellement, je choisis les missions qu'on me propose et je veille toujours à faire une pause entre deux tournages. Cela me permet de voyager, de mater un bon film, de voir des potes... De vivre, quoi ! À quand remonte ton dernier ciné ?

Aux calendes grecques, s'il en croyait la moue qu'elle lui retourna.

— Eh bien voilà... Commence par prendre du temps pour toi. Le temps de la décision viendra plus tard.

— Facile à dire. Même si je pardonnais à Xavier, rien ne serait jamais plus comme avant...

— Le pire serait précisément que ce que tu traverses ne change rien à ta vie. Sers-toi de ce coup dur pour découvrir qui tu es et ce que tu veux vraiment. Parce que tout est encore possible pour toi, Aude.

Il lui donna une tape amicale sur le genou puis se leva et lança à la cantonade :

— Désolé mais avec le mauvais temps qu'ils annoncent pour le week-end, je m'éclipse avant que la pluie ne nous tombe dessus. Je dois voir mon frère, qui n'est pas au top de sa forme. Il a été malade, et je sens qu'il n'est pas bien. Vous me tenez au courant et on se voit demain ? demanda-t-il, s'adressant à Aude et à Charlène.

Alexandre l'envia. Il voulait aider Charlène mais là, il ne se sentait d'aucune utilité et n'aspirait qu'à retrouver son salon, s'envoyer deux Prozac, un somnifère et une bonne lampée de vodka afin de ne plus penser à rien.

— Idem pour moi, les copains ! enchaîna-t-il à son tour. Ne m'en veuillez pas mais... Je suis *en bad* et vous comprendrez que je préfère rester un peu seul.

Il chuchota ensuite afin que Jérôme n'entende pas :

— Et vous nous appelez s'il y a le moindre truc nouveau, OK ?

*

Aude, trempée par la pluie, prit place dans l'un des fauteuils du *lounge.* L'ambiance y était particulièrement cosy. Au moins, ce Patrice avait du goût. C'était déjà ça.

Elle essaya de se décontracter. Pas facile. D'abord, elle se sentait mal à l'aise à l'idée de boire un verre avec un inconnu, et en plus elle devait assumer cette tenue « sexy » achetée avec Alexandre, qu'elle portait pour la première fois. Le top était beaucoup trop décolleté, le blazer, à moitié trempé, moulait ses formes de façon indécente... Elle tira en se tortillant sur le bas de sa jupe patineuse.

Toutes les tables étaient occupées exclusivement par des couples. Est-ce que cet endroit était réservé à ce genre de rencontres ?... Elle sentit la sueur perler à son front. Mais qu'est-ce qu'elle fichait là ?

*Bon, allez, arrête de gamberger. Ce n'est qu'un dîner. Tu ne risques rien. Comme l'a dit Alexandre, l'objectif de cet exercice est de t'aider à reprendre confiance en toi. Et puis ce type a non seulement l'air pas mal, mais il doit être un minimum cultivé puisqu'il enseigne l'histoire à la fac.*

— Maude ?

Elle leva la tête vers l'homme qui venait de l'interpeller. Et retint à temps le : « Oh, vous, vous ne pouvez pas être Patrice ! » qui allait lui échapper. Ce type devait avoir une parfaite maîtrise de Photoshop. Il n'avait à peu près rien de commun avec le beau gosse des photos.

— Oui, c'est moi...

La mine réjouie, le fameux Patrice prit place face à elle. Ne restait plus qu'à espérer que son discours soit au moins intéressant.

— Eh bien je ne suis pas déçu !

— Euh... J'imagine que vous parlez du lieu, là ?

Il éclata de rire et claqua des doigts pour appeler un serveur. Gênée, Aude plongea dans la carte des cocktails. Si ce type commençait par traiter les gens comme des larbins... Elle regretta d'avoir écouté Charlène et Alexandre : elle était maintenant coincée pour tout le dîner. Elle se força à sourire en relevant la tête, et s'encouragea en se disant qu'elle se passerait de dessert.

*

Xavier ferma la porte de l'appartement et dévala les escaliers.

Il commençait à en avoir sa claque. Il avait passé la nuit au téléphone à essayer de raisonner Cindy. Celle-ci n'arrêtait pas de chialer, et cela finissait par lui taper sérieusement sur les nerfs. Elle ne pensait plus qu'à sa pomme. Pas un instant, elle ne se demandait ce que *lui* pouvait éprouver.

Il déboula dans la rue, agacé. En ce week-end de l'Ascension, la capitale s'était vidée de ses habitants. Tant mieux. Les embouteillages lui seraient épargnés pour se rendre chez Cindy.

Il sentait qu'il ne serait pas aussi patient qu'il l'avait été cette nuit, et il espérait que Cindy se montrerait moins pleurnicharde et plus compréhensive.

Avant d'entamer leur relation, Cindy était parfaitement informée de la situation. Et il avait toujours été clair avec elle : eux deux, c'était pour le *fun*. Sa vie à lui était avec Aude.

Maintenant, vu la tournure que prenait la situation, il fallait qu'elle dégage. Et ce coûte que coûte.

Il s'engouffra dans sa voiture et démarra.

*

— Souhaitez-vous une autre coupe de champagne ? s'enquit le serveur en débarrassant les deux verres vides.

— Non, je crois que nous sommes prêts à commander le dîner. Vous êtes d'accord, Maude ? s'enquit Patrice.

La conversation de ce monsieur n'était pas désagréable mais il ne cessait d'enchaîner les questions : quel était son type d'hommes, si elle en avait déjà rencontré beaucoup... Elle avait la désagréable impression de passer un entretien d'embauche. Sa curieuse façon de la dévisager la mettait également mal à l'aise.

Le serveur leur tendit les cartes et s'éloigna. Patrice entrouvrit la sienne, fit mine de se concentrer quelques instants avant de partir à l'offensive :

— On pourrait peut-être gagner du temps... Qu'est-ce que tu en penses ?

Aude nota le passage brusque au tutoiement. Cet homme n'était vraisemblablement pas enclin à lui donner un cours sur la monarchie espagnole. Elle avait décelé l'étincelle dans son regard lorsqu'elle lui avait avoué qu'il était son premier rencard.

Devant son silence, il enchaîna :

— Tu sais, pas besoin d'attendre le digestif pour admettre que nous nous plaisons. Alors, puisqu'on va finir par échanger nos fluides corporels, autant aller directement à l'essentiel, non ?

Sous le coup de la surprise, Aude faillit s'étouffer. Donc, ces types-là existaient vraiment et elle en avait un spécimen sous le nez !

Désormais, il ne subsistait plus aucun doute sur ses intentions.

— Vous manquez pour le moins de pédagogie pour un prof d'histoire...

— Oh... Tu fais partie des femmes qui se stimulent à l'oral avant de passer à la pratique, c'est ça ? chuchota-t-il sur un ton mielleux.

— Excusez-moi mais je crois qu'il y a maldonne. Nous parlions de partager un dîner afin de faire connaissance. Nous n'étions pas convenus d'une partie de jambes en l'air...

Il tenta de la raisonner, de la voix la plus mâle qu'il devait avoir en registre :

— Tu ne penses pas qu'on a passé l'âge d'attendre les fiançailles pour passer aux choses sérieuses ?

« Non mais ce type appartient à quelle tribu ? » se demanda Aude, avant de réaliser qu'elle avait effectivement cumulé un certain retard sur la question des nouveaux rites sexuels. Elle attrapa son sac à main.

— Bien, nous allons en rester là, je suis désolée.

— Désolée ? Tu t'attendais à quoi en venant ici ? À ce que je te propose une partie de dominos ?

— Franchement, je ne le sais pas moi-même, mais assurément pas à ça...

— Écoute ! Tu as suffisamment de kilomètres au compteur pour savoir comment ça marche. Si tu as envie de conter fleurette, il faut changer de site ! s'écria-t-il en suivant d'un œil libidineux la jeune femme à talons qui passait devant eux.

— Et moi, je crois que vous devriez vous faire castrer, répliqua-t-elle le plus froidement qu'elle put. Ça vous ferait le plus grand bien.

Attrapant ses affaires, elle déposa un billet de vingt euros sur la table avant de se précipiter vers la sortie.

*

Aude rentra trempée, humiliée et à bout de souffle après avoir couru sous une pluie diluvienne. Jérôme et Charlène se contentèrent de son « Je suis tombée sur un cinglé » sans poser plus de questions. Jérôme lui proposa aussitôt un sushi, comme si de rien n'était, et à cet instant elle éprouva à son égard une immense reconnaissance. Elle déclina l'offre mais resta sur le sofa, à leurs côtés.

La conversation entre Charlène et son père se poursuivit, et Aude, perdue dans ses pensées, n'y prêtait pas attention. Jusqu'à ce que Jérôme se lève en disant :

— Il faut descendre la poubelle. Tu t'y colles, Charlie ?

Aude croisa le regard de la jeune fille : voilà qui ferait une bonne excuse pour faire sortir Jérôme de l'appartement.

— Je suis crevée, papa, et j'ai la flemme de descendre... Je pensais aller dans ma chambre et bosser un peu.

— OK. J'ai compris. Mais t'as intérêt à avoir le nez dans tes bouquins quand je remonterai...

Il partit vers la cuisine. Aude et Charlène sentirent l'adrénaline monter et leur rythme cardiaque s'accélérer. Charlène chuchota :

— On aura une ou deux minutes max.

Dès que Jérôme eut attrapé ses clés et claqué la porte d'entrée, elles passèrent à l'action.

— Aude, surveille la cage d'escalier, moi je vais chercher cette foutue boîte !

Charlène s'élançait en direction de la chambre quand elle se ravisa et se précipita vers la cuisine pour en ressortir cinq secondes plus tard avec un sac plastique. Il valait mieux laisser la boîte et ne prendre que son contenu. Cela attirerait moins l'œil.

La trouille au ventre, elle courut dans la chambre, attrapa le marchepied qu'elle savait calé entre le mur et la penderie, ouvrit brusquement le panneau central de l'armoire qui vint cogner contre l'autre pan dans un bruit assourdissant.

— Mais qu'est-ce que tu fabriques, Charlène ?

— Je fais ce que je peux ! répondit-elle en se hissant jusqu'à la boîte convoitée.

Elle en renversa le contenu à l'intérieur du sac et remit le carton en place. Puis elle se rua dans sa chambre. Aude reprit sa place à la hâte sur le canapé et s'empara du magazine automobile posé sur la table basse.

Lorsque Jérôme rentra, Charlène était bien en pleine révision. Enfin !... Sans doute la petite conversation qu'il avait eue avec Aude avait-elle porté ses fruits. Il repassa devant le salon, tendit un pouce levé à l'intention d'Aude qui lui retourna un petit signe.

Cette femme était étonnante. Jamais il n'aurait imaginé qu'elle puisse s'intéresser aux bagnoles. Et elle savait rester pudique dans l'épreuve qu'elle traversait.

Mais surtout il venait de trouver en elle une alliée pour ramener Charlène à la raison.

Et cela n'avait pas de prix.

*

Dès que Charlène entendit son père refermer la porte de sa chambre, elle jeta sur son lit le contenu de son butin.

Il comptait cinq lettres. Quatre d'entre elles étaient toujours cachetées, avec la mention « retour à l'expéditeur ». Elles avaient été postées entre septembre et novembre dernier. Dessus, Charlène reconnut tout de suite l'écriture de son père. La destinataire était Sophie Voiront, avec une adresse située à Brooklyn, USA.

Sa mère vivait aux États-Unis...

Elle était pressée d'annoncer ça à la « bande ».

Elle saisit l'une des lettres non ouvertes. Elle brûlait d'envie d'en lire le contenu, mais ne pouvait se permettre de la décacheter. Son père le verrait tout de suite.

Elle attrapa le dernier courrier, libellé au nom et à l'adresse de son père, qui lui avait été ouvert, et était daté de novembre. L'écriture était anguleuse. Les doigts tremblants, elle détacha délicatement le rebord de l'enveloppe et fit glisser le feuillet manuscrit :

*Jérôme,*

Charlène suivit de son index les contours de ce prénom écrit par sa mère. Première fois qu'elle voyait l'écriture de celle qui lui avait donné la vie...

*Arrête de me harcelé par téléphone ou je change aussi de numéro.*

*Inutile d'essayer de me faire revenir en France. Je ne suis pas stupide et je ne tomberais pas dans tes pièges. J'ai déjà donner il y a quelques années.*

*Ma vie est enfin redevenue calme. Les cauchemars sont du passé. Tu sais de quoi je parle. Tes regrets ne regardent que toi.*

*Pour ma part, je ne prendrais aucun risque. Je tiens à ma vie.*

*À moins d'un très grave problème, ne me rappelle pas. Sinon, je change de numéro.*

*S.*

Une immense déception envahit la jeune fille. Elle avait espéré bien plus. Et là où elle aurait dû se réjouir de découvrir l'écriture de sa mère, elle se sentait embarrassée par sa très mauvaise orthographe. Elle s'en voulut immédiatement mais, l'espace d'une seconde, elle avait éprouvé de la honte. Puis la honte d'avoir eu honte.

Elle se secoua et essaya de raisonner. Le texte était concis. Le message, plus que perturbant. Que voulait dire sa mère ? La vie au côté de Jérôme avait-elle été si terrible qu'elle l'écrivait ?

« Je tiens à ma vie. » Un frisson lui parcourut l'échine.

Ce courrier était daté de fin novembre. Quand avait-elle reçu le dernier SMS de sa mère ?

Elle lâcha le courrier, recouvrit le tout de sa couette et alla à son bureau pour y attraper son téléphone.

16 décembre. Soit environ une douzaine de jours après que la lettre...

Que s'était-il donc passé entre ces deux moments ?

Elle envoya un SMS à Aude pour qu'elle la rejoigne dans sa chambre.

*

Allongé sur son lit, Jérôme balaya du regard les trophées disposés sur sa commode, sa table de chevet. Les contempler lui permettait de revivre les moments de gloire qui avaient couronné son parcours de pilote. Champion d'Europe junior en karting. Champion de France senior. Des titres de champion de France et d'Europe de Formule 3...

Il se dirigea vers le tiroir de sa penderie et souleva le carton posé à même le sol. Photos, coupures de presse... Seuls vestiges de ses triomphes passés. La nostalgie l'envahit.

*Pourquoi ? C'est toi qui as choisi, qui as pris la décision de tout arrêter.*

*Tu l'as fait en ton âme et conscience. Et pour une bonne raison. Tu n'as rien à regretter.*

Non, bien sûr, il ne regrettait rien. Mais il ne pouvait ignorer ce pincement au cœur lorsqu'il fermait les yeux et qu'il se revoyait au volant d'un bolide pendant un tour de chauffe, nerveux et concentré, les secondes précédant chaque départ arrêté, son esprit et son corps ne faisant qu'un avec le joyau qu'il pilotait. Il sentait encore les frissons courir le long de sa colonne vertébrale lors de l'allumage progressif des feux puis de leur extinction soudaine, signal du départ.

Il entrouvrit délicatement le carton. Sur le dessus, l'une de ses photos préférées. Et celle qui lui faisait également le plus de mal.

On le voyait descendre fièrement d'une McLaren, le casque à la main. Son premier test comparatif sur Formule 1, dont il était sorti en réalisant de très bons temps. Suffisamment bons pour que le directeur d'une écurie prestigieuse lui propose de le recruter. C'était il y avait tellement longtemps...

*C'était en 2000. Tu venais de décrocher le contrat de tes rêves et tu allais signer pour plusieurs saisons. Mais c'est aussi le moment où Sophie est tombée enceinte. Et juste après...*

Comme attiré par une force magnétique, le regard de Jérôme glissa vers une seconde boîte. Celle qu'il n'ouvrait que rarement. Celle qui lui était réservée à *elle*. Il se releva et toucha l'un des côtés en se hissant sur la pointe des pieds.

*Après, l'horreur. Un cauchemar. Celui qui te tient encore souvent éveillé. Puis la naissance de Charlène. Et la fuite de Sophie...*

— Et l'anéantissement de ce que j'avais imaginé être un jour ma vie, lâcha-t-il dans un murmure.

Fouiller dans son passé ravivait chaque fois les mêmes plaies.

Jérôme se redressa : ce n'était pas le moment de sombrer dans les affres de la mélancolie. Il s'accroupit à nouveau, remit le cliché à sa place, comme si celui-ci lui brûlait désormais les doigts, rabattit brutalement les pans en carton.

Il valait mieux souhaiter une bonne nuit à Charlène et se coucher.

*

Xavier quitta l'appartement de Cindy. Il pouvait maintenant affirmer à Aude qu'il n'y avait plus rien entre sa maîtresse et lui. Les charmes de la jeune femme ne suffisaient pas à égaler près de vingt années de vie commune avec Aude.

Il fouilla dans sa poche de jean et sortit son portable. Il se sentait un homme nouveau. Un homme neuf. Un homme propre.

Il pouvait maintenant partir à la reconquête de sa femme.

*

Aude reçut le SMS de Charlène au moment où elle sortait de la douche. Elle s'enroula dans un drap de bain et se glissa dans la chambre de la jeune fille.

Charlène, l'air abattu, lui tendit immédiatement un feuillet manuscrit. Aude l'attrapa d'une main alors que son portable vibrait dans l'autre.

À cet instant précis, la porte de la chambre s'ouvrit en grand sur Jérôme.

— Demain, j'irai à Montlhéry. Roger vient de me demander de tester l'une de ses v...

Il s'interrompit en découvrant Aude, juste recouverte d'une serviette.

Aude tenait la lettre à quelques centimètres de Jérôme. Pour la lui cacher, elle brandit subitement l'écran de son mobile, qui affichait la photo de Xavier.

— Vous vous rendez compte ? Il ose m'appeler à toute heure du jour et de la nuit !

Jérôme contempla l'écran une seconde avant de la fixer dans les yeux, s'attardant sur ses cheveux ruisselants qui lui retombaient sur les épaules, puis sur la serviette qui menaçait de glisser à ses pieds.

Aude réalisa qu'elle n'était guère loin de se retrouver dans le plus simple appareil. Voyant cela, Charlène se jeta dans les bras de son père. L'urgence n'était pas tant de défendre la pudeur de l'une que de protéger la lettre dérobée par l'autre...

— Oh ce serait top de nous laisser venir avec toi, papa ! Tu nous emmènes, dis ?

Surpris, Jérôme serra Charlène contre lui. Il avait peut-être sous-estimé le désarroi de cette femme, finalement. Parce que là, elle semblait rudement secouée. Il décida de se montrer gentil.

— Cela ne me paraît guère raisonnable. Je te rappelle que tu dois bosser pour ton bac... Mais bon... Allez ! Ça marche pour cette fois-ci. Nous irons tous les trois.

— Génial ! Merci p'pa ! s'exclama aussitôt Charlène en se tournant vers Aude, qui acquiesça sans même chercher à comprendre ce qu'elle allait bien pouvoir faire là-bas.

Maladroitement, Jérôme s'avança pour poser une main réconfortante sur l'épaule d'Aude, mais arrêta son geste devant sa quasi-nudité. Gêné, il se rabattit sur Charlène qu'il reprit dans ses bras, et qu'il embrassa tendrement avant de refermer la porte derrière lui.

Aude se laissa tomber sur le lit. La jeune fille lui tendit son peignoir et se tourna pendant qu'Aude l'enfilait :

— Ouf ! gémit Charlène. On a eu chaud... Combien de temps va-t-il falloir pour tout remettre dans la boîte ? Heureusement que je l'ai laissée à sa place. Si jamais il s'en rend compte...

— Il n'ira pas regarder ce soir. Il est parti se coucher. Nous remettrons tout en place demain. Mais avant il va falloir se cogner Montlhéry...

— Aude... Ma mère vit aux États-Unis ! Lis ! s'exclama la jeune fille en pointant la feuille qu'Aude n'avait pas lâchée.

Aude s'exécuta, alors que Charlène se connectait déjà à Alexandre et Nicolas par Skype. Le visage d'Alexandre apparut en premier, rapidement suivi de celui de Nicolas.

Pendant que Charlène faisait part de ses découvertes, Aude réfléchissait. La lettre était peut-être truffée de fautes d'orthographe mais les mots n'en étaient pas moins forts. Qu'avait donc vécu cette femme pour refuser tout échange avec Jérôme ?

— Charlie, tu dis que ton père a d'abord reçu ce courrier, et que les SMS de ta mère se sont arrêtés juste après, c'est bien ça ? interrogea Alexandre.

Charlène approuva.

— Et, si je peux me permettre d'insister, ces SMS ont bien cessé alors qu'elle venait de te proposer de te revoir, n'est-ce pas ? ajouta Nicolas.

— C'est bizarre, quand même, laissa échapper Aude.

— Bizarre ? Ça devient carrément louche, vous voulez dire ! Cette femme accepte de rencontrer Charlène, mais signifie à Jérôme son refus catégorique de le revoir, lui. Puis d'un seul coup, plus rien ! Pourquoi ?

— Tu penses qu'elle aurait pu chercher à revoir Charlène ? demanda Aude.

— Exactement ! approuva Alexandre. Et pour ça, elle est peut-être bien revenue en France. Sauf que les choses ne se sont pas forcément passées comme elle le souhaitait...

— C'est-à-dire ? trancha Nicolas.

— Je n'en sais rien, moi ! Mais imaginez qu'elle soit venue en France, et qu'elle ait voulu voir Jérôme avant pour mettre les choses au point. Elle n'a plus jamais donné de nouvelles après..., poursuivit Alexandre.

— Tu peux être plus clair, Alex ? interrogea Charlène d'une voix craintive.

— Ce qu'il veut dire, c'est que son imagination commence à lui taper sérieusement sur le ciboulot ! s'agaça Nicolas.

Aude leur fit signe de baisser d'un ton. Alexandre reprit d'une voix calme :

— Ai-je besoin de vous rappeler les termes utilisés par cette femme ? Ou que Jérôme possède un flingue dans sa table de nuit, ainsi que tout un arsenal de balles ?

Charlène était devenue blanche comme un linge. Une tension se fit subitement sentir. Plus personne n'osait parler. C'est Nicolas qui finit par reprendre la parole :

— Bon, écoutez les copains, attendons demain pour échanger. Mais je persiste à croire que tu regardes un peu trop *Chroniques criminelles*, Alex !

— À mon avis, je ne suis pas le seul. Jérôme s'en est peut-être servi comme tuto ! railla-t-il tandis que le visage de Nicolas disparaissait de l'écran.

Aude songea que Nicolas avait eu l'air contrarié, sans doute à cause de son frère. Elle se tourna vers Charlène, qui était en larmes et la prit dans ses bras.

— Non mais là, on partage juste des idées, ma puce. Alexandre, Nicolas a raison : on se rappelle demain, OK ?

Elle coupa la communication sur-le-champ, et resta longtemps à caresser la chevelure de Charlène tout en lui disant qu'il y avait maintes explications possibles à toute cette histoire, que tout irait bien. Lorsqu'elle sentit que la jeune fille s'était endormie, elle la coucha sur son lit, et s'installa sur le matelas posé au sol.

Xavier avait cherché à la joindre à deux autres reprises. Mais là, elle dut à son tour se faire violence pour ne pas le rappeler et le supplier de venir la chercher. Elle éteignit la lumière. La vibration de son portable l'avertit de la réception d'un SMS : Alexandre lui demandait si elle voulait venir dormir chez lui. Elle se cantonna à répondre : « Nous avons trop d'imagination. »

Ce à quoi il répondit : « OK. Mais sois prudente. »

Elle se recoucha.

Puis se releva pour glisser une chaise devant la porte.

# 8.

Aude émergea brutalement de son sommeil : rêve ou cauchemar ? Elle n'en avait aucun souvenir. Ses yeux tentèrent de percer l'obscurité de la chambre, tandis qu'une musique diffuse lui parvenait aux oreilles. Quelle heure pouvait-il bien être ?

Elle se tourna vers le réveil : 2 h 10. Deux heures que Charlène écoutait le même morceau en boucle.

Un reniflement puis un sanglot étouffé masquèrent le son parasite.

Aude s'adossa contre le mur. Devait-elle montrer à Charlène qu'elle l'avait entendue ?

Elle se leva lentement et, sans un mot, effleura de son index la joue de la jeune fille. Celle-ci sursauta et ôta son casque. Aude avait eu le temps de sentir les larmes sur son visage.

— C'est quoi, ce que tu écoutes ? lui demanda-t-elle doucement.

— « *To Build a Home* ». Je kiffe vraiment cette chanson.

— Oui, ça, j'ai bien compris. Mais sur un tel morceau, dur de ne pas avoir le bourdon... Je suis là, tu sais. Si tu as envie de parler, je veux dire...

Aude lui souleva délicatement la tête pour la poser sur ses genoux. Elle lui caressa les cheveux et elles restèrent ainsi de longues minutes, le casque audio posé au sol continuant de diffuser la musique.

— Je crois que tu devrais essayer de la recontacter par téléphone, lui souffla Aude.

Pas de réponse. Elle poursuivit :

— Peu importe qu'elle n'ait pas réagi les fois précédentes. Je suis convaincue qu'elle a quand même écouté tes messages ou lu tes SMS. Insiste. Elle finira par te répondre.

Elle laissa encore passer une bonne minute :

— Demain, au retour de Montlhéry, envoie-lui un texto.

Elle sentit une main se poser sur sa cuisse.

— Si tu savais combien elle me manque...

La peine de Charlène lui serra le cœur. Aude lui prit la main. Elle attendit longtemps avant d'entendre sa respiration s'apaiser. Lorsqu'elle fut certaine que la jeune fille s'était endormie, elle s'éloigna d'elle avec le plus de précaution possible pour ne pas la réveiller, coupa la musique, puis regagna son matelas. Il était 3 h 40.

*

Dès que Jérôme sortit du bolide, Charlène se précipita vers lui avec un visage radieux. Son père l'enlaça avant de lui pincer affectueusement la joue puis de s'approcher d'Aude.

— Jolie voiture, déclara celle-ci pour dire quelque chose.

— Une Lamborghini Gallardo ! Une belle bête qui commence à dater mais que j'ai toujours beaucoup aimée.

— Tu nous fais faire un tour, papa ? trépigna Charlène.

— Non, ma puce. Roger m'attend pour tester l'une de ses voitures. C'est la première fois qu'il la propose pour un stage de pilotage.

Roger arrivait justement. Il serra l'adolescente contre lui.

— Heureux de te voir, ma chérie ! Mais regardez-moi ça : tu es devenue une vraie beauté !

Charlène éclata de rire avant d'enchaîner :

— Tu nous fais monter, papa ?

— Dans la R8 ? À moins d'accrocher l'une de vous deux sur le toit, vous risquez d'être un peu comprimées ! Et puis, je ne voudrais pas que ton amie nous fasse un malaise...

— Parce que vous pensez qu'il faut nécessairement être pourvu d'une paire de testicules pour ne pas avoir peur en bagnole ? répliqua Aude, piquée au vif.

Les yeux de Roger s'écarquillèrent comme des soucoupes, tandis que Jérôme se contentait de sourire, visiblement amusé.

— Vous aimez la vitesse, Aude ?

— Non. Mais je ne la crains pas non plus.

— Parfait ! ajouta-t-il en l'invitant d'un geste à passer derrière la barricade.

Le bolide les attendait quelques mètres plus loin. Jérôme ouvrit la portière droite.

— Un V10 qui devient rageur dès 6 000 tours. Une petite merveille. Non ?

— Ma machine à laver s'arrête à 1 600 tours. Mon linge sécherait peut-être plus vite si je le fourrais sous ce capot...

Sa remarque effaça net le sourire sur le visage de Jérôme, qui resta perplexe plusieurs secondes. Aude prit place sur le siège côté passager.

Il démarra et un bruit sourd, puissant, envahit l'habitacle. Il s'engagea en douceur et sans mot dire sur le circuit.

— Vous n'allez quand même pas appuyer à fond sur la pédale d'accélérateur, n'est-ce pas ?

— Je croyais que vous n'aviez pas peur de la vitesse !

— Dans une voiture normale, sur une route normale, aux côtés d'un conducteur normal, non.

— Je ne sais pas trop comment je dois le prendre, mais rassurez-vous : vous ne serez pas collée au siège. Ce circuit ne permet pas les très grandes accélérations et je ne cherche pas à voir ce que cette caisse a dans le ventre. Je vérifie sa tenue de route. Il paraît qu'elle chasse légèrement de l'arrière.

Un peu rassurée, Aude se détendit.

— Et il vous faut beaucoup de temps pour faire ce test ?

— Ça dépend. Mais si vous sentez que vous allez vomir, faites-moi signe : le circuit ne fait que 3,4 km et il me suffira de redescendre à votre vitesse de référence pour vous déposer au bout d'un tour. Le problème, c'est que 1 600 tours, ça va m'obliger à rester en première, nous allons avoir le temps de discuter...

— Vous m'énervez : faites ce que vous avez à faire et arrêtez de me provoquer avec vos sarcasmes.

Allait-elle regretter d'être montée avec lui ? Elle qui pensait qu'il avait enterré la hache de guerre...

Jérôme prenait de la vitesse, alternant accélérations et freinages. Son regard passait rapidement du rétroviseur central au pare-brise.

— Attention, je vais pousser un peu. Calez-vous bien.

Aude eut la sensation d'être littéralement catapultée au fond de son siège. Lorsqu'elle parvint à risquer un œil sur le cadran quelques secondes plus tard, celui-ci indiquait 190 km/h.

— En fait, ça commence à combien la « grande vitesse » pour vous ? À celle de la lumière ?

— Rassurez-vous, nous ne pourrons pas dépasser les 220 sur ce circuit. Mais si vous avez peur, dites-le-moi. N'ayez pas honte.

Aude aurait préféré se pendre plutôt que d'avouer qu'elle était morte de trouille. Question de fierté.

Pourtant, contre toute attente, elle finit par trouver cette expérience tellement grisante que deux tours plus tard, Jérôme lui confiait le volant pour une brève leçon de conduite. Il la conseilla alors avec bienveillance, la reprenant patiemment lorsqu'elle se montrait maladroite. Au bout d'un long moment, elle lui demanda, gênée :

— Étourderies et freinage mis à part, je m'en sors comment ?

— En toute honnêteté pas trop mal, lui répondit-il dans un grand sourire. Mais j'aurais tout de même un petit commentaire sur votre manière de prendre les virages. Notamment quand vous plongez à la corde.

— « À la corde » ?

— Oui. Dans une courbe, vous avez le point de braquage, le point de corde et le point de sortie. Le point de corde, c'est le point de tangence de l'intérieur du virage.

Elle tourna la tête vers lui. Son visage s'était illuminé. Aucun doute, Jérôme était véritablement passionné par son métier.

— Ralentissez sec et regardez bien comment je vais vous faire prendre la courbe qui arrive.

Il posa sa main gauche sur la main droite d'Aude qui était agrippée au volant. Il vira doucement, puis elle l'entendit parler de point extérieur, de débraquage... mais son esprit à elle était ailleurs. Elle découvrait chez cet homme une attention, une vraie gentillesse.

— Vous êtes là ?

— Oui, c'est... très intéressant. Mais je ne suis pas encore prête pour la compétition.

— Certes, mais c'est important de bien savoir prendre un virage. Vous ne savez jamais ce qu'il y a derrière.

Il la regarda avec une expression qu'Aude ne parvint pas à définir. Était-ce de la sympathie, de la bienveillance ?...

— Vous vous débrouillez plutôt bien pour une débutante.

— J'expérimente décidément pas mal de premières fois en ce moment.

— Ah...

— D'ailleurs, tant que nous sommes seuls, je voudrais vous faire un aveu.

Il éclata de rire et la fixa d'un œil espiègle.

— Vous n'allez quand même pas me déclarer votre flamme ?

— Non, je n'en suis pas là, rétorqua-t-elle. Mais...

Elle ne savait plus trop par où commencer.

— Je ne comprends pas pourquoi vous refusez d'aider Charlène à retrouver sa mère. Mais je voulais vous dire que je lui ai conseillé de reprendre contact avec elle. Par téléphone, je veux dire.

Il lui jeta un regard glacial.

— Et pourquoi n'avez-vous pas plutôt cherché à l'en dissuader ?

— Parce que c'est sa mère et que je trouve sa quête légitime !

Jérôme maugréa quelque chose, ouvrit la portière et s'extirpa du véhicule, pendant qu'Aude passait par-dessus l'accoudoir central pour se glisser sur le siège passager. Il démarra nerveusement et lança la voiture sur la piste.

— Vous venez de faire une grosse connerie.

Un lourd silence avait envahi l'habitacle, que seuls les changements de rapport effectués à régime élevé interrompaient. À chaque courbe, le rétrogradage lors des freinages était brutal et Aude fermait les yeux.

— Je comprends que cette situation vous déplaise fortement, Jérôme, et sachez que pour des raisons bien différentes elle me dérange tout autant.

— Vous ne savez rien, Aude. Rien.

Il continuait à regarder droit devant lui, les mâchoires serrées.

— Le peu d'informations dont je dispose me suffit pour avoir raison de penser ce que je pense.

— À savoir ?

Elle apercevait maintenant Charlène et Roger. Elle prit son courage à deux mains et se lança :

— Ce n'est pas parce que vous n'êtes pas parvenu à faire le deuil de cette femme que vous devez imposer à votre fille d'effacer sa propre mère. Votre difficulté à vous ne doit pas devenir son problème à elle.

Une accélération encore plus brusque la colla à son siège tandis que le véhicule glissait brutalement par l'arrière. En un quart de seconde, face à un paysage qui défila sous ses yeux à la vitesse de l'éclair, elle pensa que Jérôme avait perdu le contrôle de la voiture et elle plongea son visage dans ses genoux. Pourtant, après un dérapage qui sembla durer une éternité, la R8 s'immobilisa dans un crissement de pneus.

— Ça s'appelle un drift ! railla Jérôme en sortant de la voiture.

Le cœur battant à tout rompre, Aude se redressa lentement. Ils s'étaient arrêtés pile à hauteur de Charlène et de Roger, qui applaudissaient devant la prouesse technique. Encore sous le coup de l'émotion, Aude chercha, en vain, le regard de Jérôme. Le charme était rompu.

*

Alexandre était déçu. Il rentrait de sa séance de *body attack*, à laquelle Dimitri et lui participaient chaque samedi de 11 heures à midi. Pour la première fois depuis leur rencontre, Dimitri n'y avait pas assisté.

Alexandre avait attendu ce moment avec impatience. C'était la seule occasion de le voir, puisqu'il ne répondait plus à aucun de ses messages...

Tout espoir de le convaincre s'était donc envolé.

Alexandre croisa son voisin de palier et trouva à peine la force de lui sourire. Il n'avait plus qu'une idée : plonger sous la couette et s'enfermer chez lui. À l'abri des regards et des jugements.

Tel un automate, il monta les escaliers, entra dans son appartement. Hannibal l'accueillit avec joie, mais son maître se contenta de le gratifier d'un bref grattouillis sur le front.

Il laissa tomber son sac de sport dans l'entrée, se dirigea vers le salon. Ses yeux s'arrêtèrent sur une feuille pliée, au centre de la table basse. Dessus, une clé.

Dimitri...

Alexandre se jeta sur le papier, le cœur serré.

*Alex,*

*J'ai profité de ce moment pour récupérer mes affaires. Difficile de faire le deuil d'une histoire quand tout autour de soi nous la rappelle.*

*Ne nous reprochons rien. Nous avons l'un et l'autre fait au mieux.*

*Et nous sommes restés vrais.*

*Je te souhaite le meilleur.*

*Prends soin de toi,*

*Dimitri*

*P-S : Tu conviendras qu'il sera beaucoup moins compliqué d'avancer sans ces innombrables tentatives pour me parler. Je crois que nous nous sommes dit l'essentiel. Merci, Alex, de ne plus m'appeler.*

La main tremblante, Alexandre s'empara de la clé, qu'il serra dans sa main. La rupture prenait forme, comme si ce simple objet en devenait le symbole, la preuve irréfutable.

Une sensation d'étouffement lui oppressa la poitrine, remonta dans sa gorge. À quoi pouvait-il donc se raccrocher pour ne pas sombrer ?

Il se précipita dans sa chambre, lâcha la clé et la feuille sur le lit.

— Non, non et non !

Un spasme le plia en deux. Son cœur battait lentement, comme prêt à s'arrêter d'une seconde à l'autre. Il éprouva une soudaine envie de vomir, tandis que de violents élancements commençaient à lui marteler le crâne.

Comment était-ce possible d'avoir aussi mal ?

Il parvint tant bien que mal à se hisser sur le lit et se mit instinctivement en position fœtale. Il avait froid maintenant, jusqu'à sentir des frissons parcourir toute la surface de sa peau.

N'étaient-ce pas là tous les symptômes du sevrage ?

Oui. Dimitri était sa drogue. Il était accro. Et d'un seul coup, il devait décrocher sans aucune aide.

Mourir du manque était-il possible ? À en juger par les douleurs qui l'assaillaient, oui, il en était certain. Il aurait de loin préféré périr d'une overdose. Cela aurait forcément été plus doux.

Lui n'aurait jamais réclamé de sevrage. Et il souffrait autant de l'absence de Dimitri que de son silence. Atrocement. Inhumainement.

Devait-il vraiment laisser ce gâchis se poursuivre sans réagir ?

Il attrapa son téléphone dans sa poche de pantalon.

Un shoot. Il lui fallait juste un shoot.

*Il t'a demandé d'arrêter de le harceler...*

Où était-il et que faisait-il en cet instant précis ?

*Ce qu'il fait ne te regarde plus. Il t'a clairement dit puis écrit que c'était terminé entre vous. Tu es sourd ou quoi ?*

Non, il n'était pas sourd.

Mais ne rien tenter pour sauver une telle histoire d'amour équivalait à la tuer lui-même.

*Une histoire d'amour se vit à deux.*

*Tu es maintenant le seul à la fantasmer.*

*En ce moment même, il doit d'ailleurs être avec celui qui te remplace.*

Cette idée lui noua davantage le ventre.

*Finalement, si tu l'aimes autant que tu le dis, laisse-lui la chance d'être heureux.*

*Et crève en silence.*

Alexandre réprima un sanglot et reposa lentement le portable sur son oreiller. Il baissa toutes les persiennes de l'appartement, puis revint se jeter sur l'autre côté, à la place de Dimitri, afin de laisser libre cours à son chagrin en s'effondrant en larmes, sous les coups de langue inquiets d'Hannibal.

*

Ils venaient de rentrer tous les trois de Montlhéry, Aude et Charlène étaient sorties s'acheter une salade.

Jérôme se dirigea vers la cuisine, mais sa discussion avec Aude lui avait coupé l'appétit. Il attrapa néanmoins une pomme, en croqua une bouchée adossé contre la porte du réfrigérateur, tout en songeant qu'Aude risquait de tout faire capoter.

Son portable bipa. C'était un SMS de Charlène, lui proposant d'aller boire un verre dans un club avec « tout le monde ». C'était bien la première fois qu'elle le conviait à une telle sortie. Il réfléchit quelques instants. Il ne fallait pas la braquer en ressassant sans cesse que le bac approchait. Et rester près du groupe lui permettrait de mieux les surveiller.

Il répondit qu'il était partant. Cinq secondes plus tard, un smiley avec un immense sourire et deux yeux en forme de cœurs s'affichait sur son écran.

Il revint dans la cuisine, balança le trognon dans la poubelle et regagna sa chambre. Il tira sur le dernier tiroir de sa commode, tâtonna jusqu'à ce que ses doigts rencontrent tout au fond le portable qu'il y avait caché. Il replaça le tiroir, puis s'assit sur le lit.

Il tourna et retourna le téléphone.

Il allait vraisemblablement avoir à s'en resservir d'ici peu.

Il fit coulisser la façade de la penderie, attrapa le carton à chaussures du bout de ses doigts pour le faire basculer dans sa main.

Il aurait pu se contenter d'en soulever légèrement le couvercle.

Mais il choisit d'ouvrir totalement la boîte...

*

Lorsque Alexandre avait reçu l'appel de Charlène qui lui proposait de passer une soirée tous ensemble dans un club, il avait d'abord catégoriquement refusé. Mais Aude avait pris l'appareil et l'avait supplié. Alexandre avait fini par céder, avant de partager avec elle le triste dénouement de son histoire.

En moins d'une heure, Aude était arrivée chez lui. Alexandre lui en était reconnaissant. Avec elle, il se sentait compris.

Pour la seconde fois, il attrapa la bouteille de rhum blanc posée sur la table basse, en versa dans deux verres, ajouta du soda, une rondelle de citron vert et quelques feuilles de menthe.

— Allez, Aude, trinquons à nos chagrins ! clama-t-il en cognant son verre contre le sien.

— Encore ? Ça ne fera jamais que la deuxième fois alors qu'il n'est que 16 heures... Tchin !

Alexandre se laissa tomber sur un pouf immense.

— Je voudrais ne plus penser à rien. Être une huître. Ça ne pense pas, une huître, si ?

— J'en sais rien...

Aude se sentait déjà euphorique. Cette sensation était agréable et, une fois n'étant pas coutume, elle reprit une généreuse lampée de son mojito.

— ... mais je crois que moi aussi, j'aimerais bien être une huître, poursuivit-elle.

— Allez ! À toutes les huîtres du monde ! trinqua Alexandre en levant haut son verre, puis en avalant cul sec une belle rasade du cocktail transparent. Qu'est-ce que tu ferais, là, si tu avais une baguette magique ?

Elle s'allongea sur son pouf et sembla chercher l'inspiration au plafond.

— Je pense que je reviendrais en arrière. Avant que tout ça n'arrive.

— « Tout ça » ?

— Cindy... Et toi ? questionna-t-elle après quelques secondes de silence.

Alexandre se leva et fit signe à Aude de tendre son verre, déjà vide.

— Moi, je demanderais à être transformé durant quelques heures en mon avatar qui n'aurait peur de rien. J'irais alors voir mon père et lui hurlerais qui je suis vraiment. Puis j'irais retrouver Dimitri, qui me prendrait dans ses bras... Voilà ce que je ferais.

Aude voyait bien de quoi il parlait : le poids des regrets, la pensée magique d'une histoire qui pourrait se réécrire... Elle s'imagina un instant se lever, attraper son sac et courir jusqu'au métro, pour rentrer chez elle. Xavier lui ouvrirait et...

*Il me serrerait contre lui. Et tout repartirait comme avant.*

C'était tentant. C'était surtout illusoire.

— Je crois qu'il me faut un autre verre, Alex.

— Houlà ! On ne déprime pas, ici. Et on se déshydrate encore moins ! Allez !

En deux temps trois mouvements, il lui tendit un nouveau cocktail.

— Quand je pense que Xavier ne supporte pas qu'on m'approche alors que lui s'envoie en l'air avec son ex-secrétaire...

— Pfft ! Pathétique, le cliché... Tu devrais lui coller une bonne raclée. Ou lui repeindre sa bagnole en rose ! Ça lui ferait les pinces à ce gros macho !

Visualiser la tête de Xavier en découvrant sa Merco vénérée teinte en rose la fit éclater de rire. Une telle perspective avait du bon. Elle lui parut même délicieuse.

— Mais c'est une super idée, ça...

— Mouais... Tu peux aussi lui créer un compte sur un site gay. Il sera ravi de recevoir des appels...

— Lâche l'affaire. On ne sait jamais... Si je devais trouver Xavier à poil au milieu du salon avec un type en string à clous, je crois que ça m'achèverait.

— LOL ! T'as raison. Avec un mec qui baise à couilles rabattues, il vaut mieux rester prudents... Ça saute sur tout ce qui bouge, un mec pareil !

Il réalisa soudainement ce qu'il venait de dire.

— Pardon ! Je ne voulais pas dire... Je crois que le rhum fait son effet.

— T'inquiète. Il me serait difficile de savoir ce qu'il a fait ou ce qu'il serait capable de faire.

*Oui. Très difficile. Impossible même.*

— Finalement, l'amour, c'est formidable tant qu'on n'y croit pas trop, murmura Alexandre les yeux perdus dans le vide, Hannibal lové contre ses cuisses.

Aude éprouvait à présent la sensation curieuse d'être devenue une observatrice extérieure de son propre corps. Cette impression lui permettait de garder à distance tout ce qui lui avait fait tant de mal.

Alexandre faisait tournoyer la dernière goutte de liquide qui restait au fond de son verre. D'un seul coup, il saisit son enceinte portable.

— Musique ! décréta-t-il.

Quelques secondes plus tard, la voix d'Umberto Tozzi résonnait dans la pièce.

— Drôle de méthode pour se remonter le moral ! s'esclaffa Aude.

Alexandre avait entrepris de danser au milieu du salon en chantant :

— « *Ti amo, io sono, ti amo...* »

— Oh Alex, de grâce... Je vais vraiment finir par me balancer par la fenêtre ! Tu n'as rien de plus amusant ?

— Je n'étais déjà pas bien du tout mais maintenant que je sais que nous allons devoir nous cogner une soirée dancing avec Jérôme, j'ai juste envie de me pendre, s'époumona-t-il par-dessus la musique. Alors, je me mets en condition !

Soudain, son regard s'illumina.

— Mais, Dieu du ciel ! Mais oui ! J'ai une super idée ! Alors là ma chérie, tu vas voir, on va bien se marrer !

— Tu m'expliques ?

— Je sais ! Ce soir, tu vas nous faire le grand jeu : tenue, coiffure et maquillage.

Aude le regarda, stupéfaite. Comment faisait-il pour passer aussi vite de la détresse à l'allégresse ?

— Je prendrai des photos et tu les posteras sur ton Facebook pour que ton mari les voie. Tu verras que quand monsieur Macho les découvrira, ça va lui couper la chique pendant quelque temps. Non mais sans blague...

Aude éclata de rire. Elle se leva pour le rejoindre, brandit un micro virtuel et ils entamèrent en chœur le refrain : « *Io ti amo, ti amo, ti amo, ti amo, ti...* »

Lorsqu'ils quittèrent l'appartement d'Alexandre deux heures et demie plus tard, ils étaient déjà sérieusement éméchés.

Dans le VTC commandé par Aude, Alexandre s'était affalé contre la portière, perdu dans ses pensées.

De son côté, Aude se reprochait de s'être ainsi enivrée. D'autant que la journée n'était pas finie. Elle se pressa les tempes. La soirée s'annonçait d'ores et déjà difficile.

Son téléphone vibra. Encore Xavier.

Lasse, et portée par des émotions contradictoires, elle prit l'appel.

— Bonjour Xavier...

— Aude... Où es-tu ? Que fais-tu ?

— Je suis dans un Uber, et je rentre...

— Tu *rentres* ?

Aude sentait l'alcool ingurgité embrumer son cerveau. Elle se redressa sur son siège et appuya fortement son doigt entre ses deux sourcils.

— Non, je veux dire : je retourne là où je dors actuellement, articula-t-elle tout en luttant contre un mal de crâne carabiné.

Déçu, Xavier tenta de la raisonner :

— Aude, mon cœur, il faut vraiment qu'on parle. Retrouvons-nous où tu veux.

Cette discussion serait de toute manière inévitable. Alors si cela pouvait accélérer son retour chez elle...

— OK. Demain à 11 heures au café Ritournelle. Mais d'ici là ne me rappelle pas.

Lorsqu'elle raccrocha, elle croisa le regard scrutateur d'Alexandre.

— À quoi tu penses ? lui lança-t-elle.

Il cala sa joue contre l'appuie-tête, ferma les yeux et soupira.

— Ma chérie, je pense juste que c'est un fiasco total et je n'ai qu'une envie : me coller sous la couette et mater n'importe quel programme débile à la téloche...

Aude n'était pas dupe. Elle savait qu'Alexandre n'approuvait pas sa décision.

À l'inverse, à quelques kilomètres de là, Xavier était fou de joie. Il connaissait suffisamment Aude pour savoir qu'il saurait la convaincre de revenir. Conclusion : il n'avait plus qu'à bien préparer son mea culpa...

*

Nicolas quitta l'appartement de son frère. Sa mine était encore plus épouvantable que la fois précédente : les traits tirés, les yeux entourés de cernes sombres et marqués qui trahissaient des nuits d'insomnie, une mâchoire crispée révélant également une certaine tension... Ses douleurs abdominales ne s'étaient pas apaisées, et les vomissements le contraignaient toujours à rester cloîtré chez lui. Nicolas se demandait si son frère ne couvait pas une maladie plus grave qu'une simple gastro. Il aurait été prêt à parier que son frère le lui aurait caché si cela avait été le cas.

Lorsque Nicolas lui avait proposé d'appeler SOS Médecins, son frère s'était énervé en lui répliquant qu'il ne servait à rien d'alerter toute la sphère médicale pour une grippe intestinale. Pour ne pas le tracasser, Nicolas n'avait pas insisté et ne s'était pas éternisé, car il avait bien senti que sa présence l'empêchait de se reposer.

Mais il était très contrarié. Réussir à n'en rien montrer ce soir serait un vrai défi.

*

Assis sur son lit, Jérôme fixait sans le voir l'écran du téléphone qu'il venait de récupérer.

Il n'aurait jamais imaginé que Charlène viendrait fouiller dans ses affaires. Jamais. Mais le fait était que l'ensemble des lettres manquait. La cachette avait donc été visitée.

Lui qui s'était réjoui de voir sa fille lui proposer une soirée... Cette invitation lui avait paru anodine sur le coup. Elle n'était en réalité pas si insignifiante. Le but était de l'attirer hors de sa chambre pour réintroduire discrètement le contenu du carton à sa place.

Pas de problème. Il allait jouer le jeu et faire comme si de rien n'était. Mais il resterait bien attentif à la manière dont ils allaient tous s'y prendre pour le duper.

En attendant, il n'avait pas le choix. Il alluma le téléphone, tapa les deux codes requis. Il n'avait reçu aucun message.

Il réfléchit longuement. Il ne pensait pas avoir à recommencer tout ça. Surtout dans de telles conditions. Il éteignit le portable avant de le remettre dans son ancienne planque.

*

De retour chez Jérôme, Aude considéra la robe qu'Alexandre lui avait conseillé de revêtir pour la soirée. Jamais elle n'oserait mettre *ça*... Et encore faudrait-il qu'elle parvienne à entrer dedans sans faire exploser les coutures !

Elle se planta devant le miroir en pied de Charlène : les épaules avachies, le dos voûté semblant porter toute la misère du monde, la mine pâle et le regard fatigué, les cheveux à peine coiffés... « Et attifée comme Sœur Sourire », aurait ajouté Alexandre. Une métamorphose était-elle possible en changeant juste de vêtements et en se plaquant une épaisse couche de fond de teint sur la figure ?

Elle s'exhorta à retrouver une respiration normale. Elle n'avait aucune envie d'aller à cette soirée, mais elle y avait entraîné Alexandre...

Elle attrapa le vêtement avec agacement. Après maintes contorsions, elle parvint à enfiler la robe et passa à l'étape du maquillage, qu'elle voulut un peu sophistiqué. Elle laissa sa chevelure habituellement maintenue par une queue-de-cheval ou un chignon retomber librement sur ses épaules. Puis elle s'examina de pied en cap dans la glace.

Le fard irisé posé sur ses paupières faisait ressortir la couleur vert noisette de ses yeux. Toute trace de cernes et de fatigue avait disparu sous la crème miracle qu'elle avait appliquée. Une mèche de cheveux lui masquait légèrement le visage et apportait une touche de sensualité. La robe, très cintrée à la taille, épousait admirablement ses courbes. Ces quelques jours de diète avaient fait quasiment disparaître le léger bourrelet qu'elle déplorait sur son ventre. Les escarpins à hauts talons achevaient de mettre en valeur de longues jambes qu'elle ne montrait plus depuis bien longtemps.

Pas si mal, finalement. Franchement plus osé que ce qu'elle avait l'habitude de porter, mais au moins, plus rien à voir avec sœur Sourire !

Un quart d'heure plus tard, elle faisait son entrée dans le salon, alors que tous l'attendaient pour partir. Alexandre s'extasia aussitôt sur cette « transformation ». Nicolas lui lança un clin d'œil. Jérôme, lui, manqua s'étouffer.

— Vous nous sortez le grand jeu, ce soir ! s'exclama-t-il.

Aude fit ce qu'elle put pour contenir le rouge qu'elle sentait lui monter aux joues.

— Arrête, papa ! Elle est top comme ça. Tu en jettes, je te jure ! s'enthousiasma Charlène, admirative.

Jérôme se tenait déjà devant la porte d'entrée ouverte et les invitait à sortir. Il ne s'étonna pas lorsque, après avoir parcouru une dizaine de mètres le long de la rue Botzaris, Charlène fit mine d'avoir oublié son portable et courut le rechercher dans l'appartement. Il n'aurait su dire ce qui l'emportait en lui, de l'amertume ou de la colère.

*

Xavier, qui avait attendu toute la journée en espérant pouvoir dormir, se sentait désormais agité et incapable de fermer l'œil. Il coupa le son de la télé. Aucun programme intéressant, même pour un week-end de l'Ascension. Il s'ennuyait à mourir.

Et Aude ? Que pouvait-elle faire à 21 heures, un samedi soir ? Elle avait précisé « rentrer ». Mais elle ne lui avait pas donné beaucoup de détails. Si elle avait été dans un hôtel, elle aurait utilisé sa carte bleue. Or, ce n'était pas le cas. Il avait pu le vérifier sur le relevé bancaire de leur compte joint. Les seuls débits mentionnés révélaient des achats réalisés le mercredi, dans des boutiques de fringues...

Xavier s'extirpa du canapé en ronchonnant et ouvrit en grand une fenêtre. Trois étages plus bas, des jeunes passaient en riant aux éclats. Une dizaine de mètres plus loin, deux autres semblaient attendre quelqu'un. Une voiture noire ne tarda pas à s'immobiliser en double file à leur hauteur, et ils s'engouffrèrent à l'arrière.

Il allait abandonner son poste d'observation lorsqu'il s'arrêta net dans son élan et revint poser son regard sur le véhicule qui redémarrait. Comment n'y avait-il pas pensé plus tôt ? Si Aude avait pris un Uber, un reçu serait nécessairement envoyé sur leur messagerie commune. Il connaîtrait ainsi les points de départ et d'arrivée de la course.

Il se connecta sur leur boîte mail. Tous leurs relevés de banque, d'assurance, des impôts, y étaient centralisés. Y compris ceux adressés par Uber.

Trois minutes plus tard, il visualisait à l'écran le récépissé de la course qu'Uber avait expédié après la petite excursion d'Aude. Départ du 42 rue Sainte-Croix-de-la-Bretonnerie, arrivée au 34 rue Botzaris.

Galvanisé, il émit un « Yes ! » de satisfaction.

Il éteignit le téléviseur, attrapa son blouson et quitta l'appartement.

*

Une chaude ambiance régnait au club. Leur table se situait à quelques mètres seulement de la piste de danse. Il fallait crier pour s'entendre.

Aude se livra à une rapide inspection des lieux : on naviguait entre « L'amour est dans le pré », « L'Île de la tentation » et « Blind Date » : certaines créatures portaient plus de maquillage que de tissu à proprement parler, et toutes arboraient leurs atouts de séduction avec un esprit très marketing. D'autres se touchaient et se palpaient comme si la lumière était éteinte, et on semblait y rencontrer tous les animaux susceptibles d'évoluer dans une ferme : oies, coqs, poules, cochons... Elle se demanda si Xavier était déjà venu dans un tel endroit avec Cindy.

Elle déclina la coupe de champagne que Jérôme lui tendait. Alex, lui, l'accepta bien volontiers. Charlène paraissait heureuse et elle se lança sur la piste de danse, sous l'œil protecteur de son père.

— Allez, Aude, on la rejoint ! s'exclama Alexandre.

Il venait de vider les trois quarts de son verre et la tirait déjà par le bras pour la traîner sur la scène. « Après tout, pourquoi pas ? » se dit Aude.

Elle s'élança à son tour. Happée par l'ambiance, elle se laissa porter par le rythme de la musique, emportée dans l'instant présent, pour une fois. Rien d'autre n'existait plus. Alexandre aussi semblait avoir oublié pour un temps ses problèmes de cœur. Ils n'étaient plus que deux corps qui suivaient la mesure des tempos qui s'enchaînaient. C'était bon.

Quand elle regagna sa chaise trois quarts d'heure plus tard, Aude se sentait libérée. S'être démenée comme un diable lui avait apaisé le corps et l'esprit. Le regard pétillant, elle lança à Jérôme et Nicolas :

— Qu'est-ce que vous attendez ? Allez-y : je peux vous assurer que ça fait un bien fou !

Les deux hommes lui sourirent, sans pour autant bouger.

— Je crois que j'ai mérité une petite coupe, finalement ! lâcha-t-elle, joyeuse.

Sur la piste, Alexandre et Charlène faisaient les pitres. Aude sortit son portable pour les prendre en photo. Elle aperçut un message en absence. Le numéro était masqué. Qui pouvait l'avoir appelée un samedi soir à cette heure-ci ?

Elle colla l'appareil contre son oreille et ferma les yeux pour mieux se concentrer.

« Bonjour, c'est Cindy ! »

Le sourire d'Aude vacilla.

« Vous vous souvenez de moi, j'imagine... J'ai longtemps hésité à vous téléphoner. »

*Silence.*

« Je ne cherche pas à vous faire du mal, vous savez ? »

*Silence.*

« Moi, ce que je veux, c'est que ce salopard ne s'en sorte pas comme ça. Parce que Xavier est un vrai salaud, figurez-vous. Alors, puisque je n'ai plus rien à perdre et qu'il me jette comme une merde, autant vous dire toute la vérité. »

*Silence.*

« Il y a deux ans, il vous a menti. Ce n'était pas un coup d'un soir. Nous avions déjà une liaison. Et nous nous sommes retrouvés quelques mois plus tard. Cela fait donc un bon bout de temps que dure notre histoire d'amour. Et ça aurait continué si vous ne nous aviez pas grillés ! »

À présent, elle crachait plus qu'elle ne parlait.

« Je refuse d'être la seule à payer. Et même si vous choisissez de rester avec cette ordure, vous vivrez l'enfer à votre tour. Chaque fois qu'il vous embrassera, vous aurez en tête qu'il vous a menti pendant des années. »

Jérôme comprit immédiatement qu'il y avait un souci. Malgré les jeux de lumière, il devina qu'Aude était au bord du malaise.

— Vous allez bien ? s'inquiéta-t-il en lui serrant doucement l'avant-bras.

Livide, Aude le dévisagea et ravala sa salive.

— Juste un rebondissement pathétique.

Inutile d'être extralucide pour saisir que ce qu'elle venait d'entendre n'était pas une bonne nouvelle...

La joie d'Aude était retombée aussi rapidement qu'un soufflé. Elle observa autour d'elle, s'arrêta sur la bouteille de champagne dont elle s'empara pour se resservir.

— Pas trop, quand même, lui dit doucement Jérôme.

*

Xavier émergea brusquement de l'état de somnolence dans lequel il était plongé lorsqu'un motard klaxonna vertement un automobiliste mal positionné sur la voie.

L'horloge du tableau de bord lui indiqua qu'il était déjà 2 heures passées. Aucun intérêt à rester ici faire la planque alors qu'Aude devait sans doute dormir à poings fermés derrière l'une de ces fenêtres. Il balaya des yeux les six étages du bâtiment datant des années 1970.

Il frappa rageusement le volant de la paume de la main et démarra le véhicule. Il venait d'effectuer une petite marche arrière lorsque des éclats de rire lui parvinrent aux oreilles. Il regarda dans son rétroviseur central pour déboîter lorsqu'il crut halluciner.

Il coupa subitement le moteur et se força à respirer calmement.

Le groupe qu'il avait aperçu arrivait maintenant à sa hauteur. Il fallait espérer qu'Aude ne fasse pas attention à la voiture.

Xavier observa attentivement la petite troupe improbable qu'ils formaient. Une jeune fille qu'il n'avait jamais vue, deux hommes d'apparence assez jeune qu'il ne connaissait pas davantage, un dernier à peu près de son âge à lui. Et Aude. Aude, habillée de façon si sexy ! Elle qui était d'ordinaire si discrète braillait en pleine rue. Xavier comprit rapidement qu'elle n'était pas dans son état normal et qu'elle avait dû ingurgiter pas mal de verres. Mais il hallucina lorsqu'il la vit se jeter dans les bras d'un des deux jeunes hommes.

— J'crois bien ne pas être le seul à en avoir un coup dans les carreaux ! beugla celui-ci. Finalement, heureusement qu'on a oublié de faire des photos !

Ils éclatèrent tous de rire.

— Bon, il me semble qu'il vaudrait mieux que je rentre, moi aussi ! On s'appelle demain, les amis !

Xavier vit ensuite Aude s'écarter et ôter l'une de ses chaussures. Elle perdit brutalement l'équilibre, mais le deuxième jeune homme la rattrapa à temps par la taille et la maintint enlacée contre lui. Jaloux,

Xavier dut se contrôler pour ne pas jaillir hors du véhicule et régler son compte à ce type qui osait toucher sa femme.

— Faites moins de bruit, s'il vous plaît ! lâcha l'homme le plus âgé. On n'entend que vous dans toute la rue. Nicolas, vous montez avec nous ?

Xavier luttait toujours pour maîtriser sa colère, mais il avait tendu l'oreille. « Nicolas... » Il saurait s'en souvenir. Cet énergumène avait sans doute l'intention de profiter de l'état d'Aude pour faire des choses qu'il préférait ne pas imaginer.

— Je veux bien mais je pense qu'Aude est encore capable de grimper l'escalier ! entendit-il répondre Nicolas, qui se détacha d'Aude après lui avoir gentiment pincé la joue.

— *Yes, I can !* parvint-elle à articuler tout en posant sur lui un regard légèrement vitreux. À condition de le monter pieds nus. Je ne me sens pas du tout à l'aise sur ces saloperies de talons. J'ai l'impression qu'ils ont pris vingt centimètres de plus depuis le début de la soirée !

Sur ce, elle enleva sa deuxième chaussure et, vacillante, s'appuya contre Jérôme.

— Vous pouvez taper le code pour moi ? C'est 2412A !

Xavier sortit à la hâte son portable et l'enregistra sur son dictaphone.

— Eh bien tu es dans un bel état ! pouffa Nicolas.

Aude se jeta dans ses bras en riant et l'embrassant sur la joue. Xavier serra les mâchoires de toutes ses forces, en se disant que cette enflure ne perdait rien pour attendre.

Car la meilleure chose à faire était de ne pas bouger.

Demain, ou plutôt tout à l'heure, il saurait ramener Aude à la raison. Et à la maison.

*

Quelle soirée interminable... Cela faisait des années que Jérôme n'avait pas mis les pieds dans une boîte de nuit, et ce soir lui avait rappelé pourquoi.

Dès qu'il fut seul dans sa chambre, il se précipita vers la penderie et s'empara de la boîte à chaussures.

Elle avait retrouvé tout son contenu.

Charlène avait bien profité du moment où elle les avait quittés pour tout remettre en place. Il constata que les lettres non décachetées l'étaient restées.

Un coup d'œil sur son téléphone le rassura : Charlène n'avait pas suivi le conseil d'Aude. Il n'y avait trace d'aucun nouveau SMS.

Il se laissa tomber sur son lit dans un long soupir. Il se sentait vidé.

Il n'avait pas idée de la journée qui l'attendait.

# 9.

Tôt ce matin, malgré la sensation d'un état cotonneux, Aude avait retrouvé ses esprits. Machinalement, après avoir avalé un café, elle s'était connectée sur Meetic.

L'invitation d'un certain Philippe l'amusait et la flattait. Elle devait le retrouver dans l'après-midi. Elle avait aussi accepté une nouvelle mise en relation, Jonathan. Ce dernier l'intriguait. Il se disait « clown et poète », et un croquis de visage se substituait à la traditionnelle photo. Attirée par l'originalité de son profil, elle avait répondu à son court message.

Cinq minutes plus tard, il y répondait à son tour en lui avouant qu'il avait misé sur l'originalité, et que cette présentation répondait à ses aspirations : le clown pour le rire, le poète pour le rêve et la magie des mots. Le choix du dessin reposait sur son souhait de rester discret. Il lui confia également que « Jonathan » était un pseudo. Puis il conclut en lui demandant ce qu'elle pensait des relations amicales épistolaires.

Face à tant de spontanéité, Aude avait ri. Elle lui avait à son tour révélé ne pas s'appeler « Maude ».

Avec Jonathan, les échanges avaient été fluides d'emblée. Elle sentait chez cet inconnu une grande finesse d'analyse, une réelle empathie. Il l'avait beaucoup questionnée sur sa situation, qu'elle ne lui avait pas cachée. Et, plutôt que de tenter de la séduire en se mettant en valeur, il avait au contraire cherché à lui faire prendre du recul, à mettre de côté ses émotions pour rester objective et faire face. Elle avait puisé dans leur échange un véritable réconfort.

Elle jeta un coup d'œil sur son téléphone : 11 h 05. Xavier devait être arrivé au café où ils avaient rendez-vous. Il n'allait sans doute pas tarder à se manifester.

Elle était bien consciente que l'appel de Cindy avait pour unique dessein de la faire réagir. Une vengeance à deux étages en quelque sorte. Mais elle ne tomberait pas dans son piège.

*Arrête ! Le sujet n'est pas là.*

*Ce qui compte, c'est ce que toi tu veux.*

*Tu ne vas tout de même pas agir en fonction de ce qui lui ferait du mal à elle. Ça te mettrait exactement au même niveau qu'elle. Fais plutôt en fonction de ce que tu ressens, toi.*

Lorsque le téléphone sonna et que le visage de Xavier s'afficha sur l'écran, elle dut d'abord lutter contre son envie de lui hurler sa colère. Par sa faute à lui, elle ne pouvait plus se raccrocher à l'idée que ce coup de canif au contrat n'était qu'un acte isolé, et qu'ils pourraient reprendre leur histoire là où ils l'avaient laissée.

C'était maintenant devenu beaucoup plus compliqué que ça.

Elle s'exhorta au calme

— Bonjour Xavier, dit-elle d'un ton contenu. Inutile de m'attendre : je ne viendrai pas. Ton amie Cindy m'a laissé hier un long message pour me parler de votre relation, plutôt ancienne à ce que j'ai compris.

— Quoi ? lâcha-t-il dans un rire qui sonna faux. Mais qu'est-ce que c'est que ces conner...

— Arrête de me prendre pour une imbécile !

— Voyons, ma chérie... Tu crois vraiment que je serais resté avec une nana et que j'aurais pris le risque qu'elle me colle ensuite aux basques ? Alors qu'il me suffirait de deux clics pour en trouver dix autres dans l'heure ? Je ne suis pas ding...

— Décidément, rien ne t'arrête...

Lorsqu'il comprit qu'Aude se dominait parfaitement, il songea que ce n'était pas le moment de faire le mariole et il l'écouta.

— Tu es pire que ce que j'imaginais. Je ne veux pas te voir, Xavier. Je ne veux plus t'entendre. Je veux juste être seule et avoir suffisamment de recul pour prendre la bonne décision. Est-ce que tu m'as bien entendue ?

— Mais la décision de quoi, Aude ? Et tu me dis que tu veux rester seule ? Parce que tu es seule en ce moment ?

— Je le suis en tout cas suffisamment pour ne pas être influencée dans une direction, qu'elle soit bonne ou mauvaise.

— Non mais, tu ne vas quand même pas faire toute une montagne de c...

— Ça suffit, Xavier ! Arrête de me baratiner et de te cacher derrière ton petit doigt. Je crois que tu as également besoin de temps de ton côté. Tu as toi aussi des problèmes à régler. Fais en sorte de commencer par résoudre celui des appels de Cindy. Qu'elle se défoule sur ta messagerie, pas sur la mienne. Et ne me rappelle pas.

Elle mit fin à l'appel, écœurée. Xavier s'était-il progressivement transformé en salopard, ou bien avait-il toujours été ainsi sans qu'elle s'en aperçoive ?

« Il me suffirait de deux clics pour en trouver dix autres. » Pour qui se prenait-il ? Et que croyait-il ? Que ce privilège lui était réservé ?

Mortifiée, elle attrapa l'ordinateur.

« Moi aussi, je peux rencontrer des mecs en quelques clics », dit-elle d'une voix amère.

*

Charlène frottait énergiquement son crâne et ses cheveux enduits de shampooing lorsque son portable émit un bip. Les mains couvertes de mousse, elle s'empara de l'appareil.

« Bonjour, Charlène », était-il écrit.

Le cœur battant, Charlène commença à lire sans même se rendre compte du shampooing qui coulait sur ses épaules, de la mousse qui tombait sur le sol. « J'ai pris le temps de réfléchir avant de te répondre. Je n'ai rien contre toi. Nous avons passé de nombreuses années l'une sans l'autre. Tu as su te construire sans moi et je t'en félicite car tu sembles être devenue une jeune fille très bien. Je comprends que tu aies envie de me rencontrer. Mais tu dois aussi comprendre que tisser un lien avec toi chamboulerait toute ma vie. Je vis aujourd'hui très loin de toi. Je n'ai pas d'attache à Paris. Et cela me va bien. J'espère que tu sauras me pardonner car je ne me sens pas prête à devenir mère... »

Les yeux de Charlène se remplirent de larmes.

Un autre bip.

« Reprenons nos routes. Et, s'il te plaît Charlie, ne cherche plus à me contacter. Je t'embrasse. »

— Ne m'appelle pas Charlie ! hurla-t-elle en lâchant le portable dans le lavabo, comme s'il lui brûlait les doigts.

Elle éclata en sanglots, se précipita vers le fond de la douche pour s'y recroqueviller et laissa libre cours à son chagrin.

*

La porte d'entrée claqua. Jérôme se laissa tomber sur le canapé.

Il était enfin seul.

Il avait passé l'après-midi sur son ordinateur, enfermé dans sa chambre pour ne pas affronter les questions et reproches de Charlène. Son abattement surtout. Il serait resté cloîtré jusqu'au dîner à l'Autoclub où il devait se rendre le soir même s'il ne s'était pas retrouvé seul dans l'appartement. Aude était partie à la rencontre d'un certain Philippe, tandis que Charlène était allée retrouver Nicolas au parc, pour « prendre un peu l'air ».

Pour le moment, elle ne lui avait pas dit un mot du message reçu. Il n'en avait pas besoin pour imaginer sa détresse. Tout ce qu'il avait pu faire, c'était ne pas la harceler aujourd'hui avec ses révisions du bac.

En soupirant, il se cala profondément dans le canapé du salon tout en relisant les derniers SMS qu'il avait expédiés de ce portable. Il était pris dans un engrenage... Comment allait-il se sortir de cette histoire ?

Un coup d'œil sur sa montre : il avait encore deux bonnes heures à tenir avant de partir pour la place de la Concorde. Il avait intérêt à se prendre une bonne dose de Guronsan s'il entendait rester debout jusqu'à la fin du dîner. Il n'avait vraiment pas la tête à ces mondanités.

Il avait beau cogiter dans tous les sens, aucune option n'était sans risque. En proie à un début de migraine, il ferma les yeux pour mieux organiser sa pensée.

Et plongea involontairement dans un profond sommeil.

*

— Et deux gin-tonics ! annonça le serveur en déposant les cocktails devant Aude et cet homme face à elle, le fameux Philippe.

Ce dernier remercia et son regard revint se poser sur Aude. L'entente avait tout de suite été chaleureuse. Ils s'étaient donné rendez-vous dans un café du quartier Montorgueil. Elle était arrivée la première, après avoir passé tout le début de son après-midi à *tchatter* avec Jonathan.

Philippe l'avait immédiatement reconnue en entrant. Elle s'était alors levée, avait bafouillé un timide « Bonsoir, Philippe » en lui tendant une main maladroite, main qu'il avait ignorée dans un grand sourire pour lui faire la bise. Après avoir échangé autour d'un café, ils avaient déambulé dans le quartier animé et venaient maintenant de se poser dans une autre brasserie. Et leur conversation restait tout aussi agréable, elle devait le reconnaître. Mais quelque chose clochait.

Philippe n'était pas laid. L'assurance qu'il dégageait reposait d'ailleurs en grande partie sur la conviction qu'il avait de plaire à la gent féminine.

Cadre supérieur d'un grand groupe industriel, il semblait bénéficier de peu de disponibilités. Son téléphone vibrait très régulièrement. Il n'avait pris aucun de ces appels mais s'était excusé à plusieurs reprises avant d'envoyer un SMS.

Père de deux enfants, il était séparé de sa femme depuis deux ans. Ce point avait attiré l'attention d'Aude. Mais à chaque fois qu'elle avait tenté de l'interroger sur sa situation personnelle, il était revenu sur sa situation à elle. Aude n'avait pas menti. Il l'avait patiemment écoutée. Il avait placé qu'il fallait être fou pour risquer de perdre une épouse comme elle. Ce qui ajoutait à la sensation d'Aude d'avoir face à elle quelqu'un de factice...

— J'imagine que ton vrai nom de famille n'est pas Tristan, n'est-ce pas ?

Son visage changea d'expression.

— Pourquoi ? Tu ne le trouves pas beau ?

Elle sourit :

— Si ! Mais il n'est pas de bon augure...

— Cela dépend de quelle manière on interprète les choses. Vivre une passion, n'est-ce pas merveilleux ?

— Quelle que soit la manière dont on la regarde, l'histoire dont nous parlons ne se termine quand même pas très bien...

Il hésita quelques instants puis reprit :

— Effectivement, je n'aime pas communiquer mon nom d'entrée de jeu. Il m'est déjà arrivé de rencontrer des femmes avec qui je n'avais pas envie d'aller plus loin. Et je ne veux pas prendre le risque d'être harcelé par la suite. Il faut savoir sentir si les choses peuvent coller ou non, et y mettre immédiatement fin si ce n'est pas le cas.

— Oh, murmura-t-elle, gênée. Tu as sans doute raison. Pour ma part, je ne suis pas une habituée de ces... pratiques. Je ne sais d'ailleurs pas bien ce que je recherche, ni ce que je suis prête à faire. Et il est vrai que j'aurais pu tomber sur un malade.

— J'espère que tu considères comme moi que notre rencontre est une véritable aubaine, Maude...

Elle chercha quoi répondre.

— Oui, je suis contente d'être venue.

— Et la soirée est loin d'être terminée, minauda-t-il en lui effleurant la main. Je vais t'emmener dîner dans un restaurant dont tu me diras des nouvelles !

Il appela le serveur pour réclamer l'addition.

Devant l'étonnement d'Aude, qui n'avait pas encore accepté l'invitation, il s'empressa d'ajouter : « Je sentais que tu serais partante... »

Elle ne montra rien du sentiment qui l'avait traversée, mais se fit la réflexion qu'elle devait vraiment ressembler à un « *like* » ambulant.

Le téléphone de Philippe vibra à nouveau. Son visage exprima un instant de l'agacement.

— Excuse-moi, Maude : je dois absolument répondre.

Il se leva et s'éloigna vers la sortie du café.

Aude en profita pour se jeter sur son propre portable.

— Alex ?

— Évidemment ! Qui veux-tu que ce soit ? rétorqua-t-il d'une voix éteinte. Allez, raconte : ce n'est pas déjà fini quand même ?

— Non, justement. Mais je ne suis pas prête à faire une chose que je pourrais regretter par la suite. J'ai besoin de temps. Et puis, il me semble un peu trop bien sous tous rapports... J'ai l'impression que tous les mecs sont des enfoirés...

— Mais arrête donc de baliser et laisse-toi porter par la vague !

— Alex, je crois qu'il me baratine... J'aimerais bien connaître sa véritable identité.

— Tu n'as qu'à te débrouiller pour qu'il paie quelque chose, en espérant qu'il ne le fera pas en espèces. Si c'est par carte ou par chèque, à toi de jouer...

— Il revient, je raccroche.

Philippe se faufila à travers les tables pour rejoindre la leur.

— Désolé. Mais c'est réglé, je ne serai plus dérangé. Alors, je te le fais découvrir, ce resto ?

Elle lui jeta un regard indécis. Que risquait-elle ? Au moins, leur échange était sympathique.

— Pourquoi pas ?

Ravi, il fouilla dans son portefeuille pour en sortir une carte bancaire qu'il tendit au serveur.

— Je tiens à en payer la moitié, Philippe.

— Tu plaisantes ? Je suis de la vieille école, moi...

Le serveur saisit la carte, qu'il bascula pour taper le montant sur le terminal de paiement. Les lettres argentées gravées sur le fond noir sautèrent aux yeux d'Aude : M. ANTOINE CHOMMIER. Elle s'efforça de conserver un air naturel (*N'oublie pas l'émoticône...*) et parvint même à lui adresser un sourire.

— Tu permets ? fit-elle en se levant et en désignant le fond de la salle.

Elle s'empara de son sac et se précipita vers les toilettes. Là, elle rechercha « Antoine Chommier » sur Safari. Elle le trouva sur LinkedIn. Au moins ne lui avait-il pas menti sur sa situation professionnelle. Il avait un très beau parcours, sorti major de promo à Centrale. Mais ce n'était pas son CV qui la préoccupait.

Elle revint sur la page précédente et tomba sur un avis d'obsèques datant de moins de deux mois. On y annonçait les funérailles de M. Albert Chommier. Son fils Antoine et Valérie, l'épouse de celui-ci, y conviaient, etc.

Deux mois. Il était donc bien marié. Et un fieffé menteur.

*Est-ce que c'est vraiment important ?*

Oui, ça l'était. La simple idée de tenir le rôle d'une Cindy avait un je-ne-sais-quoi de grotesque et d'insupportable. Et si cette ordure aux allures de gentleman voyait en Meetic un aquarium géant, elle ne ferait pas partie de ses prises... Elle se regarda dans l'immense miroir placé au-dessus des lavabos. En enfilant cette robe rose ce matin, elle s'était trouvée jolie. Cela lui semblait bien loin.

*À présent, j'ai davantage l'impression de ressembler à un cosplay pathétique de Princesse Peach...*

Elle se redressa. Pas faux. Et l'abruti qui l'attendait à table avait sans doute quelques points de ressemblance avec Bowser.

Partagée entre colère et écœurement, elle fit appel à tout ce qui lui restait de sang-froid pour ne pas aller lui retourner la table sur les genoux.

Elle voulut rappeler Alexandre. Lui saurait la comprendre. Et la rassurer.

*Tu ne crois pas qu'il a suffisamment à gérer avec sa propre peine en ce moment ?*

Elle remit le téléphone dans son sac à main et ferma les yeux. Qu'aurait-il fait à sa place ?

*Il t'aurait sans doute dit un truc du genre : « Si cette saloperie de troquet était au ras de la rue, je me jetterais par l'une des baies vitrées ! »*

Elle sourit.

*Mais il se serait surtout tiré d'ici au plus vite.*

Elle commanda un Uber et s'éjecta discrètement du café. Elle aurait dû écouter son instinct et couper tout contact avec les types de Meetic pour n'en garder qu'un : Jonathan.

Lui semblait vraiment différent des autres.

*

Pendant que Charlène répondait à un appel, Nicolas rappela son frère, qu'il avait vainement tenté de joindre trois fois dans l'après-midi. Il bascula à nouveau sur la messagerie. Ce silence commençait à devenir préoccupant.

— Nicolas, je file rejoindre Aude à la station Botzaris, lui lança Charlène qui venait de raccrocher. Elle a écourté son rendez-vous. Et je crois qu'elle a le moral dans les chaussettes...

Charlène l'attrapa par l'épaule et l'embrassa sur la joue. Il ne lui proposa pas de se joindre à elles : il allait en profiter pour se rendre chez son frère.

*

Charlène retrouva Aude à l'endroit convenu. En remontant la rue Botzaris, Aude lui raconta ses dernières péripéties.

Dans l'appartement, elles découvrirent Jérôme profondément endormi sur le canapé. Elles s'engouffrèrent sans bruit dans la chambre de Charlène et refermèrent doucement la porte.

— Tu devrais essayer d'appeler directement ta mère, Charlène, conseilla Aude à voix basse. Tu ne peux pas rester sur ce SMS sans explication...

— Mais chaque fois que je l'ai appelée, je suis tombée sur son répondeur...

— Ce n'est pas grave. Tu pourras lui laisser un message et exprimer tout ce que tu ressens, mieux que par SMS. Entendre ta voix, ça lui fera forcément quelque chose. C'est ta meilleure chance qu'elle te rappelle.

La jeune fille réfléchit quelques instants.

— Tu as raison. Au point où on en est... Mais je préfère attendre que papa soit sorti. Il doit aller au dîner mensuel de l'Automobile Club. Il ne devrait pas tarder à partir, ajouta-t-elle en consultant sa montre.

— Vu comment il dort, pas sûr qu'il y assiste. Je serais toi, j'appellerais tout de suite.

Charlène pesa le pour et le contre. Elle avait un trac fou à l'idée de laisser un message à sa mère, mais se sentait en confiance aux côtés d'Aude.

— OK. J'y vais.

Elle sortit son portable.

Alors que la tonalité résonnait dans son oreille, une sonnerie retentit à l'autre bout de l'appartement, rapidement suivie d'un juron hurlé par Jérôme :

— Et merde, merde, merde !

Par réflexe, Charlène coupa l'appel.

— Mais qu'est-ce que tu fais ? murmura Aude. Pourquoi tu raccroches ?

— Je ne vais pas laisser un message alors que mon père hurle comme un charretier juste à côté ! répondit Charlène en chuchotant.

— Font chier ! vociféra encore Jérôme.

Elles tendirent l'oreille mais plus aucun bruit ne leur parvenait.

— Tu crois qu'on ferait mieux de sortir ? demanda Aude.

— Euh... Je n'ai pas l'impression que ce soit le meilleur moment. S'il vient de se prendre la tête avec quelqu'un, je préfère qu'il nous imagine à l'extérieur !

Toujours le silence.

— Ma mère va se demander pourquoi j'ai raccroché sans lui laisser de message...

— Vu son attitude, je ne suis pas sûre qu'elle se formalise pour si peu, Charlie...

Charlène fit une moue embarrassée.

— Bon, je vais lui envoyer un SMS pour dire que j'ai dû raccrocher et que je la rappellerai plus tard...

Elle s'exécuta aussitôt.

Instantanément, dans le salon, un *ding* retentit.

Aude et Charlène se regardèrent, la même interrogation dans les yeux.

— C'est un hasard, balbutia Charlène.

Elle tapa un second SMS : « Excuse-moi maman pour le dérangement. »

Immédiatement, le même *ding* retentit.

Stupéfaite, Aude se laissa tomber sur le lit de Charlène. Une vibration, provenant cette fois-ci du portable de Charlène, indiqua la réception d'un SMS. Elle tourna l'écran du téléphone vers Aude qui put lire : « J'espérais que tu avais compris, Charlène. »

— Pourquoi aurait-il le portable de maman ? Dis-moi que ce n'est pas possible, Aude...

Mais Aude n'était pas en mesure de dire quoi que ce soit.

— Il faut que j'en aie le cœur net.

Elle relança un appel à destination du portable de sa mère. La sonnerie retentit aussitôt dans l'appartement et s'interrompit au moment où l'appel bascula sur la boîte vocale, dont le message d'accueil était une voix préenregistrée.

Blanche comme un linge, Charlène coupa la communication.

— Qu'est-ce que ça veut dire ? murmura-t-elle.

Son téléphone vibra à nouveau. Aude lui fit signe de se taire, tandis qu'elle la prenait par la main pour l'emmener se cacher derrière son lit.

Planquées derrière d'immenses peluches, elles découvrirent le SMS qui venait de s'afficher sur l'écran : « J'ai essayé en vain de te le dire gentiment : je suis heureuse dans ma nouvelle vie et ne veux pas prendre le risque de tout bouleverser. J'ai besoin de couper les ponts de manière définitive avec toi. Nous ne nous connaissons pas : ce sera plus simple ainsi. Je ne serai plus joignable à ce numéro. »

Consternées, elles ne prononcèrent plus aucun mot.

Un autre SMS les fit toutes deux sursauter. Jérôme venait d'adresser un message à sa fille depuis, cette fois-ci, son portable personnel : « Ma puce, je pars au Club. À ce soir ! »

Elles se tapirent derrière le lit. Aude fit signe à Charlène de ne faire aucun bruit, de respirer le plus doucement possible.

*

Encore deux stations et Nicolas serait arrivé à destination. Son frère vivait à deux pas de la bouche de métro.

Son portable lui indiqua la réception d'un texto.

Aude lui demandait de venir à l'appartement de toute urgence.

Lorsque la rame s'arrêta, il s'éjecta de la voiture pour repartir en direction de la rue Botzaris.

*

Parvenu à la station Hôtel-de-Ville, Jérôme s'extirpa de la rame de métro. Il était sérieusement contrarié.

Il bouscula par inadvertance une jeune femme alors qu'il montait dans sa correspondance, ligne 1, où il s'assit sur un strapontin resté disponible. Devant lui, une femme riait avec une très jeune fille. Lui aussi était proche de Charlène.

Le dernier SMS qu'il lui avait envoyé était sacrément rude. Mais il n'avait pas eu le choix. Il fallait qu'elle arrête de chercher partout cette mère fantasmée.

Louvre-Rivoli.

Bien que loin d'être macho, d'ordinaire il se réjouissait de ces soirées où il retrouvait avec plaisir une assemblée exclusivement masculine composée de passionnés de grosses cylindrées.

Pourtant ce soir, le cœur n'y était pas.

Ce soir, il pensait à Charlène, qui devait être effondrée.

« Qu'est-ce que je peux être con ! » bougonna-t-il. Il espérait qu'elle était encore avec Nicolas quand elle avait reçu ce SMS, mais rien n'était moins sûr, il n'était plus si tôt. Et puis de toute façon, qui pourrait le remplacer dans un tel moment ? C'était de son père qu'elle avait le plus besoin. De personne d'autre.

Jérôme sortit précipitamment à Palais-Royal : il n'avait plus qu'à changer de quai et rentrer chez lui.

*

Sonnée, Charlène restait prostrée dans le canapé.

— Voilà, vous savez tout, conclut Aude après avoir résumé la situation à Nicolas et Alexandre qui les avaient rejointes.

Les hypothèses les plus rocambolesques leur traversaient l'esprit. Qu'est-ce qui pouvait expliquer que Jérôme se substitue à Sophie, et que cette femme ait disparu sans que personne ne sache où ? De quand datait finalement cette disparition ?

La lettre expédiée des États-Unis laissait penser qu'elle était encore vivante en décembre.

— Si tant est qu'elle ait bien été écrite par l'intéressée, fit remarquer Alexandre.

— Tu fais une crise d'hirsutisme, toi ? le tacla gentiment Nicolas.

Alexandre, qui avait en effet une très sale tête, éluda la question et formula ce qu'aucun d'eux n'aurait osé dire tout haut :

— Et si elle était morte ?

Silence.

— Et pourquoi serait-elle morte, je te prie ? l'agressa Charlène.

— Je ne sais pas. Un accident, une maladie. Ou...

— Ou quoi ? s'acharna Charlène.

Aude et Nicolas pensaient tous deux à la même chose. Alexandre, lui, enfonça le clou :

— Par tous les saints, Charlie, après ce que tu nous as raconté, on peut quand même se poser certaines questions ! Si ta mère avait cherché à te voir et qu'elle était venue jusqu'ici, comment penses-tu que ton père aurait réagi ?

— Je pense qu'il l'aurait découpée en morceaux puis balancée dans la Seine, railla la jeune fille avant de bondir sur ses deux pieds, puis de poursuivre sur un ton cinglant : Je crois que le manque de sommeil te monte au cerveau, Alex. Il va falloir te reposer !

Elle sentit la main de Nicolas lui presser l'épaule :

— Rassieds-toi, Charlène...

Elle ravala son envie de pleurer.

— Là, mes amis, je crois que nous sommes descendus au plus bas de l'échelle, gémit Alexandre. Et je ne sais vraiment pas comment nous allons remonter les barreaux...

Nicolas effectua quelques pas dans la pièce en réfléchissant à voix haute, sur un ton grave :

— Bon, la situation se complique. Il y a encore quelques jours, nous pensions cette femme disparue. Nous avons eu confirmation de son existence grâce à un de ses courriers envoyé il y a quelques mois, et dans lequel elle exprimait une certaine peur vis-à-vis de son ex. Charlène reprend contact av...

— Non mais, faisons simple ! le coupa Alexandre. Sophie entre en contact avec sa fille, puis change subitement d'attitude en lui envoyant un SMS où elle dit ne plus vouloir la voir. Et on retrouve ce portable dans les mains de Jérôme. Vu comme ça, ça me paraît assez clair !

— C'est-à-dire ? demanda Aude d'une voix à peine audible tout en regrettant aussitôt sa question.

— C'est-à-dire que ce n'est plus de notre ressort. Nous devons appeler les flics !

Charlène chercha vainement une trace d'humour dans les yeux d'Alexandre.

— Attendez ! protesta-t-elle. On va tout dire à papa et il va nous donner l'explication !

— Sans moi ! Je n'ai pas envie de me faire déchiqueter par cette brute ! rétorqua Alexandre.

En quête de soutien, Charlène se tourna vers Aude, mais celle-ci gardait les yeux baissés. Nicolas, lui, semblait d'accord avec Alexandre.

— Vous êtes tous en train de soupçonner mon père de meurtre ? articula-t-elle d'une voix tremblante. Non mais, c'est pas possible, je dois être en plein cauchemar...

Nicolas s'avança vers elle et lui prit les mains.

— Charlène, il est plus facile pour nous de raisonner parce que nous sommes extérieurs à ton histoire. C'est beaucoup plus difficile d'être rationnel quand on aime les gens. Et, crois-moi, Alexandre a raison. Ton père a un peu trop de choses à cacher et, vu les circonstances, nous n'avons pas le choix : nous devons appeler la police.

Ils avaient tous les yeux fixés sur Charlène lorsqu'une voix les tétanisa sur place :

— Est-ce que quelqu'un peut m'expliquer tout ce bordel ? vociféra Jérôme en surgissant devant eux.

# 10.

— Comme c'est facile pour vous de juger, lança Jérôme, amer. En revanche, je suis vraiment déçu par ton manque de confiance, ajouta-t-il en direction de sa fille.

— Alors regarde-moi droit dans les yeux et jure-moi que tu n'as pas tué maman !

Groggy, Jérôme se figea sur place. Aude, Alexandre et Nicolas étaient eux aussi pétrifiés. À peine osaient-ils respirer, le regard toujours rivé sur Jérôme. Seule Charlène semblait encore animée : en larmes, les mâchoires aussi contractées que les poings, la bouche crispée par la colère, elle dardait sur son père un regard terrible.

— Comment oses-tu me demander ça ? À moi, qui ai tout sacrifié pour toi ? Comment oses-tu, Charlène ?

— Sacrifié quoi, papa ? Maman ? C'est elle qui t'a quitté et tu ne t'en es jamais remis ! Je ne suis responsable de rien, moi ! hurla-t-elle.

— J'ai toujours tout fait pour toi, Charlène... Tout fait pour que tu ne manques de rien, et ce à tous les niv...

— Mais je n'ai pas eu de mère !

— Et je ne suis pas responsable de ça ! cria-t-il à son tour.

— Si ! Tu n'as jamais digéré qu'elle t'ait quitté, alors tu lui as fait payer son choix en l'éloignant de moi. C'est ignoble !

Elle sentit une main se poser sur son épaule. La voix douce d'Aude s'éleva :

— Charlène, calme-toi. Ne dis pas des choses que tu pourrais regretter par la sui...

— D'accord ! coupa Jérôme. Puisque je suis un être immonde, autant qu'elle apprenne à mieux connaître son père !

Il jeta son blouson sur le canapé et se tourna de nouveau vers sa fille.

— Tu veux savoir la vérité ? Eh bien je vais te la raconter... Mais je vais commencer par tout ce sur quoi j'ai dû tirer un trait.

Il écarta les bras, les paumes tournées vers le ciel.

— Tous-mes-rêves ! articula-t-il avec un rictus. Tu m'entends ? J'ai sacrifié tous mes rêves, juste pour compenser l'égoïsme d'une femme qui n'a jamais pensé qu'à sa pomme !

Nicolas tenta de faire redescendre la tension :

— Écoutez, je vous prop...

— Fermez-la et laissez-moi finir, maintenant que vous avez tout fait pour que nous en arrivions là !

Jérôme s'était rapproché de Charlène. Il ne la lâchait pas des yeux.

— J'ai toujours voulu devenir pilote de F1. C'était tout ce à quoi j'aspirais. Et je me suis donné les moyens de réaliser cette ambition. Très tôt j'en ai bavé comme tu ne peux même pas imaginer. Tes grands-parents n'avaient pas un rond, et ils se sont serré la ceinture pour pouvoir me permettre d'intégrer une école de karting à sept ans. Toi, tu ne sais pas ce qu'est le sacrifice !

Il se tut un instant pour reprendre son souffle.

— Il n'y avait que des mômes friqués autour de moi. Pourtant j'ai vite compris qu'ils n'étaient pas animés par la même détermination. Je n'ai pas connu les sorties d'ado. J'ai souffert moralement et physiquement. Mais je me sentais capable de tout encaisser pour que mon rêve devienne réalité : les entraînements intensifs qui te laissent parfois sur le carreau, les douleurs aux cervicales qui t'empêchent de te coucher, la pression des compétitions, les emprunts financiers, le manque de sommeil... Je n'ai jamais rien lâché. Et tu sais pourquoi je n'ai jamais faibli, Charlène ?

Devant le mutisme de sa fille, il poursuivit :

— Parce que cette carrière dans la F1 était la seule chose qui comptait à mes yeux. La seule, tu m'entends ?

Il s'interrompit, avec la sensation oppressante de sentir la pièce se refermer sur lui. Puis reprit, un ton plus bas :

— Et je crois que j'ai réussi au-delà de toute espérance.

Il se mit à arpenter le salon de long en large.

— J'avais tout pour moi : les propositions de contrat, les filles à mes pieds, l'argent qui commençait à couler à flots, et surtout, enfin, la reconnaissance du monde sportif.

Il décocha à chacun un regard noir : n'étaient-ils pas tous les quatre en train de douter de son succès ?

Il continua, en fixant ses mains.

— À vingt-trois ans, j'ai rencontré ta mère. Elle rêvait de devenir actrice, bien qu'elle n'ait jamais pris le moindre cours de théâtre. Elle pensait que sa beauté suffirait à convaincre lors des castings. Je n'envisageais pas de passer ma vie avec elle. Nous étions bien trop jeunes pour parler d'avenir. Je la trouvais un peu fantasque et cela apportait de la légèreté à mon quotidien. Et puis, contrairement aux groupies qui me tournaient autour, ta mère me regardait comme un mec normal. Elle était bien trop obnubilée par elle-même et j'avoue qu'à certains moments, cela me faisait vraiment du bien.

Jérôme se laissa tomber dans un fauteuil et ferma les yeux. Il était d'une pâleur à faire peur. Lorsqu'il reprit la parole, sa voix était plus sourde, comme si désormais il se parlait à lui-même.

— L'année de mes vingt-quatre ans, ta mère est tombée enceinte. Elle s'en est aperçue à la fin du quatrième mois de grossesse. Une IVG n'était plus envisageable. Il a alors fallu faire face, la rassurer, lui dire que j'assumerais mes responsabilités. Elle était paniquée, me répétait qu'elle ne ferait pas une bonne mère, que d'ailleurs elle s'était juré de ne jamais avoir d'enfant, que son avenir était dans le cinéma, pas dans les couches... Et que ce « mouflet » l'empêcherait de faire carrière.

Il se racla la gorge.

— Trois mois plus tard, on me proposait enfin le Graal : un contrat chez McLaren pour la rentrée suivante. Une des écuries les plus prestigieuses au monde !

Un éclat de fierté traversa son regard, pour s'éteindre aussitôt.

— C'est alors que tout a basculé...

Tous avaient perçu le tremblement dans sa voix.

— À l'époque, poursuivit-il en prenant une profonde inspiration, j'avais une Range Rover. J'avais été invité à une fête chez l'un de mes anciens potes de circuit, à Plessimont-les-Charmes. Ta mère, enceinte de sept mois, n'avait cessé de piailler pour m'accompagner... D'une jalousie maladive, elle n'arrêtait pas de rabâcher que j'y allais juste pour me taper une minette. Je l'ai donc emmenée avec moi.

Il fallait qu'il n'oublie aucun détail.

— Nous avions trois heures de route... J'ai conduit. Ce voyage a été une horreur, Sophie ne cessait de hurler qu'elle allait m'avoir à l'œil. Je mettais ça sur le dos des perturbations hormonales. Mais j'avais peur pour le bébé : lors d'une précédente crise, elle s'était donné un coup sur le ventre. Je crois qu'elle ne le supportait plus.

Il s'arrêta de nouveau, observa longuement Charlène, comme s'il jaugeait sa capacité à entendre la suite avant de poursuivre. Les yeux pleins de larmes, celle-ci l'y encouragea d'un mouvement de tête.

— Mon ami recevait une dizaine d'invités ce jour-là. Dès notre arrivée, Sophie s'est mise à boire. J'ai discrètement essayé de la raisonner, en lui rappelant qu'elle attendait un bébé. Moi-même, je restais sobre. Mais rien n'y a fait. Elle s'est même fendue en public d'une crise d'hystérie...

Il soupira.

— Inutile de vous dire qu'à la fin du repas elle était totalement désinhibée, agressive envers moi et envers toutes les femmes parmi les invités. Cette petite pause champêtre est vite devenue un vrai supplice pour tout le monde. J'ai dit à mon ami qu'il valait mieux qu'on rentre. Je l'ai senti plutôt reconnaissant de cette initiative. Et...

Il bredouilla quelque chose d'inaudible puis regarda autour de lui comme s'il émergeait du brouillard.

— Quelques semaines plus tard, reprit-il d'une voix plus claire, Sophie accouchait. Trois jours après, elle rentrait au studio qu'on partageait depuis peu. Deux jours de plus et elle me laissait un mot sur le berceau de Charlène. Elle disait qu'elle n'avait jamais désiré cet enfant et que maintenant qu'il était là elle ne se sentait pas davantage la fibre maternelle. Son avenir de comédienne étant incompatible avec le rôle de mère, elle n'aspirait qu'à reprendre sa liberté. Je n'ai plus jamais eu de nouvelles depuis. À part celles que vous connaissez.

Jérôme se massa le front, puis chercha à se ressaisir en se redressant.

— Voilà, tu sais tout, Charlène.

Las, il reprit son blouson et s'apprêtait à partir lorsqu'une voix le stoppa :

— Jérôme, ne faites pas ça !

Nicolas s'était précipité dans l'encadrement de la porte pour lui barrer le passage.

— Vous devriez aller jusqu'au bout...

— Parce que vous trouvez qu'il manque quelque chose, là ?

— Il y a quelques jours vous m'avez dit que la vie pouvait parfois basculer en un instant. Il faut l'avoir vécu pour le comprendre, Jérôme. Et je sais de quoi je parle. Je suis sûr qu'il s'est passé quelque chose de plus grave que vous refusez d'évoquer.

— Qu'est-ce qui vous permet de croire ça ?

— Le sentiment que vous n'avez pas tout dit. Faites-le pour Charlène.

Il était prêt à parler. Mais quelle serait la réaction de sa fille, qu'il aimait plus que tout au monde ?

Jérôme se laissa retomber dans son fauteuil et cacha son visage dans ses mains. Un silence de plomb s'était abattu sur la pièce.

— Après tout... Ça vous donnera de la matière pour me traiter de monstre...

Il surprit l'échange de regard effrayé entre Aude et Alexandre. Et il se lança :

— Sur le trajet du retour, Sophie se révéla odieuse. Elle me reprochait que mes amis habitent si loin, de vivre dans un studio, de l'avoir mise enceinte... Elle ressassait que j'étais devenu pilote uniquement pour attirer de belles filles dans mon lit. Un vrai cauchemar. Mais le pire était pourtant à venir...

Il regarda l'ombre filiforme de la bouteille posée sur la table, projetée par le lampadaire du salon.

— Elle s'est mise à me frapper pendant que je conduisais. De plus en plus fort. Il restait une quarantaine de kilomètres avant de rejoindre l'autoroute. Il faisait très chaud : je voulais qu'elle se rafraîchisse et qu'elle se calme. Je me suis arrêté sur le bas-côté et suis sorti chercher une bouteille d'eau dans le coffre. Mal m'en a pris.

Il se tut et se leva. Il arrivait au point culminant. Celui de non-retour. Il recula alors d'un pas, comme pour se protéger.

— Sophie a profité de ce moment pour se mettre au volant. Je lui ai demandé de descendre. Je savais qu'elle n'était pas en état de conduire. Elle n'a jamais voulu lâcher le volant... Elle s'est mise à crier des trucs hallucinants... J'avais beau lui dire qu'elle avait bu et que c'était de la folie, elle braillait qu'au contraire cela la calmerait parce que tout était ma faute, je faisais tout pour l'énerver et la faire accoucher plus tôt. Quand je vous dis qu'elle hurlait, c'est un euphémisme.

Il marqua une pause.

— Je me suis dit qu'en lui faisant promettre de rouler lentement, elle me rendrait le volant avant l'autoroute. Cela l'a apaisée. Sans doute avait-elle l'impression de mieux contrôler les choses en conduisant.

Il ajouta à voix basse, de nouveau comme s'il se parlait à lui-même :

— À peine une quarantaine de kilomètres à parcourir en pleine campagne...

Soudain, il fut catapulté dix-sept ans en arrière, et se retrouva dans cette voiture. Il pouvait sentir le parfum de jasmin dont Sophie s'était aspergée ce jour-là. Une fragrance qu'il ne supportait plus depuis.

— Je suis monté côté passager...

Aude retint son souffle.

— Cinq minutes plus tard, Sophie recommençait sa crise. Cette fois-ci, elle s'acharnait sur une jeune fille qui m'avait réclamé un autographe après un entraînement, quelques jours plus tôt. Elle pensait que notre studio me servait de garçonnière. Un vrai délire... Elle roulait de plus en plus vite. Je ne sais par quel miracle j'ai réussi à rester calme. J'avais les yeux rivés sur la route. Je l'ai suppliée de s'arrêter...

— Ouah... C'est complètement flippant, ne put retenir Alexandre.

Jérôme ne releva pas.

— Et puis, d'un seul coup...

Il se passa une main dans les cheveux.

— Nous avons traversé un village. La chaleur caniculaire avait contraint les habitants à rester chez eux. Il n'y avait personne. Personne, sauf cette gamine...

Tous étaient suspendus à ses lèvres.

— Cette gamine sur sa trottinette.

Charlène s'agrippa instinctivement à son siège, tandis qu'Alexandre attrapait nerveusement la main d'Aude. Nicolas ferma les yeux.

— Je ne l'ai pas vue traverser. Je me souviens d'un bruit terrible et d'une embardée de la voiture. Du cri de Sophie. Tout s'est passé si rapidement. Un coup d'œil réflexe dans le rétro m'a fait découvrir un corps inerte au sol et une trottinette projetée au loin. Il m'a fallu plusieurs secondes pour recouvrer mes esprits. Sophie roulait toujours, comme si de rien n'était. Elle ne prononçait plus un seul mot. C'était... irréel.

Alexandre fixait la minuscule tache qui se trouvait sur le polo impeccablement blanc de Jérôme. Il s'y accrochait comme à une bouée, comme si le simple fait de la contempler lui permettait de rester hermétique à l'horreur de ce qu'il entendait. Il se refusait toute autre image. Et surtout celle que l'histoire de Jérôme voulait lui imposer à l'esprit.

Nicolas s'était résolument tourné vers la fenêtre.

Aude, elle, avait porté une main à sa bouche. Seule Charlène n'avait pas bougé, les ongles enfoncés dans le cuir de son siège, le regard arrimé à son père.

Jérôme poursuivit son récit.

— Quand je lui ai hurlé de faire immédiatement demi-tour, elle m'a froidement répondu que c'était trop tard. Elle restait d'un calme effrayant, plus terrifiant encore que sa crise de démence. Je lui ai crié qu'elle était folle, que nous avions renversé une gosse, qu'il fallait absolument y retourner pour pratiquer les premiers secours. Et j'ai attrapé mon portable pour appeler les pompiers.

Il se revoyait avec son téléphone, revivant cette scène apocalyptique. Il sentait les battements affolés de son cœur, luttait pour ne pas se laisser envahir par la panique.

— Sophie a bifurqué sur un chemin de terre. Elle s'est arrêtée et m'a menacé : si jamais je parlais de ce qui venait de se produire, elle me collerait tout sur le dos en disant que j'étais le conducteur, ce qui mettrait fin à ma carrière de pilote. Propos qui seraient confirmés par mes propres amis qui m'avaient vu partir au volant. « Qui penses-tu que l'on croira, mon chéri ? Toi ou une pauvre femme enceinte ? » m'a-t-elle balancé. J'étais pétrifié par sa monstruosité...

Il attrapa la bouteille d'eau sur la table, en porta le goulot à ses lèvres, et but quelques gorgées.

— Peu importait ma carrière. La seule chose qui comptait pour moi était de porter secours à la gamine que nous avions renversée...

Il but à nouveau une gorgée d'eau.

— Je lui ai crié que je n'en avais rien à foutre et qu'on allait faire demi-tour. Qu'on n'allait pas laisser cette gosse crever sur le bord de la route. Quand elle a compris que j'étais déterminé, elle s'est attaquée à autre chose. Ou plutôt à quelqu'un d'autre...

Il leva lentement la tête et ses yeux se ranimèrent un instant lorsqu'ils se posèrent avec amour sur Charlène. Puis un voile les éteignit à nouveau.

Et il reprit son récit.

— J'ai alors vu la haine dans ses yeux. Et j'ai vu... j'ai vu... une fois, deux fois, trois fois, ses poings frapper son ventre de toutes ses forces.

Il expliqua avoir vainement tenté de lui attraper les poignets pour l'arrêter. Mais Sophie était devenue incontrôlable. Démente. Elle se tordait, son ventre venait cogner le volant. Jusqu'à ce qu'elle hurle : « Si jamais tu cherches à parler de ce qui vient de se produire, un jour ou l'autre je tuerai ce que j'ai dans le ventre. Pas question que cet accident fiche ma vie en l'air. Choisis bien : c'est ton bébé, qui est en bonne santé, contre cette gamine qui est sûrement déjà morte ! » Elle avait relevé les poings, prête à les abattre encore sur son ventre.

Le petit cri poussé par Alexandre lorsque Hannibal lui sauta sur les genoux fit sursauter tout le monde. Jérôme se leva et reprit sa déambulation dans la pièce, à pas lents.

— Plus de sept minutes s'étaient écoulées depuis l'accident, Sophie répétait qu'il y avait forcément du monde auprès de la gosse à l'heure qu'il était. Que notre présence ne servirait plus à rien. Et, comme pour lui donner raison, les sirènes des pompiers ont résonné sur le bord de la nationale.

Jérôme releva la tête.

— Sophie est sortie de la voiture, elle a pris un chiffon dans le coffre. Elle a nettoyé le pare-buffle. Après, je ne me souviens plus de rien. J'ai le vague souvenir d'être au volant, et d'un silence d'outre-tombe dans la voiture...

Il écarta les bras en signe d'abattement.

— Voilà. Vous savez tout. Vous avez face à vous un lâche de la pire espèce.

Alexandre rompit le silence :

— Et ensuite l'accouchement, son retour de clinique, puis le petit mot laissé à ton intention, murmura-t-il, la mine déconfite, passant au tutoiement sans même s'en apercevoir.

— Exact. Elle envisageait de partir pour Hollywood ou Broadway... Je n'avais pas l'intention de lui causer d'emmerdes, parce que je ne voulais surtout pas qu'elle m'en cause avec Charlène. Elle l'a parfaitement compris. Je ne sais pas si elle est parvenue à percer, mais si c'est le cas, sa célébrité n'a pas franchi nos frontières : je ne l'ai jamais vue dans le moindre film américain, pas même comme figurante.

Ils étaient tous silencieux, les yeux baissés. Jérôme laissa échapper un léger ricanement. On y sentait plus de peine que d'ironie.

— Vous êtes mal à l'aise, et vous vous demandez comment je peux encore me regarder dans la glace... Il faut avoir vécu ce que j'ai vécu pour comprendre.

J'ai été pris dans un engrenage. Je n'ai pas eu le choix. Du moment où j'ai entendu les sirènes des pompiers, je savais qu'en allant raconter la vérité, je nous exposais Sophie et moi à un risque de prison, pour non-assistance à personne en danger et délit de fuite. Qui aurait pris soin de Charlène pendant ce temps ? Je commençais à acquérir une certaine notoriété, les médias auraient pris plaisir à me démolir. Avec quelle image paternelle cette gamine aurait-elle grandi ?

Jérôme était livide. Charlène, elle, était abasourdie.

— Mais comment as-tu pu laisser une petite fille mourir, papa ?

— Elle menaçait de te faire du mal et j'ai eu peur, Charlène...

— Tu essaies juste de te donner bonne conscience ! s'emporta-t-elle. Ma mère ne m'aurait jamais fait de mal !

— Tu ne connais pas ta « mère », Charlène. À voir les coups qu'elle se donnait sur le ventre, je t'assure qu'elle n'aurait pas hésité un instant à te sacrifier. Alors, peut-être que je n'aurais pas dû l'écouter. Mais moi j'étais dans la voiture. J'ai vu de quoi elle était capable. Et je n'étais pas prêt à prendre ce risque.

— Mais pourquoi avoir plaqué tes rêves par la suite ? s'insurgea Charlène. Parce que, finalement, tu as fait tout ça pour rien ! Tu aurais pu poursuivre ta carrière !

Jérôme se donna quelques secondes de réflexion.

— C'est un métier à risque, Charlène. Je l'aurais peut-être pris si nous avions été entourés d'une famille solide. Mais celle-ci se limitait à mes deux parents, qui étaient déjà âgés. S'il m'était arrivé quelque chose, qui se serait occupé de toi ?

Il s'approcha de sa fille et lui attrapa les deux mains.

— Charlie, je n'ai pas fait « tout ça pour rien » : tu es dans ma vie, et je n'ai jamais regretté ce choix. Tu es le vrai bonheur de mon existence... Et si j'avais le pouvoir de revenir en arrière, je ne changerais rien de ce choix-là. En revanche, si l'on retournait au jour de ce drame, je ne commettrais pas la même erreur...

— Votre attitude au moment de l'accident me choque, accusa Nicolas. J'entends que sous le coup de menaces, d'une situation explosive où tout se bouscule, vous n'ayez pas agi sur-le-champ et que vous vous soyez retrouvé pris dans un engrenage. Mais comment expliquer que vous n'ayez jamais cherché à connaître l'identité de cette enfant, à demander pardon aux parents ? Franchement, ça me dépasse...

— Quel jugement perspicace ! rétorqua Jérôme d'une voix éteinte.

Alexandre aurait aimé argumenter dans le sens de Nicolas. Mais il était trop bouleversé pour pouvoir le faire. L'image du corps inerte d'une fillette sur le bord d'une route s'était infiltrée dans son cerveau et ne le quittait plus.

— Je pense que ce doit être assez difficile pour Jérôme comme ça. Qui sait comment chacun de nous aurait réagi à sa place ? murmura Aude.

— Tout ça c'est du baratin ! Comment expliquer les dix-sept années écoulées ? Tu aurais pu, toi, vivre comme si de rien n'était ? Sans chercher à en savoir un peu plus sur les conséquences de tes actes ?

— Ce n'était pas lui le conducteur, Nicolas. Il n'est pas à l'origine de...

Elle chercha les mots les plus appropriés.

— ... de cette horreur !

Alexandre et Nicolas la regardaient tous deux avec des yeux effarés.

— Je ne cherche pas à excuser le comportement de Jérôme. J'essaie juste de me mettre à sa place. Cette femme n'était pas dans son état normal, elle menaç...

— Juste ciel, Aude ! s'écria enfin Alexandre d'une voix aiguë. On te parle des années qui ont suivi !

Jérôme comprenait parfaitement les réactions d'Alexandre et de Nicolas. Le soutien inattendu d'Aude le surprenait. C'était étrangement réconfortant, même si en cet instant il ne méritait aucun réconfort.

Alexandre s'était levé et assis à même le sol à côté de Nicolas, comme s'ils faisaient dorénavant front ensemble. Il se tourna vers Jérôme et balança d'un air accusateur :

— Vous avez vu Charlène devenir petite fille. Vous n'avez jamais songé à celle que vous avez laissée mourir sur le bord d'une route ? Vous ne vous êtes jamais interrogé sur ce qu'étaient devenus ses parents, qui cette enfant ét...

— Pensez-vous sincèrement que cela aurait changé quelque chose ? demanda Jérôme.

— Non, trancha Nicolas. Mais ne pas l'avoir fait vous enlève en revanche toute humanité. Vous auriez au moins pu essayer !

Aude fixait désespérément le sol tout en caressant le dos de Charlène, essayant de calmer les sanglots qui secouaient l'adolescente.

— Justement ! J'ai essayé et je peux vous dire que cela ne change rien ! cria Jérôme. Mais si vous préférez penser que je suis la pire des ordures, allez-y !

— Papa ! supplia Charlène. Je sais que tu n'es pas un monstre...

Jérôme évita son regard en baissant les yeux. Il ne pouvait laisser penser à sa fille qu'il n'était qu'une bête sans remords et sans cœur. Il décida d'aller jusqu'au bout de sa confession.

— J'ai attendu longtemps avant de retourner dans ce village.

Encore un silence.

— Sophie m'avait interdit de me renseigner sur cet accident, convaincue que les flics traqueraient longtemps le coupable. Heureusement, à l'époque on ne bornait pas les téléphones portables...

Encore un blanc.

— Croyez bien que je n'en ai pas dormi pendant des semaines. Les remords et la culpabilité n'enlèvent rien à ma lâcheté, mais ils me punissent bien plus douloureusement que ne l'auraient fait quelques mois de prison.

Il déglutit, et poursuivit, la voix de plus en plus vacillante.

— Deux ans plus tard, je suis retourné là-bas, à Fleutière. C'était en mai. Il faisait beau. J'ai facilement retrouvé l'endroit. On n'oublie pas.

Nicolas se leva brusquement et partit vers la fenêtre. Il avait la sensation que la pièce se refermait à ce point sur eux qu'il n'y avait quasiment plus d'oxygène.

Jérôme attendit quelques instants.

— Je suis revenu sur mes pas et me suis arrêté au bistrot du village, peut-être à cinq cents mètres du lieu où...

Il s'arrêta au milieu de sa phrase.

— Il y avait quatre hommes, ils étaient tous au comptoir et parlaient pronostics sur un match. Deux d'entre eux étaient assez âgés. La discussion s'est interrompue lorsque je me suis assis. Les gens se méfient des étrangers. Le patron m'a demandé ce que je voulais.

Il revoyait cet homme immense, bâti comme un menhir, arborant une longue moustache qui contrastait avec un crâne considérablement dégarni, qu'il essayait de masquer par de longues mèches de cheveux éparses.

— J'ai commandé un café, les échanges ont repris à voix basse. En l'espace de dix minutes, j'ai vu une vingtaine de poids lourds et bagnoles passer à toute vitesse. J'ai fait signe au patron pour avoir un deuxième café et, pendant qu'il le préparait, j'ai demandé innocemment si c'était comme ça tous les jours, en désignant les véhicules qui déboulaient. Je venais de toucher un sujet sensible.

Un portable sonna dans la pièce mais nul n'y prêta attention.

— L'un des deux vieux s'est tout de suite emporté : « Et encore, là, c'est calme ! m'a-t-il dit. On est en plein pont. Mais en temps normal, c'est l'enfer. Ils déboulent tous ici comme s'ils étaient sur l'autoroute ! » J'aurais pu régler mon café et partir. Mais bien évidemment, j'ai continué. J'ai ajouté que c'était un miracle qu'il n'y ait jamais eu d'accidents. « Oh, côté tragédies, on a eu notre compte... Tenez, pas plus tard que le mois dernier, c'est le chien de la veuve Dugardin qui y est passé. Hop, il est sorti pisser et vlan ! un poids lourd lui a roulé dessus. » « Cela aurait pu être quelqu'un », j'ai ajouté. L'autre petit vieux a alors pris la parole : « On a aussi eu notre lot avec nos gamins. Certains ont payé cher le j'm'en-foutisme de notre maire de l'époque, qui faisait bien peu pour la sécurité de nos routes... L'une de nos mômes y a même laissé la vie. » J'avais la sensation que tout mon corps me trahissait et révélait ma culpabilité. Le patron a pris le relais en racontant qu'une gamine avait été tuée sur le coup il y avait deux ou trois ans. Il a ajouté : « C'était un jour d'été. » Le petit vieux a encore dit : « Deux autres personnes ont tout perdu ce jour-là. Le père Martier ne s'en est jamais remis. Jamais. On le voit de temps en temps errer dans le village, l'air hagard. Pour sûr que le pauvre vieux y a laissé toute sa tête. Quant à la mère, c'est le cœur qu'y est plus. On dirait qu'elle est juste là pour aider son mari à survivre... C'est triste. » Les deux vieux m'ont ensuite raconté l'histoire de ce couple. Ils tenaient la boulangerie du village. C'était leur unique enfant. J'ai appris par la suite qu'elle s'appelait Chloé.

La voix de Jérôme avait pris une inflexion particulière.

— Lorsque le drame est arrivé, le père, complètement anéanti, a tout arrêté. Il n'avait plus le courage de se lever à 4 heures du matin pour préparer le pain et les viennoiseries que les gamins viendraient acheter après l'école. Depuis, le pain est livré par la supérette du village voisin, à quelques kilomètres. Ils vivent tous deux au-dessus de leur ancien commerce.

Un silence.

— Sa femme a réussi à trouver un boulot à temps partiel dans un supermarché à une dizaine de kilomètres.

Un autre silence.

— Vous voyez. Je n'ai pas laissé qu'une petite fille mourir. Je suis aussi responsable de cette mort lente infligée à ses parents.

Sa voix devint murmure :

— J'ai pourtant fait du mieux que je pouvais pour eux deux. Mais je ne pourrai jamais leur ramener leur enfant...

# 11.

Si dur que ce soit, Jérôme ressentait un vrai soulagement d'avoir partagé son secret. Personne ne pouvait imaginer ce qu'il avait enduré.

La voix de Charlène le sortit de ses pensées :

— Comment sais-tu qu'elle s'appelait Chloé ?

— Je me suis rendu plusieurs fois sur sa tombe...

— Et tu as dit que tu avais fait du mieux que tu avais pu pour les parents. Qu'est-ce que ça veut dire, papa ?

Jérôme dévisagea longuement sa fille. Elle s'était calmée, mais les larmes menaçaient de recommencer à couler. À cet instant, il aurait donné n'importe quoi pour ne plus jamais la voir pleurer.

— Je suis retourné là-bas quelques jours plus tard, reprit-il, très ému. J'ai retrouvé l'ancienne boulangerie. L'extérieur est délabré et le logement du dessus n'a pas l'air mieux vu l'état des fenêtres. J'y ai glissé une enveloppe avec de l'argent. Évidemment, je ne cherchais pas à me racheter. Je voulais juste que ces gens retrouvent une vie matérielle décente, qu'ils auraient sans doute eue si je n'étais pas passé par là ce jour-là. Puis je me suis rendu au cimetière. J'ai retrouvé la pierre tombale de cette gamine. Une stèle très simple, blanche, sur laquelle est gravée l'épitaphe : « À notre ange, dont les ailes ont été fauchées un jour d'été. » Il y a également une photo d'elle. De longs cheveux châtains et de grands yeux bruns qui me hantent régulièrement. Et dessous, il y a son prénom, Chloé...

Le prénom résonna dans la pièce. Comme si d'un seul coup, cette petite fille reprenait vie. Elle avait une identité, une histoire.

— Depuis, chaque année, je me gare à distance du village et je dépose une gerbe ou un bouquet de fleurs. Et le poids de ma honte. Puis je passe par la boulangerie, je glisse une enveloppe dans la boîte aux lettres une fois que je suis sûr de ne pas être vu.

Comment cet homme accablé pouvait-il être le même que celui qu'elle avait trouvé si arrogant il y avait à peine une semaine ? se demandait Aude, que ce drame remuait au plus profond d'elle-même.

Jérôme se rassit, se releva, fit encore quelques pas, puis se tourna vers Charlène.

— Il y a quelques mois, tu as voulu partir à la recherche de ta mère. Je savais, pour avoir essayé de la contacter lors de ta méningite, quand tu étais petite, qu'elle ne changerait pas d'avis et qu'elle ne te dirait pas les choses délicatement. Je ne voulais pas que cela te détruise davantage.

Il ouvrit les bras en signe d'impuissance.

— C'est comme ça que j'ai eu l'idée du portable et de t'écrire en me substituant à elle.

Charlène écarquilla les yeux.

— Tu veux dire que les fois où j'ai pensé te surprendre en conversation avec elle, le numéro noté sur ton portable, etc., c'était volontaire de ta part ?

Jérôme se justifia :

— Pour moi, tu étais à un moment de ta vie où tu te cherchais, et tu pensais pouvoir te découvrir au travers de cette femme. Mais elle ne voulait pas te voir. Je préférais te le dire avec mes mots, pas à sa manière, pour que tu ne te sentes pas rejetée.

Il s'arrêta et fit une grimace.

— Là encore, j'ai foiré sur toute la ligne...

Jérôme s'adressa alors directement à Alexandre, Aude et Nicolas :

— J'espérais que vous la dissuaderiez de s'accrocher à cette femme qui lui avait clairement dit qu'elle ne voulait pas d'elle dans sa nouvelle vie. Mais au contraire, vous...

Il laissa passer un grand blanc.

— Quand j'ai découvert la boîte vide dans ma penderie, j'ai compris que ma stratégie était foutue. J'ai donc dû rallumer cette saloperie de portable de sorte que Charlène n'aille pas encore fouiner je ne sais où pour retrouver Sophie...

Il leva son visage au plafond.

— Mais je n'aurais jamais imaginé que vous me penseriez capable d'un truc aussi dingue que de supprimer quelqu'un. C'est du délire...

Sa voix se fit plus sourde.

— En même temps, je suis sûr que vous ne m'imaginiez pas capable de laisser crever une petite fille sur le bord d'une route...

Un énième silence s'abattit sur la pièce. Charlène le rompit :

— En fait, tu n'étais pas du tout amoureux de maman. Tu la haïssais...

— Ce que j'ai détesté, Charlène, c'est vivre avec ce secret qui me rongeait. Mais il est clair que ce n'est pas d'un chagrin d'amour que je souffrais. Je souffrais de lâcheté et de culpabilité...

Il soupira.

— Finalement, ça me soulage de tout avouer. Même aussi tard.

Aude le dévisagea. Cette histoire aurait pu le rendre abject, mais elle découvrait au contraire un homme d'une vulnérabilité profondément humaine. Et touchante.

Alexandre, lui, se disait que tous leurs emmerdements cumulés n'étaient rien comparés à ce qu'il venait d'entendre.

— Dans sa lettre, maman parle de pièges dans lesquels tu aurais voulu la faire tomber. Et de regrets qui ne regardent que toi.

— Les regrets c'est parce que je n'ai cessé de lui dire que je m'en voulais de ne pas être allé voir les flics. Quant aux pièges...

Il laissa filer quelques secondes avant de reprendre :

— Pour ta méningite, je l'ai appelée. Tu avais beaucoup de fièvre, et tu la réclamais. J'ai tenté de la faire venir à ton chevet. Elle n'a jamais rien voulu entendre, convaincue que tout cela n'était qu'un immense baratin pour la revoir *elle*...

Un autre silence, puis :

— Quand j'ai vu il y a quelques mois que tu la cherchais à tout prix, je me suis fait violence et je lui ai réécrit pour essayer de la convaincre d'entrer en contact avec toi, ne serait-ce que par téléphone. Elle est entrée dans une fureur noire. Une vraie parano. Alors je me suis dit qu'en me substituant à elle, et en t'expliquant sa réalité, tu te ferais une raison. J'étais à mille lieues d'imaginer la suite, termina-t-il en balayant l'espace d'une main en direction d'Alexandre, Aude et Nicolas.

Charlène ne quittait pas son père des yeux.

— Il y a des lettres non ouvertes. Je veux les lire.

Jérôme lui fit signe d'aller les chercher.

— Tu sais où elles sont...

Pendant qu'elle se rendait dans la chambre et découvrait le contenu de ces lettres restées fermées, Jérôme, Nicolas, Aude et Alexandre ne prononcèrent pas un seul mot. Jusqu'à ce que Jérôme se lève et prenne son blouson.

— Vous allez où, encore ? demanda Nicolas.

— Là où j'aurais dû aller il y a dix-sept ans. Chez les flics.

— Non mais, vous êtes cinglé ou quoi ? s'exclamèrent Aude et Alexandre.

Charlène surgit dans l'entrée.

— Papa, ils ont raison. Ce n'est pas une bonne idée ! Réfléchissons ensemble...

— Vous n'êtes plus à quelques jours près pour aller vous dénoncer, maintenant, insista Nicolas.

Jérôme les regarda tour à tour, étonné de trouver chez eux de la compassion malgré ses aveux. Comment leur expliquer que, maintenant que sa fille savait, il se sentait obligé d'expier cette faute ? Ne rien faire le rendrait encore plus coupable.

— Je ne vois pas d'autre solution pour essayer de me racheter à tes yeux, Charlie.

— À votre place, la première chose que je ferais serait d'aller voir les parents, poursuivit Nicolas.

— Oui, j'irai. Je le dois, dit solennellement Jérôme.

— Mais avant, papa, je veux que tu m'aides à retrouver ma mère. Maintenant. Après, nous ferons le nécessaire. Et nous affronterons ça tous les deux, quoi qu'il arrive. D'accord, papa ?

— Au cas où cela t'aurait échappé, ma chérie, Sophie refuse tout contact, que ce soit avec toi ou moi. Est-ce que tu aurais oublié ce détail ?

— Ce ne sera peut-être pas pareil si ça vient directement de Charlène ! s'exclama Alexandre. C'est facile... vous avez son adresse, puisque vous lui avez écrit...

— Je crois qu'elle a déménagé... Mais, si je ne connais pas son adresse, j'ai une idée de l'endroit où l'on pourrait la retrouver. Je sais qu'elle fait partie d'une troupe, dans un théâtre à Broadway. Et, surtout, je connais son nom de scène...

— Mais pourquoi ne pas l'avoir dit plus tôt, bon sang de bonsoir ? C'est quoi, son pseudo ? tempêta à nouveau Alexandre.

Jérôme hésita un instant, avant de réaliser qu'il n'avait plus le choix.

— Sofia Fox.

Alexandre saisit l'ordinateur de Charlène, tandis que celle-ci se blottissait dans les bras de son père.

— Tu aurais dû me dire tout ça plus tôt, papa...

— Ah oui ? Je ne suis pas certain que cela t'aurait apporté grand-chose, Charlie. Quelle image as-tu de ton père, maintenant ? Celle d'un lâche ?

— Je croyais que nous nous étions promis de ne jamais avoir de secret l'un pour l'autre.

— Ce n'est pas le prob...

— J'ai ! cria Alexandre en brandissant l'ordinateur portable. Sofia Fox est en représentation tous les soirs au Hudson jusqu'au 30 juin !

— C'est vrai ? s'écria Charlène. Montre-moi sa photo !

— Il n'y a pas de photo, ma chérie. Son nom apparaît juste dans la liste des acteurs.

Un voile de déception obstrua quelques instants le regard de Charlène.

— Pas grave. Papa, il faut qu'on prenne le premier vol pour New York, le supplia-t-elle.

— Charlie, c'est impossible, voyons. On ne part pas aux États-Unis comme ça...

— Vous êtes en règle, côté passeports ? questionna Nicolas.

— Oui, mais il y a une demande d'autorisation d'entrée sur le territoire américain... Et puis, il y a ton bac, Charlène !

— Mais je m'en moque, du bac ! explosa-t-elle.

— Il faut reconnaître que vous avez là une occasion inespérée. Vous êtes sûrs de la retrouver le soir au Hudson. Si vous attendez la fin des épreuves du bac, la pièce ne se jouera plus et ce sera plus compliqué, fit observer Aude.

— Elle a raison, Jérôme ! renchérit Nicolas.

Charlène s'approcha de son père.

— Je vais moi aussi te faire un aveu, papa. J'étais prise à Louis-le-Grand, et j'ai refusé la proposition.

Elle ne laissa pas son père l'interrompre.

— J'ai toujours travaillé. Tu m'as élevée dans l'idée de toujours rechercher la performance. Ce que j'ai fait. Et ce qui me *drivait* depuis la seconde, c'était d'entrer à Ginette. C'était mon rêve.

Elle devait aller jusqu'au bout à son tour.

— Mais si Ginette est mon rêve, connaître ma mère est mon obsession. Cela fait des années que je l'attends... Comment veux-tu que je me concentre sur mon avenir alors que je ne connais qu'une part de mon passé ? Comment crois-tu que je puisse me concentrer sur mes révisions alors que je ne pense qu'au moyen de la retrouver ? Rien n'est plus important pour moi, aujourd'hui.

— C'est possible !

Tout le monde se tourna vers Nicolas.

— Je m'occupe de faire votre demande d'ESTA avec Charlène. Vous aurez leur feu vert dans les vingt-quatre à quarante-huit heures. En admettant que vous restiez deux jours, ça laisse un peu de temps à Charlène pour remettre le nez dans ses cahiers avant ses premières épreuves. Ça fait court, mais c'est jouable.

— Et nous, reprit Aude, on s'occupe d'aller voir les parents de...

Prononcer le prénom de cette enfant lui coûtait.

— ... de la petite Chloé pour préparer le terrain. Vous irez ensuite les voir à votre tour. Et quand vous aurez fait tout ça, vous pourrez aller...

Elle ne put achever sa phrase.

— Non mais, c'est de la folie furieuse ! Un tel voyage juste pour deux jours ? Il n'en est pas question !

— Je dois reconnaître que ça paraît un peu tiré par les cheveux, commenta Alexandre à voix basse.

— Ce serait mieux si nous avions le choix mais nous ne l'avons pas ! insista Charlène.

— Oh que si, nous l'avons ! Et nous allons agir par ordre de priorités : d'abord tu passes ton bac !

— Hors de question ! hurla Charlène. La priorité, c'est ma mère !

Jérôme demeura interdit avant de reprendre la parole.

— Alors de deux choses l'une : ou bien tu te ressaisis immédiatement, ou bien tu files dans ta chambre te calmer.

Les épaules de Charlène s'affaissèrent subitement et elle se précipita dans les bras de son père.

— Pardon, papa. Mais je t'en supplie, laisse-moi voir maman. Je te promets, te jure que je travaillerai sans relâche dès notre retour. Promis, juré, craché ! termina-t-elle en levant une main vers le ciel.

Jérôme scruta attentivement sa fille, puis se laissa tomber sur une chaise, en secouant vigoureusement la tête.

— C'est n'importe quoi, mais bon... Si c'est vraiment ce que tu veux, Charlène...

— Oui, papa. C'est vraiment ce que je veux.

— Quant à vous trois, vous êtes tous témoins de la promesse qu'elle vient de faire. Dès qu'on revient de New York, elle ne sort plus de ses cahiers. Nous sommes tous bien d'accord ?

Aude, Alexandre et Nicolas acquiescèrent.

— Et après, quoi qu'il arrive, vous me laisserez aller chez les flics ?

— Oui, papa, promis. Merci, ajouta Charlène en se jetant à nouveau dans ses bras.

Jérôme l'embrassa sur le front. Sa petite fille chérie devenait une vraie femme. Comment les années avaient-elles pu passer aussi vite ?

— Tu as grandi, ma fille, parvint-il à dire, la gorge nouée.

Puis il écarta les bras en signe de capitulation.

— Alors, soit ! Faisons comme vous avez dit...

# 12.

Aude laissa couler le jet d'eau chaude le long de son épine dorsale et un frisson de bien-être lui parcourut le corps.

La journée de la veille s'était déroulée à 200 à l'heure. Ils avaient tout d'abord longuement échangé sur leur organisation respective du lendemain. Pour New York, et pour Fleutière. Puis chacun s'était chargé d'une partie des préparatifs.

Ce soir, Jérôme et Charlène s'envoleraient à 19 h 40 pour New York, où ils atterriraient à 22 heures, heure locale. Alexandre leur avait réservé un hôtel proche de JFK. Après une nuit de sommeil, ils partiraient à la recherche de Sophie, tandis qu'Alexandre, Nicolas et elle s'aventureraient dans le passé de Jérôme en rejoignant Fleutière.

À la pensée de la journée qui l'attendait, la chair de poule hérissa le duvet de ses bras. Elle coupa l'eau, sortit de la douche et revêtit un peignoir.

Jérôme et Charlène étant sortis, elle déambula dans le silence des pièces. Se retrouver seule dans cet appartement qui n'était pas le sien était perturbant. Mais elle allait devoir s'y faire. Jérôme lui en avait confié les clés en insistant pour qu'elle y séjourne en leur absence. Cette marque de confiance l'avait touchée.

Elle s'ébouriffa les cheveux, se dirigea vers la chambre de Charlène où elle alluma l'ordinateur et se connecta à Meetic.

Parmi plusieurs propositions, elle trouva un message qui datait de deux jours : Jonathan l'invitait pour une première rencontre dans un café du quartier Montorgueil. Il proposait de l'y retrouver aujourd'hui à 14 heures. Dans deux heures !

Elle avait très envie de rencontrer cet homme, avec qui elle avait partagé des confidences. Lui ne semblait pas branché sexe, contrairement aux autres. Et si une véritable amitié pouvait naître, elle restait preneuse !

Elle se précipita vers le miroir de la salle de bains et se jaugea. La trouverait-il séduisante ?

*Je croyais que tu parlais d'amitié ?*

D'accord.

N'empêche.

Elle avait quand même le droit de vouloir se trouver jolie, non ? Ses yeux s'arrêtèrent sur sa taille.

Waouh. Ou cette robe choisie par Alexandre avait un pouvoir ou bien... Elle passa sa main sur son ventre, puis sur ses hanches. Elle n'avait pas fait attention, mais... il était clair qu'elle avait minci.

*Ça t'étonne ? Ça fait des jours que tu n'as quasiment rien ingurgité !*

Pas faux. À en juger par la silhouette dans le miroir, cela ne lui avait pas fait de mal.

Elle devait bien s'avouer qu'elle avait très très envie de rencontrer ce Jonathan.

Elle se dirigea vers le salon. N'était-il pas trop tard pour accepter ce rendez-vous ? Après tout, elle n'avait rien de prévu, si ce n'était attendre avec Charlène et Jérôme leur départ pour l'aéroport. Elle leur laisserait un petit mot pour leur expliquer. Charlène comprendrait.

12 h 10.

Elle renvoya un message à Jonathan : « Désolée, mais les imprévus ont une fâcheuse tendance à s'enchaîner dans ma vie, et je n'ai pas eu le loisir de répondre à votre charmante invitation. Je suis partante pour vous retrouver à 14 heures au lieu indiqué, si vous l'êtes toujours de votre côté. »

Puis elle attrapa la trousse de maquillage de Charlène.

— Et maintenant au boulot ! s'exclama-t-elle, animée par une soudaine allégresse.

*

Nicolas poussa un soupir de soulagement lorsqu'il vit une place de stationnement se libérer. Se garer à Paris était toujours une vraie galère.

Tous ces rebondissements l'avaient sérieusement ébranlé. Il n'avait même pas pu se rendre chez son frère, tout juste avait-il pu échanger par téléphone avec lui ce matin. Celui-ci l'avait pleinement rassuré : les choses rentraient progressivement dans l'ordre, il retrouvait l'appétit, même s'il se sentait encore fatigué.

Nicolas ne s'était donc pas inquiété de le voir reporter leur déjeuner au surlendemain, d'autant que cela l'arrangeait plutôt, au regard des derniers événements.

Nicolas repensa à la terrible révélation faite par Jérôme. Qui aurait pu imaginer un tel scénario ?

Il contrebraqua une dernière fois, et avança encore un peu son véhicule. Créneau parfait.

Hier il s'était chargé du contrôle des niveaux et du gonflage des pneus de sa DS3. Là, il venait de nettoyer sa voiture de fond en comble. Tout était prêt pour leur voyage du lendemain à Fleutière à la rencontre des parents de Chloé. Qu'allaient-ils leur dire ? Comment amener les choses ?

13 h 40. Il avait tout juste le temps de se rendre rue Botzaris.

*

Aude prit place sur l'une des banquettes rouges, et commanda un thé glacé.

De nombreuses émotions contradictoires la traversaient : l'inquiétude au sujet de ce que Charlène allait découvrir à New York, l'excitation d'une rencontre avec un homme qu'elle sentait différent des autres, la peur de la journée du lendemain, le sentiment agréable de se sentir jolie, la sensation euphorisante d'une renaissance, l'angoisse de penser que son couple avait volé en éclats et qu'il n'y avait plus rien de solide, de stable, dans sa vie. Pas tout à fait les conditions idéales pour une rencontre.

Elle tenta de se concentrer sur ce qui l'avait amenée à cette table : mieux connaître Jonathan.

Les battements de son cœur s'accélérèrent, bien plus que lors de ses deux premiers rendez-vous

« Meetic ». Un signe ? Elle attrapa un magazine pour se donner une contenance.

Un coup d'œil à sa montre l'informa que dans cinq minutes il serait l'heure...

*

Arrivé devant la terrasse du café, il se glissa entre un gigantesque olivier et un laurier-rose en fleurs. Là, bien à l'abri des regards, il scruta toutes les tables avant de s'arrêter sur Aude.

Il l'observa longuement tout en feignant de parler au téléphone.

Elle ne pouvait pas le voir de là où elle se trouvait.

Elle était vraiment jolie, avec ses cheveux négligemment retenus par une pince et, dans ses manières, une touche de vulnérabilité qui l'émut.

Avait-il jamais eu l'intention d'entrer dans ce café ? Il savait que non. Mais faire semblant d'y croire lui avait fait du bien. Comme si tout avait pu être possible, l'espace de quelques heures.

Sans jouer les Cassandre, il devinait que l'histoire ne se terminerait pas bien. Il valait donc mieux prévenir que guérir en lui disant la vérité.

Il observa une dernière fois cette impatience inquiète qu'il devinait en elle, fit semblant de mettre fin à son appel, et quitta sa cachette.

*

Charlène ouvrit la porte à Nicolas et se jeta dans ses bras. Son père allait arriver d'un moment à l'autre pour partir à l'aéroport.

— Je voulais t'embrasser avant votre départ. Je suis vraiment heureux que tu puisses enfin rencontrer ta mère.

— Je dois t'avouer que j'ai la trouille, répondit Charlène. Après tout ce que Papa nous a raconté, comment va-t-elle réagir en me voyant ? Et moi ? Je l'ai tellement rêvée belle, douce, intelligente...

— Charlène, la coupa Nicolas en posant sur ses épaules ses mains rassurantes et en se baissant à sa hauteur pour plonger son regard dans le sien, quoi qu'il arrive, tu seras allée au bout de ta quête, de ce qui te constitue depuis toujours, et ça, tu t'en souviendras toute ta vie.

— Oui, mais... Et si elle ne veut vraiment pas de moi dans sa vie ? S'il n'y a rien à faire pour qu'elle m'aime ?...

— Charlie... Parfois, nous ne sommes pas responsables de l'absence d'amour de ceux dont on voudrait être aimé.

La jeune fille le considéra longuement, comme si elle cherchait à percer l'histoire de ce jeune homme si secret. Elle finit par baisser les yeux.

— Facile à dire pour toi. Je t'assure qu'à vivre, c'est plus compliqué... Et plus flippant, surtout !

La porte d'entrée s'ouvrit soudainement sur un Jérôme essoufflé.

— Je bois un coup et on file, ma puce ! lança-t-il à Charlène après avoir donné une accolade amicale à Nicolas.

Il disparut dans la cuisine.

Nicolas réclama l'attention de Charlène.

— Je vais te confier quelque chose. Mon frère et moi avons été abandonnés alors que nous étions encore des gamins. Alors, crois-moi, je sais très bien de quoi tu parles lorsque tu évoques la peur d'être rejetée. Parce que plus qu'un abandon, mon père nous a tout simplement reniés. C'est dur de se construire dans de telles conditions.

— Heureusement que tu avais ta mère...

Volontairement, Nicolas revint à ce qui la concernait, elle.

— Et toi, tu as ton père. Et de ce je peux en juger maintenant qu'il a fait tomber le voile, tu es bien tombée.

Il ajouta, comme pour s'en convaincre :

— Tu sais, il suffit de peu de monde autour de soi pour être heureux. Ce qui importe c'est de savoir sur qui l'on peut compter.

Charlène savait qu'il avait raison. Le plus important n'était pas de courir après l'amour des autres mais de savoir sur qui elle pouvait s'appuyer. Elle se jeta à nouveau dans les bras de Nicolas et le serra contre elle.

— C'est vrai ! Moi, j'ai su dès le début que je pourrais compter sur vous trois. Et l'histoire m'a donné raison ! lança-t-elle, le regard redevenu pétillant.

— Alors, on est d'accord ? Quoi qu'il arrive ? sourit Nicolas en tendant son poing fermé comme s'ils concluaient un pacte.

Charlène le considéra un instant avant d'y cogner son propre poing en douceur.

— Oui. Quoi qu'il arrive...

*

Aude venait de terminer son deuxième verre d'Ice Tea. Ça faisait plus d'une demi-heure qu'elle patientait. Elle commençait à en avoir plein le dos de ces rendez-vous qui ne se déroulaient jamais normalement. Elle demanda l'addition tout en se connectant à Meetic depuis son téléphone. Jonathan lui avait envoyé un message dix minutes plus tôt :

« Maude, je suis désolé mais je ne vous rejoindrai pas... Je suis venu et vous ai observée quelques minutes. Je vous ai trouvée très jolie, et j'ai réalisé que, compte tenu de votre situation, il valait mieux éviter de jouer avec le feu. Nous sentir aussi proches par le simple jeu de l'écriture me laisse augurer de ce que cela pourrait devenir si nous apprenions à faire plus ample connaissance. J'ai beaucoup de travers, mais pas celui d'aimer me faire du mal. ;-)

J'espère que vous ne m'en voudrez pas. Et que vous accepterez d'en rester à une relation épistolaire profonde mais sans mauvaise conséquence prévisible.

Je vous embrasse,

Jonathan »

Celle-là, elle ne l'avait effectivement pas vue venir. Elle fouilla du regard la terrasse du café, sachant pourtant que c'était trop tard.

À quoi cela rimait de se comporter ainsi ?

La déception lui serrait la gorge.

« Jonathan,

Pourquoi ne pas m'avoir dit tout cela de vive voix ? », envoya-t-elle à son tour.

Il lui répondit instantanément :

« Parce que cela n'aurait pas été raisonnable. »

Que voulait-il dire ?

D'un seul coup, elle réalisa que Jonathan pensait peut-être qu'elle était une croqueuse d'hommes qui consommait sans modération sur cet hypermarché virtuel du sexe, ouvert vingt-quatre heures sur vingt-quatre, qu'était Meetic.

*Non, ça ne colle pas, voyons.*

Aurait-il été lui aussi perturbé par la profondeur de leurs échanges ? Lui avait-elle fait peur ?

Et de son côté à elle, était-ce parce qu'elle avait trouvé en lui un refuge ? Parce qu'elle n'avait jamais échangé autant de confidences avec un homme, même avec Xavier ? Ou était-elle simplement emportée par l'euphorie de la nouveauté ?

Non, cet homme lui apportait quelque chose de magique, quelque chose dont elle réalisa qu'elle ne l'avait jamais connu : avec lui elle était elle-même.

Elle tapa :

« Je ne comprends pas. Vous parliez d'une relation amicale basée sur des échanges épistolaires... J'ai apprécié nos "conversations". Elles étaient vraies. Dénuées de ces faux-semblants auxquels je n'ai cessé d'être confrontée. »

Dix secondes et la réponse s'afficha sur l'écran :

« Justement, non. »

Puis, trois autres plus tard :

« Parce que je vous ai menti. »

Son profil s'afficha aussitôt hors ligne.

Un voile de tristesse s'abattit sur Aude. Son mariage était mort, son boulot probablement perdu, et son cœur s'emballait pour un type dont elle ne connaissait rien hormis le prénom. Un inconnu qui n'avait même pas de visage. Ou plusieurs, qui se superposaient au gré de ses humeurs à elle... Avait-elle à ce point besoin de se sentir vivante ? Cela devenait ridicule.

14 h 40. Elle commanda à la hâte un Uber pour la rue Botzaris.

*

Xavier raccrocha, furieux. Aude ne décrochait toujours pas.

Il avait respecté la volonté de sa femme et ne lui avait envoyé aucun texto de toute la journée de la veille. Il avait juste essayé de la joindre deux ou trois fois. Rien de plus normal !

Il repensa aux types qui accompagnaient Aude ce fameux samedi soir, rue Botzaris. Il n'allait pas attendre les bras croisés sans agir.

Il patienterait encore un peu. Mais pas éternellement.

*

Aude arriva à temps pour dire au revoir à Charlène. Celle-ci était fébrile. Les questions se bousculaient dans sa tête.

— Je ne suis plus certaine d'avoir envie d'y aller..., finit-elle par lâcher.

Aude sentit monter en elle un instinct de protection qu'elle n'avait jusqu'alors jamais ressenti pour personne. Elle passa son bras autour des épaules de la jeune fille et l'entraîna un peu à l'écart de son père et de Nicolas. Puis, tout en la serrant fort contre elle, elle lui chuchota à l'oreille :

— Allez, Charlie ! Tu es presque arrivée au terme de ta quête. Au bout de ce voyage, il y a celle que tu recherches depuis des lustres. Alors courage !

Elle sentit les mains de la jeune fille s'accrocher à son tee-shirt, tandis que son visage restait enfoui dans son cou. Aude ajouta :

— Tu sais, Charlène, si j'avais eu la chance d'avoir une fille, j'aurais rêvé qu'elle te ressemble.

Elle sentit les doigts desserrer leur étreinte avant de découvrir la mine bouleversée de Charlène.

— Tu le penses vraiment, Aude ?

Elle n'eut pas le temps de répondre, la voix pressante de Jérôme les priant d'accélérer :

— Charlène, il faut y aller. On va être à la bourre !

Charlène fixa longtemps Aude. Sans bouger d'un iota, elle répondit avec un sourire ému à Jérôme :

— C'est bon, papa. On y va...

Elle s'écarta pour lui laisser la place. Celui-ci, embarrassé, claqua une bise maladroite sur la joue d'Aude.

— Bon... À très bientôt ! dit-il avant de pousser Charlène vers la porte.

Lorsque Charlène monta dans le taxi, les derniers mots prononcés par Aude tournaient en boucle dans sa tête.

Sa mère penserait-elle la même chose ?

Serait-elle fière de l'avoir pour fille ?

Et elle, cette inconnue tant fantasmée ? À quoi ressemblait-elle ? Et comment allait-elle l'accueillir ? Vu le portrait qu'en avait fait son père, elle appréhendait ces retrouvailles, en fait, autant qu'elle était impatiente.

Elle jeta un regard en coin à son père, qui regardait les rues défiler par la vitre, le visage fermé.

Comment lui faire comprendre sans le blesser qu'elle rêvait de pouvoir appeler quelqu'un « maman » ?

Elle préféra se concentrer sur l'idée qu'elle serrerait bientôt sa mère dans ses bras.

*

Alexandre s'éveilla en sursaut.

— Oh bon sang de bon sang ! s'exclama-t-il à voix haute.

Ça lui apprendrait à prendre un somnifère en plein milieu de journée pour éviter de penser à...

Hannibal se jeta sur lui à grands coups de langue avec frénésie. Alexandre n'eut pas le cœur de le repousser. Ce chien était sans doute la seule raison qui l'aidait à tenir aujourd'hui.

Presque. Deux autres visages, féminins, s'imposèrent à son esprit. Le réveil indiquait 19 h 20. L'avion de Charlène décollait dans vingt minutes.

— Oh non ! Vite, mon portable...

*

Jérôme invita Charlène à se caler dans son siège et à accrocher sa ceinture. Ce qu'elle fit tout en tapant à la hâte un SMS : « Dans l'avion. Allons décoller. Vous me manquez déjà... Et je vous adore. »

Une vingtaine de secondes s'écoula avant que deux bips n'annoncent concomitamment l'arrivée de deux réponses. La première provenait de Nicolas : « Je pense très fort à toi. Vivement que tu me racontes tout ! Gros bisou. »

L'autre d'Aude : « Je suis de tout cœur avec toi. Ce qui t'arrive est merveilleux. Je t'embrasse très fort. »

Un grand sourire transforma instantanément son visage.

— Charlène, on roule. Éteins ton portable !

L'avion avançait sur le tarmac et se dirigeait vers la piste de décollage. Son regard passait du hublot à son téléphone.

— Oui, papa. Juste deux minutes s'il te plaît...

Pourquoi Alexandre ne lui répondait-il pas ? C'était stupide mais elle avait *besoin* de sentir qu'ils étaient tous les trois à ses côtés. Elle dut masquer sa joie lorsqu'elle entendit le bip annonciateur d'un nouveau message.

« Hello ma bibiche. Dsl mais j'étais au bout de ma vie et j'ai préféré me coucher. Tu pars à NY, c'est top ! Si tu passes par Times Square, pense à moi une fois devant le magasin de M&M's. Je suis fan ! Et je veux des news en temps réel ! XOXO !!! »

Apaisée, elle éteignit son portable.

Ils étaient tous à ses côtés.

Elle était prête.

## 13.

Alexandre se leva. Il n'arrivait pas à dormir.

« Dimitri en aime un autre. » Il se répétait cette phrase en boucle.

Il devait faire le deuil de son histoire avec Dimitri. Que signifierait le verbe aimer si l'on faisait passer son propre bien-être avant celui de l'être choyé ?

Il devait masquer sa douleur pour laisser son Autre s'envoler vers des cieux qui le rendraient plus heureux. Mais comment faire une croix sur son Grand Amour, celui que beaucoup ne rencontraient jamais ?

Imaginer un autre que lui embrasser Dimitri lui était un vrai supplice...

À force de se heurter à l'incompréhension de son entourage, au rejet de son père, aux quolibets dont on l'affublait souvent, il s'était habitué à la souffrance. Il avait appris à vivre avec. Et même appris à tout endurer sans ciller. Mais il se sentait incapable de combattre cet enfer-là.

*Tu as déjà fait le tour de la question.*

*Sors Dimitri de ta tête pour qu'il puisse sortir de ta vie.*

Facile à dire.

Il espérait que le programme chargé de sa journée l'aiderait à oublier, au moins quelques heures...

*

Aude s'étira dans le lit de Charlène. Elle éprouva la même drôle de sensation qu'elle avait ressentie la veille, en se couchant seule dans cet appartement qui n'était pas le sien, et qui lui était pourtant devenu familier.

Le programme qui l'attendait ne lui avait pas fait oublier sa déception de la veille. Pourquoi Jonathan lui avait-il fait un coup pareil ? Il lui avait écrit qu'il avait menti. Avait-il cherché à la mettre en confiance uniquement pour se démarquer des autres types de son espèce et l'attirer ainsi plus facilement dans son lit ?

Amère, elle se leva et s'installa au bureau, face à l'ordinateur de Charlène. Elle avait assez donné avec ces sites ! D'autant que le besoin de mesurer sa cote de séduction lui était passé. L'idée de supprimer définitivement son profil lui procura un bien fou. Elle allait cliquer sur la rubrique « mon compte » lorsqu'un message attira son attention. Il provenait de Jonathan. Elle hésita mais l'ouvrit :

« Vous m'avez ouvert votre cœur en me racontant votre vie. Je n'ai pas eu le temps de le faire à mon tour. Avant toute chose, sachez que j'étais sincère lorsque je vous ai écrit que je souhaitais entretenir un échange amical. J'ai toujours pensé que les lettres donnaient une vraie profondeur aux liens, quelle que soit leur nature.

Et je pensais sincèrement que nous pourrions apprendre à nous connaître différemment. En toute bienveillance. Et à l'abri de nos réactions parfois impulsives.

Depuis des années, j'appelais de tous mes vœux la Vérité. Celle qui ne supporte aucune dissimulation, aucun faux-semblant. Sans doute parce que je vivais moi-même dans le mensonge.

Je ne voudrais pas en ajouter un de plus, maintenant que je ne porte plus de secret.

Ne m'en veuillez pas. Lorsque je vous ai proposé ce rendez-vous, je voulais vous expliquer de vive voix que je n'avais rien contre vous. J'espère que mes aveux de l'autre soir vous permettront de comprendre pourquoi je me sentais si mal à l'idée que l'on fouille dans mon passé.

Encore une fois, ces échanges épistolaires étaient destinés à mieux nous connaître, en tout bien tout honneur, puisqu'il semblerait que nous ayons plus de mal à communiquer de vive voix.

Parce que vous n'êtes pas plus Maude que je ne suis Jonathan.

Vous êtes Aude. Et moi, je suis Jérôme. »

*

*Fleutière – 14 h 30*
*(8.30 a.m. heure de New York)*

Nicolas, Aude et Alexandre avaient longuement hésité devant une porte vitrée sale, sur laquelle était scotchée une feuille jaunie avec la mention maladroitement griffonnée : « FERMÉ DÉFINITIVEMENT ». Ne voyant aucun autre accès au logement situé au-dessus de cette boulangerie, ils finirent par taper sur l'épaisse paroi de verre. Quelques instants plus tard, la porte s'ouvrit lentement sur une femme sans âge, dépourvue de toute expression. Vêtue d'une robe bleue à manches courtes dont le tissu était élimé, elle avait recouvert ses épaules d'un châle en laine de couleur crème qui contrastait avec la chaleur suffocante.

— Bonjour, madame, commença Aude. Vous serait-il possible de nous accorder cinq minutes, s'il vous plaît ?

— À quel sujet ? interrogea son interlocutrice, le regard soupçonneux.

Alexandre enchaîna :

— Nous souhaiterions vous parler de votre petite fille...

La femme tressaillit et son visage exprima aussitôt une immense douleur.

— Vous êtes journalistes ? Laissez-nous tranquilles. Nous avons assez souffert comme ça.

— Nous n'avons absolument pas l'intention de réveiller votre chagrin, madame, souffla Aude, émue, gênée et en même temps pleine de compassion pour cette femme. Et nous ne sommes pas journalistes. Simplement...

Elle chercha les mots qui lui permettraient de convaincre cette mère brisée de les écouter.

— Simplement, nous avons eu connaissance de certains éléments à propos de l'auteur du terrible accident qui a coûté la vie à votre petite fille, il y a dix-sept ans, ajouta Nicolas d'une voix douce et grave.

La femme se tourna vers lui. Après avoir marqué l'étonnement, son regard laissa percer une expression d'immense tristesse avant de redevenir méfiant.

— Je ne vois pas bien ce que vous pourriez m'apprendre de nouveau. En plus d'avoir sauvagement tué ma petite Chloé, ce type a détruit notre vie, à mon mari et à moi.

Tout en commençant à refermer la porte sur eux, elle ajouta :

— Mon mari est devenu l'ombre de lui-même, il reste assis toute la journée comme un misérable. Et moi je n'attends qu'une seule chose : le jour béni où je rejoindrai ma fille. Mais d'ici là, je veux plus jamais entendre parler de ce monstre, vous m'entendez ?

Aude ravala sa salive. Elle aurait volontiers cédé sa place pour ne plus être là, à imposer à cette femme dévastée de replonger dans une telle horreur. Elle sentit les doigts d'Alexandre se cramponner à sa main, et ça l'encouragea à poursuivre. Elle implora la femme dont les yeux exprimaient désormais toute la détresse du monde :

— Je comprends parfaitement, mais... Vous savez, le responsable de ce drame a pu s'en repentir. Certes, cela ne ramènera pas votre petite fille mais...

— Qu'est-ce que vous comprenez, exactement ? coupa brutalement leur interlocutrice en rouvrant la porte. Vous avez déjà perdu un gamin ? Vous avez déjà tenu votre gosse dans vos bras pendant qu'elle s'envolait dans l'autre monde ? Personne peut supporter ça. Personne ! Alors je sais pas ce qui vous pousse à venir me parler de ce bonhomme-là, mais c'est pas la peine d'aller plus loin.

Nicolas posa en douceur une main sur son avant-bras.

— Madame, persista-t-il, je vous promets qu'ensuite nous ne reviendrons plus jamais vous importuner. Accordez-nous juste quelques minutes, je vous en prie...

Le regard profond et réellement bienveillant qui la fixait la déstabilisa. Depuis la mort de sa petite fille, les seuls regards qui se posaient sur elle étaient empreints soit de pitié de la part de ceux qui connaissaient son histoire, soit d'indifférence de la part des autres. Or, pour la première fois, elle détectait chez ce jeune homme-là une grande sincérité. Elle jeta un coup d'œil inquiet derrière elle et écouta quelques secondes s'il y avait du bruit. Puis elle revint vers eux.

— Alors dépêchez-vous.

— Cet homme... Celui qui a...

Une nouvelle fois, Aude ne trouva pas les mots adéquats mais ni Alexandre ni Nicolas ne purent lui venir en aide. C'est la femme qui compléta sa phrase :

— ... tué ma petite fille ?

Nicolas sentit la chair de poule envahir ses avant-bras. Aude gardait la tête baissée. Elle ne parvenait plus à regarder cette femme en face.

— Ce monstre aura mis un sacré bout de temps avant de se repentir, comme dirait le Seigneur. Il a tout fait pour ne pas être jugé.

Alexandre et Nicolas échangèrent un regard. La fuite...

— Il a jamais rien dit, puis un jour il a commencé à déposer de l'argent de manière anonyme.

Comme si on allait croire ces pépètes tombées du ciel... Il a sûrement cru que ça suffirait à le racheter. Mais y aura jamais rien qui pourra racheter la mort de ma petite Chloé.

— Vous saviez donc que c'était lui, balbutia Alexandre.

— Je suis pas complètement idiote, jeune homme. Tout comme j'ai compris pour les bouquets de fleurs sur la tombe de mon petit ange...

Sa voix avait vrillé à la fin de la phrase.

— Si ça avait été un accident, reprit-elle, et s'il avait cherché à aider ma petite fille, j'aurais pas pardonné mais je me serais dit qu'il était responsable 50/50 avec le destin. Mais là, c'est de sa faute à lui tout seul...

Elle ravala une montée de larmes.

— Écoutez, je crois qu'on a suffisamment causé. Je vous souhaite bonn...

Elle refermait la porte quand Nicolas glissa son pied dans l'entrebâillement :

— Attendez ! Vous ne pensez pas que connaître le coupable apaiserait le sentiment d'injustice que vous éprouvez ?

Une réelle surprise s'imprima sur le visage de leur interlocutrice. Elle les regarda un à un avec une expression d'incompréhension. Lentement, elle rouvrit la porte tout en fixant Nicolas.

— Mais qu'est-ce que vous me racontez là ? Ça fait bien longtemps que ce monstre a été jugé...

## 14.

*New York – 8.44 a.m.*

Sophie Voiront claqua la porte de son appartement et dévala les escaliers. Sa colocataire était partie dix minutes plus tôt pour une audition, avec un premier rôle à la clé dans une pièce prometteuse. Sophie l'enviait... Elle-même n'avait décroché qu'un entretien pour un second rôle, dans une pièce plus « confidentielle ».

Tout en marchant rapidement, Sophie jeta un coup d'œil sur son portable. Un second rôle, c'était toujours mieux que rien. Et puis, la plupart des grands acteurs passaient par là.

Elle n'avait aucun message. Elle enfouit son téléphone dans son sac, se saisit d'un *donut* dans lequel elle mordit à pleines dents.

En attendant la consécration, elle alternait les petits rôles tenus le soir dans des pièces et pour des théâtres différents. Actuellement, elle jouait au Hudson. Mais ce soir, c'était relâche. Son job de vendeuse de billets de spectacle au TKTS lui assurait un revenu fixe depuis plus de deux ans. Elle prenait justement son poste à 10 heures, et elle n'avait pas intérêt à arriver en retard.

Elle accéléra encore le pas.

*

*Fleutière – 14 h 52*

Mme Martier s'était excusée et leur avait demandé de patienter quelques instants avant de repartir vers le fond de son ancien commerce. Aude, Alexandre et Nicolas étaient sonnés par cette révélation, consternés à l'idée qu'un autre ait pu être jugé à la place de Jérôme et Sophie. La femme revint vers eux et sortit sur le pas de la porte qu'elle referma derrière elle.

— Je ne veux pas que mon mari revive ça, il ne le supporterait pas, se justifia-t-elle en vérifiant machinalement par-dessus son épaule qu'elle était seule.

Elle se redressa et reprit, droite comme un I :

— Ce chauffard a été retrouvé quelques kilomètres plus loin, dans un bourg voisin où il s'était arrêté pour nettoyer sa voiture... Il y avait du sang sur le pare-chocs...

Aude détourna le regard. Elle remarqua que Nicolas avait les larmes aux yeux. Alexandre cherchait quant à lui à se donner une contenance mais elle le sentait bouleversé, lui aussi.

— Quand les gendarmes sont arrivés, l'un des habitants leur a expliqué avoir vu une Clio gris clair sur le bas-côté. Le conducteur semblait agité et astiquait l'avant de sa voiture, qu'était tout cabossé. Ils ont pas mis longtemps à l'épingler.

Elle ajouta d'une voix à peine audible :

— Chloé est morte dans mes bras.

Puis elle serra les mâchoires.

— Le type roulait à 130 sur une nationale. Il arrêtait pas de dire qu'il avait pas bu, qu'il allait simplement « un peu vite ». Sa seule trouille c'était de savoir si tout serait pris en charge par les assurances. Pas un mot pour Chloé, pas une fois le mot « pardon ».

— Ce n'est pas possible, c'est un cauchemar, lâcha Alexandre.

Il baissa brusquement la tête, rouge et penaud. Mais la femme fit comme si elle n'avait rien entendu et continua :

— Ça, pour sûr, il avait suffisamment de sous pour se payer un bon avocat. Il a été condamné pour homicide involontaire et délit de fuite. Il a écopé d'un an de prison avec sursis, d'une amende tellement ridicule que je me souviens pas du montant, et d'une suppression de permis de quelques mois. Vous voyez, elle valait pas grand-chose pour ces gens-là, ma Chloé... Mon mari et moi on a pris perpète en silence, sans jugement des hommes, et ma petite fille a vu sa vie arrêtée en moins de temps qu'il en faut pour le dire.

Son regard revint se poser sur Nicolas.

— Alors, mon garçon, ne me parlez pas de justice. Je sais d'ailleurs pas ce qui a poussé ce vaurien à nous envoyer cet argent et à fleurir la tombe de Chloé. Je me suis dit qu'il avait dû avoir un enfant, qu'il avait peut-être senti ce que ça faisait dans le cœur et culpabiliser. Mais c'est trop tard. Dès qu'il dépose ces satanées fleurs, je les dégage. Que cette ordure aille griller en enfer !

— Mais ce n'est pas possible, soutint Alexandre, qui ne comprenait plus rien.

Cette fois-ci, tous les regards convergèrent vers lui. Il était devenu blême.

— Eh si, jeune homme, c'est possible, fit la femme d'une voix plus douce, touchée de sentir Alexandre à ce point bouleversé par son drame. Et il y a tous les jours des centaines de crapules de ce genre qui se prennent pour des as au volant de leur bagnole. Ici, les accidents, ça n'arrête pas. On n'est pas à la ville, y a pas de radar à chaque coin de rue et ils accélèrent comme des bêtes. Y a que les gens d'ici qui sont respectueux et prudents. Les autres...

Elle balança sa main par-dessus l'épaule, pour signifier combien ils s'en moquaient.

— Tenez, un mois avant Chloé, il s'était produit un autre drame, un peu plus loin sur la nationale, à la sortie du village.

Alexandre et Nicolas échangèrent un regard. Jérôme avait précisé que l'accident s'était passé juste après la traversée de Fleutière.

— La fille des Thévenard a été renversée, poursuivit Mme Martier. C'était en juillet 2002. En pleine journée. Là aussi, le chauffard a pris la fuite. Il s'est même pas arrêté pour la petite qu'il avait laissée comme un animal sur le bord de la route. C'est moi qui l'ai découverte en revenant de la ville, où j'avais été retirer des rouleaux de pièces, pour la monnaie de notre caisse à la boulangerie...

Elle prit une profonde inspiration :

— En m'approchant de la pauvre gosse, j'ai cru qu'elle était morte et mon cœur s'est arrêté en pensant que ç'aurait pu être ma puce, là, sur la route. Je savais pas comment me dépatouiller. Vous savez, voir des films à la télé, c'est une chose ! Y a toujours quelqu'un qui vient vous aider, et des trucs intelligents que les gens pensent à faire. Mais quand ça vous arrive dans la réalité... Moi, j'étais complètement paniquée devant son petit corps tout ratatiné... Et y avait personne pour me dire quoi faire, vous comprenez ?

Ils hochèrent tous trois la tête en s'abstenant de tout commentaire.

— Moi, à ce moment-là, je pensais qu'à une chose : « Mais qu'est-ce que je vais dire à sa mère ? » Et je crois bien avoir égoïstement remercié le Seigneur de ne pas être à sa place à elle... J'étais loin d'imaginer que je vivrais la même scène en pire à peine un mois plus tard.

Elle serra les poings de toutes ses forces.

— Et là, alors que je me tordais les mains en pleurant sans savoir quoi faire, eh ben y a eu comme un miracle.

Quelque chose comme un sourire se dessina sur ses lèvres, et Aude se dit que c'était sans doute le plus triste qu'elle ait jamais vu.

— Elle a ouvert les yeux et s'est mise à couiner comme un petit animal. J'ai cru que je rêvais. J'aurais aimé que ma fille fasse pareil, parce qu'elle, elle a jamais rouvert les yeux. Oh oui... J'aurais de loin préféré qu'on n'attrape jamais ce monstre et garder ma Chloé bien vivante à côté de moi.

Elle s'arrêta, les lèvres tremblantes, avant de poursuivre :

— Heureusement, le voisin de la boulangerie est arrivé. Il a appelé les secours, protégé la petiote en mettant sa voiture en plein milieu de la route. Comme pour ma Chloé, le salopard qui avait fait ça s'est fait la malle. Mais lui, on l'a jamais retrouvé.

Aude, Alexandre et Nicolas l'avaient écoutée sans l'interrompre.

Lorsqu'elle eut terminé, les trois amis se regardèrent, tétanisés. Ils commençaient à comprendre...

— Pourriez-vous nous dire où s'est déroulé cet accident, madame ? demanda Aude, la voix vibrante d'émotion.

— J'en étais sûre ! Vous êtes bien des journalistes !

— Non, je vous assure ! Mais nous cherchons à sensibiliser les conducteurs sur la dangerosité de certains comportements et le témoignage de rescapés d'accidents graves est plus efficace que toutes les alertes officielles... Peut-être que cette petite fille pourrait être l'un de ces visages...

Les trois amis étaient suspendus aux lèvres de l'ancienne boulangère, qui resta muette un long moment avant de lâcher :

— C'est trop tard pour la mienne mais si cela peut permettre à d'autres bambines d'échapper à une telle tragédie, pourquoi pas ? Les Thévenard vivent dans la maison en face de l'église, vous pouvez pas vous tromper. Par contre, vous devrez attendre car leur fille les a invités pour le week-end de l'Ascension et ils ne rentreront chez eux que tard dans la nuit. Je le sais parce que c'est le patron du café qui garde leur chien jusqu'à demain matin...

*

*New York, Times Square – 9.30 a.m.*

— Bienvenue à Times Square ! s'écria Jérôme en attaquant les escaliers de la sortie du métro.

Charlène se décala pour laisser passer le flot de touristes. En vérité, elle était un peu déçue par le bruit permanent, les odeurs nauséabondes, les fumées des bouches d'égout et la circulation. Seuls les buildings, les taxis jaunes et le fumet de hot dogs à chaque coin de rue lui avaient permis de retrouver l'ambiance des séries américaines dont elle était friande. Mais à part ça...

Elle se ressaisit en songeant que cela importait peu : elle ne venait pas faire du tourisme mais rechercher sa mère. Et cette quête l'aidait à oublier la fatigue du voyage et du *jet lag*.

Arrivée en haut de l'escalier, elle s'arrêta et leva la tête. Des écrans géants bombardèrent ses rétines de leurs millions de lumières. Une sensation d'étourdissement la gagna et elle agrippa par réflexe le bras de son père. Les sirènes, la foule, des personnages de bande dessinée grandeur nature... Démesure, vertige, puissance, vitesse... Les mots défilaient dans sa tête sans qu'elle puisse choisir lequel convenait le mieux pour décrire ce qu'elle ressentait en cet instant.

— Impressionnant quand même, n'est-ce pas, ma chérie ? interrogea son père, un sourire attendri sur les lèvres.

— Oui. C'est... magique ! reconnut-elle, maintenant enthousiaste.

Jérôme lui attrapa la main et la tira doucement.

— Eh bien maintenant il ne nous reste plus qu'à partir en repérage pour trouver ce théâtre. Mais, crois-moi, Charlène, je crains que ta mère n'ait une très mauvaise réaction...

Charlène fit comme si elle n'avait pas entendu.

— Waouh, c'est top : regarde ! C'est trop classe ! s'émerveilla-t-elle en désignant de son index l'un des panneaux où un couple apparaissait en direct en brandissant un tee-shirt sur lequel était imprimé un énorme cœur.

Jérôme lui pinça la joue avec tendresse. Il n'avait qu'elle au monde et il aurait voulu pouvoir continuer de la protéger de tout, toujours – encore plus particulièrement là, car connaissant Sophie comme il la connaissait, il ne voyait pas comment cela pouvait bien se passer... Mais les dés étaient lancés.

— Bon... Je crois que c'est le moment de laisser un message à ta mère...

Il s'empara de son portable, chercha « Contact US », rubrique sous laquelle il avait enregistré les coordonnées de Sophie dans son répertoire, et lança l'appel, qui bascula aussitôt sur messagerie.

— Hello Sophie, c'est Jérôme ! Charlène et moi sommes à New York, et plus précisément à Times Square, à l'instant précis où je te parle. Charlène a besoin de te rencontrer. Nous savons que tu es en représentation au Hudson ce soir. Nous allons donc venir te rendre une petite visite. À moins que tu ne me rappelles et préfères nous voir ailleurs. À ta disposition. Tu as mon numéro...

Et il raccrocha.

Puis écarta les bras face à sa fille.

— Il n'y a plus qu'à y aller !

Charlène leva encore la tête vers le ciel, vers lequel s'élançaient toutes ces tours illuminées. Son instinct lui soufflait de croire en ses rêves.

Après tout, ici, tout semblait possible.

# 15.

*New York – 9.40 a.m.*

Sophie Voiront soupira. Elle prenait son poste dans une dizaine de minutes et avait déjà mal au dos à l'idée de la journée qui l'attendait. Elle jeta un coup d'œil sur la file d'attente qui s'était déjà constituée... Il y avait foule tous les jours, quel que soit le mois de l'année, mais quand arrivait l'été, cela devenait insupportable.

Elle prit appui contre une des parois de verre sur lesquelles figuraient les lettres TKTS en rouge, tira une longue bouffée sur sa cigarette et regarda le cadran central : 9 h 41. Encore neuf minutes avant de faire face à la meute. Elle passa derrière deux collègues, agrafa son badge sur son tee-shirt, s'assit sur un des sièges. Elle attrapa son portable, et manqua défaillir lorsqu'elle vit les initiales JS affichées sur l'écran.

Qu'est-ce qu'il lui voulait ?

Elle porta l'appareil à son oreille et écouta le message.

Lorsque le store annonçant l'ouverture des ventes se leva, son visage avait changé de couleur.

Elle s'efforça de masquer sa nervosité, appela le premier client de la longue file qui s'allongeait devant elle. Cette journée s'annonçait cauchemardesque. Elle s'adressa machinalement à l'homme qui la fixait avec impatience derrière la vitrine :

— Bonjour. C'est pour quel spectacle ?

*

Charlène et Jérôme se trouvaient devant le Hudson. Le théâtre n'avait certes pas encore ouvert ses portes, mais au moins l'auraient-ils repéré.

Un SMS d'Alexandre sortit Charlène de ses pensées : « *Hi* ma chérie ! Alors ? Les couleurs, les lumières, les magasins, la décadence... Raconte vite ! XOXO. »

Elle répondit : « On est devant le théâtre, donc RAS pour le moment ! Et toi, des news de Dimitri ? »

La réponse arriva quelques secondes plus tard, sous la forme d'un smiley qui pleure.

« Décidément, songea-t-elle, c'est la galère pour tout le monde... »

*

*Fleutière – 16 h 23*

Nicolas se concentrait sur la route, Aude regardait le paysage défiler à travers la vitre côté passager, et Alexandre caressait lentement Hannibal à l'arrière de la voiture. Aucun d'eux ne parlait, tandis qu'ils roulaient lentement sur une route de campagne, en attendant de rejoindre l'hôtel dans lequel ils venaient de réserver des chambres. Ils iraient voir les Thévenard le lendemain.

La température était plutôt élevée en ce jour de juin et Alexandre avait chaud. À un croisement, son regard se posa sur un couple de personnes âgées. L'homme, atteint de camptocormie, avançait péniblement en s'appuyant sur le bras de la femme qui devait être son épouse. Elle-même semblait éprouver de la difficulté à marcher. L'attention qu'ils se portaient réciproquement était touchante.

L'espace d'un instant, il s'imagina avec quarante années de plus. Y aurait-il quelqu'un pour veiller sur lui avec autant d'amour dans le regard ?

Un visage s'imposa à son esprit...

Sans doute rencontrerait-il d'autres hommes. Mais en aimerait-il un seul autant que Dimitri ?

Il sentait, *savait* au fond de lui que c'était *lui* et nul autre.

Il se sentit mal, tout d'un coup.

— Nicolas, tu peux décapoter la voiture ?

Celui-ci s'exécuta en soupirant.

— Génial ! On va arriver avec des moucherons plein les dents...

Aude pensait à Jérôme. Elle lui en voulait de lui avoir menti en se faisant passer pour Jonathan, tout en reconnaissant au fond d'elle qu'ils n'auraient jamais eu de tels échanges sur le Net si elle avait connu sa véritable identité dès le début. En toute honnêteté, elle s'en voulait surtout à elle-même d'avoir ressenti une telle alchimie avec un personnage qui n'était finalement que virtuel.

Un peu mieux avec l'air frais qui entrait à présent dans le véhicule, Alexandre entreprit de chanter *a cappella* le dernier tube de Gims. Nicolas était concentré sur sa conduite. Aude éprouva une subite envie de les serrer tous les deux dans ses bras pour leur dire combien ils étaient devenus importants pour elle.

— Nicolas, sur ta droite, sors maintenant ! supplia Alexandre en désignant un sentier du doigt.

— Tu as failli me faire aller dans le fossé ! s'exclama Nicolas tout en s'exécutant.

— Pourquoi nous fais-tu quitter la nationale ? questionna Aude.

— Parce que Hannibal a besoin d'une pause.

Ils arrivèrent dans une sorte de clairière. Aude et Alexandre se précipitèrent dehors.

— Hors de question de vous suivre ! annonça Nicolas. Je n'ai pas envie de me faire bouffer par un ours !

— Un ours ici ? s'esclaffa Alexandre. Mais t'es complètement perché, mon pauvre vieux !

— Regardez, il y a un étang !

Aude s'approchait déjà de l'eau. Alexandre courut la rejoindre.

— Génial ! Un peu de frais !

— Moi je vote pour une trempette des pieds ! s'exclama Aude en riant.

— Chiche ! Le dernier à l'eau est une mauviette ! décréta Alexandre, ses Converse à la main.

— Mais vous êtes fous ! Tous les habitants et animaux du coin doivent uriner dans ce bassin. Sans compter que les rats doivent y forniquer à la chaîne... Et j'en passe !

Aude et Alexandre lui répondirent par un grand éclat de rire et sautèrent à pieds joints dans l'eau.

— Ahhhhh ! hurla Alexandre tout en mimant une crise cardiaque. Des piranhas sont en train de me bouffer les pieds !

— Imbécile ! Tu te marreras moins quand on te diagnostiquera une leptospirose ! le prévint Nicolas en sortant précautionneusement de la voiture.

Les rires d'Aude et les couinements moqueurs d'Alexandre l'horripilaient.

Il étala un sac plastique sur le sol à quelques mètres d'eux, devant un arbre, et se posa dessus, visiblement pas rassuré. Un grognement faillit le faire hurler de peur. Hannibal était venu s'asseoir à ses côtés et tentait de lui soulever le bras pour un câlin.

— Finalement, tu es beaucoup plus intelligent que ton maître, lança Nicolas à l'intention de l'animal.

Il se risqua à une caresse du bout des doigts sur la truffe du chien, qui le remercia d'un jappement.

Aude et Alexandre s'en donnaient à cœur joie et s'amusaient à s'éclabousser en faisant claquer leurs pieds dans l'étang. Il essaya de se concentrer sur le magazine qu'il avait emporté.

— Allez, rejoins-nous ! l'appela Aude au bout d'un moment.

Il ignora l'invitation. Cela faisait deux plombes qu'il attendait en plein cagnard qu'ils arrêtent leurs enfantillages. Il allait finir par se choper une insolation.

— Je ne vais pas rester ici à rôtir comme une caille ! Je vous laisse donc à vos occupations puériles et je vais vous attendre à l'ombre dans la voiture !

Aude et Alexandre pouffèrent. Nicolas avait à peine effectué quelques pas qu'Hannibal lui passait devant, la langue pendante.

— Même ton chien sent que ce n'est pas bon pour lui ! Tu ferais mieux d'en prendre de la graine !

— Il a juste soif ! Si tu pouvais lui donner un peu d'eau dans sa gamelle, tu serais adorable ! le pria Alexandre tout en éclaboussant Aude à grands coups de battements de jambes.

— Ben voyons ! grommela Nicolas.

Il remonta le chemin accompagné d'Hannibal, qui gambadait entre les fleurs. Nicolas huma l'air avec délectation. Il devait reconnaître que, maintenant qu'il ne se sentait plus la cible de tiques et autres acariens en tous genres, il appréciait la nature qui s'offrait à lui. Arrivé à la voiture, il chercha la bouteille dans le coffre, attrapa la gamelle du chien et la remplit d'eau. Jamais il n'aurait imaginé donner de l'eau minérale à une bête. Il ne se serait d'ailleurs pas davantage cru capable de rester seul avec un animal tout court, même pour un instant !

Hannibal se jeta sur l'eau qu'il lapa bruyamment jusqu'à la dernière goutte.

— J'espère que tu ne vas pas pisser sur la banquette arrière parce que moi je te fous par la fenêtre ! le prévint-il gentiment.

Il ramassa l'écuelle vide, la tint à bonne distance de lui en la maintenant par le bout des doigts, la reposa dans le coffre.

— Allez ! Fais coucouche ici ! indiqua-t-il à Hannibal en lui faisant signe de grimper sur le plaid étendu à l'arrière.

Le chien s'exécuta en frétillant de la queue.

Nicolas s'assit à l'avant du véhicule, fouilla dans sa poche pour en sortir son téléphone. Pas de réseau. Il rangea son portable et se cala confortablement dans son siège, puis ferma les yeux et laissa errer ses pensées, qui l'emportèrent jusqu'à son frère.

*

*New York – 11.05 a.m.*

Il lui fallait plus d'espace pour respirer. Sophie Voiront posa une main sur sa poitrine, soudainement oppressée. Elle aurait donné cher pour sortir et prendre l'air. Façon de parler. Car « prendre l'air » au beau milieu de Times Square en plein mois de juin était une vue de l'esprit.

Munie de son portable, elle quitta précipitamment son siège, passa derrière deux collègues et se cala dans le fond de la pièce. Elle sentit le regard réprobateur de quelques mécontents qui attendaient pour acheter un billet, mais n'y accorda pas d'importance. Elle était habituée à ce type de réaction lorsqu'elle prenait sa pause.

Insensible au brouhaha, elle réécouta le message de Jérôme.

Elle avait donc bien entendu. Il était ici. À New York. Il savait qu'elle jouait au Hudson.

Que lui voulait-il ?

Elle regagna son siège à toute vitesse, avant que les gens qui patientaient dans sa file ne commencent à faire un scandale.

Le client face à elle lui demanda dans un anglais très approximatif deux places pour *The Phantom of the Opera*. Machinalement, elle lui tendit les billets, encaissa l'argent.

Et Charlène l'accompagnait. Faisait-il du tourisme et cherchait-il à lui présenter sa fille ?

Un frisson lui parcourut tout le corps, tandis que le client suivant trépignait. Jamais un donut n'avait été si lourd à digérer.

Jérôme l'attendrait de pied ferme au Hudson, elle n'en doutait pas une seconde. Il allait être surpris quand il verrait qu'elle n'y serait pas. Car ce soir c'était relâche pour elle. Ça lui faisait gagner un jour. Mais qu'en serait-il demain ? Et ne poserait-il pas de questions sur elle ?

La panique la gagna.

Elle ne pouvait pas rester ici. Elle s'excusa auprès de son client, expliqua à sa collègue qu'elle se sentait au bord du malaise. Deux minutes plus tard, son responsable passait derrière elle. Ici, on le surnommait l'Adjudant. Ses ordres étaient toujours secs et personne n'osait lui dire quoi que ce soit. Celui qui voulait garder sa place n'avait qu'à bien se tenir. Sophie l'avait compris.

La gorge nouée, elle lui expliqua qu'elle était malade et demanda à être remplacée jusqu'à la fin de la journée. Peu amène mais convaincu par sa pâleur, le garde-chiourme lui jeta un regard noir. Mais lui fit signe qu'elle pouvait y aller.

Elle ne se le fit pas dire deux fois : elle attrapa son sac et fila vers la sortie. Une fois dans la rue, elle effectua quelques pas, la tête résolument baissée. Puis elle se mit à courir vers la station de métro la plus proche.

*

*Près de Fleutière – 17 h 18*

Des éclats de rire réveillèrent Nicolas. Il était près de 17 h 20 à sa montre. Vingt minutes qu'il s'était assoupi sans même s'en rendre compte. Les voix d'Aude et d'Alexandre se rapprochaient. Ils avaient enfin décidé de cesser leur petite pause récréative. Il se leva, épousseta d'une main son pantalon, où des brindilles étaient restées accrochées.

Enfin, ses deux compagnons apparurent, un large sourire aux lèvres.

— Tu n'as pas été attaqué par un ours, finalement ? le taquina Alexandre une fois arrivé à sa hauteur.

Nicolas fit un rictus en guise de réponse et grommela quelque chose d'inintelligible tout en se glissant derrière le volant.

Aude se servit un verre d'eau, en proposa à Alexandre, puis ouvrit la portière côté passager.

— Où est Hannibal ? demanda Alexandre d'un ton étonné.

Nicolas lui répondit sans tourner la tête :

— Ta sangsue à pattes est sur le siège derrière moi. Elle fait comme moi : elle poireaute en attendant que vous ayez fini d...

— OÙ EST HANNIBAL, NICOLAS ? répéta Alexandre, alors que son visage changeait de couleur.

Nicolas se retourna brusquement.

Le plaid sur lequel s'était couché Hannibal était toujours en place mais l'animal, en revanche, avait disparu...

## 16.

*Paris – 17 h 29*

Hortense de Fontarnet reposa le cadre photo sur le buffet. Elle éprouvait depuis ce matin une nostalgie inexplicable. Ce n'était pourtant pas son genre. Elle ne se plaignait jamais.

Hortense se sentait triste. Très triste. Sans nouvelles d'Alexandre depuis plusieurs jours, elle s'inquiétait car elle l'avait senti perturbé lors de son dernier appel. Elle devinait que lui aussi se retrouvait corseté dans l'éducation très – trop ? – stricte de sa classe sociale. Elle-même s'était docilement pliée à ses convenances : elle avait appris et intégré de cultiver au quotidien le sens des formes, l'art de la nuance et le contrôle de soi. Mais elle savait que son fils était écartelé entre ses rêves et les exigences de son milieu.

Elle essaya d'inhaler un peu d'air pour apaiser la pression qui ne la quittait pas depuis le réveil. C'était pire que la veille, lorsque avait débuté cette sensation d'écrasement sur sa poitrine. Et cette difficulté à respirer...

Peut-être se faisait-elle trop de souci pour son fils. Il n'était plus un enfant. Elle avait toujours été surprotectrice avec lui, c'était ainsi. Peut-être pour compenser la dureté de son mari.

Elle regagna la cuisine, se servit un verre d'eau fraîche et but à petites gorgées.

Alors qu'elle se retournait vers l'évier, un éclair d'une violence extrême lui transperça la poitrine. Elle posa une main crispée sur ses seins mais l'intensité de la douleur lui fit perdre connaissance. Elle s'écroula sur le sol, tandis que le verre éclatait avec fracas sur le carrelage.

*

*Près de Fleutière – 17 h 30*

— Je ne comprends pas, Alex... Il a dû descendre pendant que je somnolais à l'avant de la voiture. Je ne l'ai pas entendu et...

— Je te l'avais confié et tu l'as perdu ! l'accusa Alexandre. S'il lui arrive quelque chose, je ne te le pardonnerai jamais !

Ils partirent chacun de leur côté à la recherche de l'animal.

Nicolas était au plus mal. Il retourna vers l'endroit où Alexandre et Aude s'étaient trempé les pieds, en espérant que l'animal ait eu l'envie de rejoindre son maître. Il buta sur quelque chose. Dégoûté, il écarta les herbes hautes avec son pied pour apercevoir le cadavre d'un petit mammifère. Plus gros qu'un rat, la queue de l'animal relevait davantage de la famille des ragondins. Nicolas agita la main comme pour chasser les noms des maladies, de la tularémie à la peste bubonique, qui venaient de lui envahir le cerveau. Ses connaissances étaient particulièrement complètes en ce qui concernait les virus et bactéries transmis par les rongeurs.

Luttant contre le haut-le-cœur qui menaçait de lui faire rendre tout ce qui se trouvait dans son estomac, il sortit par réflexe son gel hydroalcoolique et s'en aspergea les mains jusqu'aux avant-bras. Puis il scruta les étangs, les champs de maïs qui s'étendaient à perte de vue.

Il allait leur falloir un sacré coup de bol pour retrouver Hannibal.

*

*New York – 12.30 p.m.*

Sophie claqua la porte et la verrouilla immédiatement, comme si quelqu'un l'avait suivie.

— Et merde, merde, merde ! hurla-t-elle.

Pourquoi cet imbécile resurgissait-il subitement dans sa vie ?

Cela s'était déjà produit il y avait quelques années, lorsque Charlène était tombée malade. Certes, la gamine était restée pas mal de temps hospitalisée. Mais elle s'en était sortie. Heureusement, car elle ne lui souhaitait aucun mal. Mais cette enfant avait beau être sa fille, elle lui était totalement étrangère.

Alors, cette fois-ci, qu'est-ce qui le poussait à la rechercher à nouveau ?

Une image furtive, puis des flashs tout aussi rapides lui traversèrent l'esprit : une petite fille, des cheveux longs, une trottinette et puis, toujours, le bruit du choc. Le souvenir de ce vacarme était ce qui la hantait encore le plus.

— La ferme ! cria-t-elle à voix haute. Allez, on se concentre et on se calme...

Rachel, une copine de scène, l'avait initiée aux pouvoirs apaisants de la méditation. Elle la lui avait enseignée pour l'aider à surmonter son trac avant de monter sur scène. Peut-être que cela l'apaiserait.

Sophie se mit en position du lotus et chercha à prendre une grande respiration abdominale.

Non, ça ne fonctionnait pas.

Elle ne pouvait empêcher de surgir l'image de Jérôme flanqué d'une gamine – une ado, maintenant –, se pointant au théâtre ou à son boulot. Personne ne connaissait rien de sa vie antérieure. Sa « première vie », comme elle l'appelait en son for intérieur, qu'elle avait tout fait pour oublier.

Elle se redressa, détendit ses jambes et se mit en position de la pince, étirant son dos et ses jambes. Elle devait chasser cette vilaine tendance paranoïaque et se laisser pénétrer par la sérénité. Elle inspira lentement à pleins poumons, puis libéra progressivement l'air en comptant jusqu'à cinq.

Se pouvait-il qu'il vienne pour... l'accident ? Mais c'était si vieux, dix-sept ans... En France, n'y avait-il pas prescription passé un certain temps ?

Quand bien même. Qui aurait envie de lui confier le moindre rôle si ce qu'elle avait fait s'apprenait ?

Une violente nausée lui souleva l'estomac. Elle se précipita à temps dans les toilettes pour régurgiter l'intégralité de son *donut*.

Lorsque les spasmes cessèrent, elle se laissa retomber sur le sol, au côté de la cuvette souillée. Les yeux rougis et gonflés, elle songea qu'elle n'aurait finalement pas complètement menti à cet enfoiré d'Adjudant : elle était vraiment au plus mal.

*

*Près de Fleutière – 18 h 55*

Cela faisait plus d'une demi-heure que Nicolas, Aude et Alexandre cherchaient Hannibal en hurlant son nom. Nicolas remonta jusqu'à la voiture. Aude et Alexandre s'y trouvaient déjà.

Devant la mine décomposée de ce dernier, Aude lui attrapa doucement la main.

— Ne t'inquiète pas. On va le retrouver. C'est juste une question de temps.

Elle ajouta, après un instant de silence :

— Les étangs sont nombreux par ici et la lumière va commencer à baisser. Si ça se trouve, Hannibal a longé la route, tu ne crois pas ?

— Sur une nationale ? Mais je vais le retrouver écrasé...

Il fondit en larmes.

— Si au moins on avait du réseau, déplora Aude. On pourrait appeler la gendarmerie.

— Pas sûr qu'ils nous aideraient, lança Nicolas. En tout cas, il faut s'organiser. On n'est même pas équipés d'une lampe torche. Il vaudrait mieux prévoir un peu de matériel pour qu'on puisse au moins y voir à cinq mètres.

— Bonne idée. Alex, viens, on va en ville, on s'arrête à la première station-service qu'on trouve, et on revient. Et puis on expliquera aux gens que nous avons perdu un chien : ils l'auront peut-être déjà retrouvé ! Un petit bouledogue noir, ça ne doit pas courir les rues, par ici !

Nicolas se glissa derrière le volant, pendant qu'Alexandre se laissait tomber sur le siège passager et Aude sur le siège arrière.

Nicolas démarra en trombe.

À peine deux minutes plus tard, Alexandre l'invectivait déjà :

— Tu pourrais peut-être accélérer un peu, non ? On ne part pas en balade, là ! On va chercher mon chien que *tu* as perdu !

— Alex, je n'ai pas d'hélicoptère, je fais de mon mieux, figure-toi...

— De ton mieux ? J'ai l'impression d'avancer aussi rapidement que dans une charrette à bras !

Nicolas prit sur lui pour ne rien répliquer. N'était-il pas responsable de cette situation ? Il découvrit avec soulagement qu'une station-service était annoncée sur leur route, à moins de cinq kilomètres.

— Top ! On va pouvoir s'arrêter là ! se réjouit-il avant d'être coupé par une sonnerie de téléphone.

— Ouf ! Du réseau ! s'exclama Alexandre en attrapant son portable. Oh, c'est ma sœur ! gémit-il. Elle m'appelle deux fois par an et il faut que ce soit maintenant... Elle a qu'à me laisser un message, c'est vraiment pas le moment !

Aude hocha la tête en signe d'acquiescement et se concentra à nouveau sur la route, scrutant tout particulièrement les bas-côtés de la nationale. Elle espérait de tout cœur ne pas y distinguer le corps inerte d'un petit chien.

Alexandre lança le message sur haut-parleur et la voix de sa sœur emplit l'habitacle. Il écoutait à peine, les yeux vissés sur les bords de la route.

« Alexandre, rappelle-moi de toute urgence ! »

Deux secondes s'écoulèrent. Suffisamment de temps pour qu'Alexandre se retourne brusquement et que ses yeux s'arriment à ceux d'Aude en attendant la suite, qui claqua comme un coup de fouet :

« Maman vient de faire une crise cardiaque... »

*

*New York – 1.12 p.m.*

D'un geste rageur, Sophie enleva son tee-shirt et entra dans la minuscule pièce qui lui servait de salle de bains. Elle ne devait pas se laisser envahir par une telle peur. Elle avait eu à affronter bien d'autres épreuves dans sa vie. Et à chaque fois, la seule technique qui avait fonctionné avait été de ne pas penser au problème en question.

La meilleure manière d'oublier, c'était soit de s'abrutir devant un film, soit de dormir. Elle avait appris cela dix-sept ans plus tôt. Elle se demandait même parfois si cette gamine, au bord de la route, avait vraiment existé. Elle avait bien une idée de ce que les psychiatres auraient pensé de sa manière de considérer les choses, mais elle s'en contrebalançait. Elle avait au moins trouvé le moyen de s'en sortir sans divan. Et de bien vivre.

Elle allait donc prendre une douche bien chaude, avaler une tisane et deux épisodes de la dernière saison de *Stranger Things*, puis elle irait se coucher. Et hop ! en s'éveillant le lendemain, elle aurait pris suffisamment de recul pour réaliser que tout ça n'était que du bluff. Lorsque Jérôme verrait qu'elle ne jouait pas ce soir, il repartirait. Il n'oserait pas poser de questions...

Elle resta un long moment sous le jet d'eau avant de regagner sa chambre. Là, elle griffonna un mot à l'intention de sa colocataire pour qu'elle ne la réveille pas en rentrant. Elle plaça cette note en évidence sur l'unique fauteuil de ce qui se voulait être un « salon » et éteignit son portable.

Demain était un autre jour...

*

*Sur une nationale, entre Fleutière et Paris – 19 h 24*

Aude jeta un coup d'œil discret en direction d'Alexandre qui restait prostré depuis leur départ de la station-service.

À l'annonce de l'infarctus de la mère d'Alexandre, Nicolas lui avait immédiatement tendu les clés de sa voiture en lui disant que c'était à elle d'accompagner leur ami au chevet de sa mère. Lui se débrouillerait pour retrouver Hannibal, quoi qu'il lui en coûte.

Le téléphone d'Alexandre sonna. C'était sa sœur, de nouveau, qui lui annonçait que leur mère venait d'entrer au bloc opératoire de l'unité de cardiologie de l'Hôpital américain.

Décidément, se dit Aude, le sort s'acharnait sur eux.

*

*Fleutière – 21 h 35*

Nicolas était enfin arrivé. Après avoir réservé une chambre à l'hôtel, il s'était rendu à pied dans une station-service, avait acheté une lampe torche, puis était revenu à l'endroit même où Hannibal avait disparu. Il avait bien parcouru six kilomètres. Il n'y verrait bientôt plus rien.

Nicolas regarda autour de lui. Il n'y avait pas âme qui vive... À part, sans doute, celle de bestioles. Un frisson lui parcourut l'échine.

— Allez, ce n'est pas le moment de penser à des trucs flippants, s'encouragea-t-il à haute voix.

Sa culpabilité au sujet d'Hannibal le tiraillait. Si le chien s'était fait écraser à cause de sa négligence...

*Ce ne sera pas la première fois qu'un être vivant mourra par ta faute !*

Il jeta un nouveau coup d'œil sur les champs qui s'étendaient au loin, et reprit ses recherches.

*

*New York – 6.30 p.m.*

Charlène sortit du théâtre à la suite de son père. Jérôme avait demandé à l'homme qui se trouvait à l'accueil vers quelle heure arriverait Sofia Fox. Charlène avait senti une immense déception s'abattre sur elle lorsque celui-ci avait répondu que Sofia ne travaillait pas ce soir.

Ils allaient repartir du Hudson lorsqu'une femme les aborda.

Son visage était entièrement recouvert d'un maquillage de scène : le teint couleur porcelaine, les yeux accentués par du khôl noir très épais et une épaisse rangée de faux cils, une bouche dessinée au crayon rouge vif, et des paillettes d'or sur les pommettes. Le tout très ambiance cabaret.

L'actrice leur demanda pourquoi ils voulaient voir Sofia, et s'ils souhaitaient lui laisser un message. Quand Jérôme précisa qu'ils étaient de la famille et qu'ils profitaient d'un voyage à New York pour lui rendre visite, elle ne put masquer une expression de surprise. Mais elle se contenta de leur indiquer que Sofia jouerait bien le lendemain.

Elle regagna sa loge, toujours perplexe. Elle aurait pu leur dire que Sofia travaillait au TKTS. Méfiante, elle ne l'avait pas fait : Sofia lui avait toujours affirmé qu'elle n'avait plus aucune famille...

De leur côté, Jérôme et Charlène en avaient plein les pattes. Il était à présent presque 7 heures du soir. La foule se densifiait.

— Je crois que nous en avons assez fait pour aujourd'hui, balança Jérôme. Ça ne sert à rien de rester ici puisqu'elle ne joue pas ce soir. Nous reviendrons demain. Il vaut mieux qu'on reprenne des forces.

Charlène aurait volontiers contesté, mais avec le *jet lag* et la fatigue du voyage, elle n'aspirait plus qu'à rentrer à l'hôtel et dormir. Elle acquiesça donc mollement et ravala sa déception. Elle avait cru que tout serait simple.

Au même moment, à quelques mètres d'elle, dans une loge, une femme prête à entrer en scène envoyait un SMS à Sophie.

## 17.

*Dans la nuit du 5 au 6 juin 2019,*
*près de Fleutière – 1 h 36*

Nicolas était éreinté. Éreinté et terrifié. Il savait dorénavant qu'il existait deux types de nuits : celle de la ville, d'une obscurité cassée à intervalles réguliers par l'éclairage urbain, et celle, plus noire que les ténèbres, de la campagne. Et cette dernière était effrayante.

À la faible lueur de sa torche, il ne voyait quasiment rien et avançait en aveugle. Mais malgré sa peur des bêtes, il ne voulait ni ne pouvait renoncer.

Quoi qu'il arrive, il devait retrouver Hannibal.

*Pour ne pas avoir à te reprocher plus tard de ne pas avoir réagi comme il aurait fallu ?*

*Tu connais bien ce sentiment, n'est-ce pas ? Ce ne serait pas la première fois que tes actes auraient des conséquences dramatiques sur quelqu'un...*

— Hannibal ! cria-t-il dans le noir.

*Cela n'a rien à voir.*

*Simplement cette pauvre bête n'a aucune chance de s'en sortir seule.*

Il était à bout. Depuis combien d'heures s'époumonait-il à appeler Hannibal ? Et toujours aucun signe de vie... S'était-il noyé ?

*Un chien, se noyer ?*

*Espèce d'imbécile ! Il faut te rendre à l'évidence : tu es nul. Nul pour prendre soin de quelqu'un, nul pour secourir ceux qui ont besoin d'aide...*

— STOP ! hurla-t-il à nouveau.

Un hululement résonna dans la nuit. Une chouette ? Un rapace, peut-être...

*Il va vraiment falloir que tu te ressaisisses, Nicolas.*

Était-ce la moiteur de la nuit ou le stress qui rendait l'air si irrespirable ? Il aurait donné n'importe quoi contre un verre d'eau fraîche...

Il pivota sur lui-même. Avait-il fait un tour complet ? Deux ? Il n'en avait pas la moindre idée. Comment le savoir, sans aucun repère ?

*Fais donc comme les aveugles. Sers-toi de tes autres sens. De ton ouïe, notamment.*

Des bruits d'insectes habillaient le silence nocturne. Combien de bestioles fallait-il pour faire un tel boucan ? Des centaines ? Des milliers, à n'en pas douter !

Une peur panique se propagea en lui. À quoi bon s'obstiner dans ces terres saturées d'eau qui ressemblaient à des marécages ? Il leva la tête vers le ciel rempli d'étoiles. À des kilomètres d'ici, à Paris, Alexandre priait probablement pour retrouver son chien. Nicolas lui apprendrait peut-être l'échec de ses recherches dans quelques heures. Il s'imaginait déjà ramener la pauvre bête blessée. Ou ce qu'il en resterait, enroulé dans une couverture.

Alexandre espérait sans doute un miracle. Parce qu'il lui faudrait au moins cela pour récupérer le chien. Mais Nicolas ne croyait pas aux miracles. La vie s'était amèrement chargée de lui apprendre qu'ils n'existaient pas. Pas pour lui, en tout cas.

*Oui, tu as vraiment compris cela à tes dépens. Tu aurais bien eu besoin de ce fameux miracle au moins une fois dans ta vie...*

Il venait d'effectuer une autre enjambée lorsque son pied se posa sur quelque chose de visqueux. Il glissa, tenta de retrouver l'équilibre en ramenant son autre jambe à la même hauteur, mais son pied se prit dans un branchage et il tomba lourdement sur le sol boueux.

Las, il coupa la torche qu'il rangea dans une des poches de son blouson. Il s'aperçut qu'il prononçait des mots inintelligibles à voix haute. Pour ne plus entendre ces bruits de bêtes sauvages. Pour ne plus être seul. Pour ne plus être ici.

Une sensation de mort imminente lui oppressa la poitrine. Il allait finir dévoré par un renard ou un ours. Alex avait beau s'être moqué de lui, ce n'était pas lui qui allait se faire attaquer... Il y avait bien des ours en France, non ? Qu'est-ce qui les empêchait de dépasser la barrière des Pyrénées ? De simples panneaux ?

Les stimuli ambiants lui parvenaient à présent de manière amplifiée. Le décor qui l'entourait semblait se transformer. Il le sentait. Tout comme il aurait juré que des ombres se resserraient autour de lui.

Une phalène lui effleura la joue. Terrorisé, il se frotta vigoureusement la figure et rechercha sa lampe torche en tremblant. Puis, au prix d'un immense effort, il retroussa les manches de sa chemise en flanelle, se remit debout et reprit sa marche sur les rives boueuses de l'étang.

Un autre insecte, *quelque chose* de bien plus grand et gros qu'un papillon, lui frôla les cheveux. En proie à une soudaine terreur, il se mit à courir droit devant lui tout en frappant l'air de ses bras. Jusqu'à ce qu'il trébuche et que sa tête vienne violemment heurter un énorme rondin. Sonné, il demeura incapable de se relever. Son propre corps semblait ne plus lui appartenir. Il ne sentait plus ni ses bras ni ses jambes, pas même l'eau qui lui trempait à présent le dos.

Incapable de raisonner ou d'agir, le visage de son frère s'imposa à son esprit et il perdit connaissance.

*

*New York – 9.31 p.m.*

Sophie s'éveilla en sursaut, arracha brusquement le masque de sommeil qu'elle posait tous les soirs sur ses yeux avant d'aller se coucher, chercha à tâtons son portable sur le tabouret qui lui servait de table de chevet.

Le coup de fil de Jérôme l'avait rattrapée dans son rêve. Elle ne pourrait pas se rendormir sans être certaine que cet abruti ne lui avait pas laissé un autre message.

Elle alluma son téléphone et poussa un soupir de soulagement lorsqu'elle vit que seul un SMS d'une copine de scène l'attendait. Elle cliqua machinalement dessus, rassurée de voir qu'elle avait eu raison de ne pas s'affoler au sujet de Jérôme.

Mais la lecture du SMS manqua la faire défaillir : « Hello Sophie ! Un mec et une ado sont passés tout à l'heure au théâtre. Des Français. Ils disent être de ta famille et te cherchaient. J'ai rien dit pour le TKTS mais ils reviendront demain au Hudson. T'as des soucis ? »

*

*Près de Fleutière – 4 h 24*

C'était très bizarre, cette sensation de flottement, cet état de demi-conscience. Et cette douleur lancinante dans son crâne...

Nicolas pouvait voir sa mère allongée sur le sable. Ou plutôt, il la devinait.

Il y avait beaucoup de monde autour de lui, mais il n'entendait aucun bruit. Comme si le son était coupé. Et quel âge avait-il donc pour s'occuper à faire dess châteaux de sable ? Il tendait les bras et voyait une pelle dans une main, un râteau dans l'autre. Son petit frère s'évertuait à piquer sur l'une des tours un bâtonnet d'esquimau trouvé sur la plage, un sourire jusqu'aux oreilles. Il semblait heureux, et Nicolas s'en félicita. Il leva la tête et vit ces falaises qui lui étaient si familières. Étretat. Étretat et tous les souvenirs magiques de son enfance.

Des bruits bizarres lui parvenaient en toile de fond. Des sons confus mais de plus en plus proches.

Pour en connaître la provenance, il aurait fallu s'arracher de ce moment délicieux qu'il partageait avec son frère. On lui passait à présent un tissu humide sur la joue. Sa mère faisait toujours ça lorsqu'il avait la bouche sale. Elle prenait un mouchoir qu'elle humectait de sa salive et le lui passait rapidement sur le visage. Il détestait ça. Il repoussa machinalement le bras maternel avant que sa main ne rencontre... une peau râpeuse.

Il revint immédiatement à lui et ouvrit les yeux.

Nicolas se redressa brutalement, attrapa la torche faiblement allumée, et balaya ce qui l'entourait.

Son cœur s'arrêta de battre un millième de seconde lorsque le faisceau de lumière éclaira les pupilles d'un animal.

Hannibal.

Nicolas hurla de joie et sauta sur le chien pour le serrer contre lui. Plus rien n'avait d'importance. Les miracles existaient : il n'avait peut-être pas réussi à retrouver le chien d'Alexandre, mais Hannibal l'avait retrouvé, lui.

Le bouledogue lui léchait le visage à pleine langue. Il songea à dégainer son flacon de gel hydroalcoolique pour s'en frotter les joues et les mains. Mais il n'en fit rien. Nicolas n'avait plus que faire des bêtes sauvages et autres microbes. En cet instant précis, rien n'était devenu plus important au monde que de serrer contre lui ce joyeux canidé. Il ne pouvait plus s'arrêter de l'embrasser et de le caresser. Nicolas avait réparé sa faute, et imaginait déjà le bonheur dans les yeux d'Alexandre quand il retrouverait Hannibal.

Il lui fallait maintenant mettre au plus vite la pauvre bête trempée en sécurité. Plus question de le lâcher. Épuisé mais heureux, Nicolas reprit sa marche pour rejoindre les rares poteaux d'éclairage qui signalaient la route nationale. Il avançait sans plus se soucier de l'endroit où il posait les pieds, heureux de tenir son trophée dans ses bras.

*

*Neuilly-sur-Seine, Hôpital américain – 5 h 06*

Alexandre était absorbé par le rythme du goutte-à-goutte de la perfusion. La main de sa mère dans la sienne, il attendait qu'elle se réveille.

L'intervention chirurgicale s'était bien déroulée. Le médecin lui avait assuré que la pose de stents était rarement suivie de complications, et qu'il pouvait donc considérer sa mère comme sauvée.

Mais, encore sonné par l'avalanche de nouvelles de ces derniers jours, Alexandre ne se sentait pas loin de l'effondrement.

Par six fois il avait cherché à joindre Nicolas pour savoir s'il avait pu retrouver Hannibal. Invariablement, son appel dérivait sur la boîte vocale.

Abattu, il posa sa tête sur le bord du lit, sans lâcher la main de sa mère.

*

*New York – 10.01 a.m.*

Sophie était une vraie boule de nerfs. Non seulement elle n'avait pu se rendormir, mais elle avait le ventre noué à l'idée que Jérôme se pointe sur son lieu de travail. Les touristes s'imaginaient Broadway immense, mais le milieu des gens du spectacle était un petit milieu fermé : presque tous ceux qui y travaillaient se connaissaient. Si Jérôme venait à pousser la bonne porte, il finirait par apprendre qu'elle travaillait chez TKTS pour arrondir ses fins de mois.

Elle s'installa derrière le guichet. Elle avait les mains moites.

— C'est ouvert ?

Elle sursauta et parvint à se ressaisir lorsqu'elle vit l'homme chauve et imposant qui se tenait derrière la vitre et l'avait interpellée en français. La femme qui l'accompagnait lui tapa dans les côtes et il s'excusa aussitôt dans un anglais très approximatif.

Volontairement, elle lui demanda dans la même langue quel show il souhaitait voir. Elle éviterait de parler français tant que Jérôme ne serait pas reparti des États-Unis.

*Parce que tu crois que ton petit doigt le devinera ?*

Peut-être pas. Mais il valait mieux être prudente dans l'immédiat.

Elle rendit la monnaie, et souhaita une bonne soirée au couple français. Puis attendit quelques secondes avec la peur au ventre de découvrir le visage du client suivant.

*Allons, ressaisis-toi. On a dit halte à la paranoïa et place à la sérénité, tu te souviens ?*

Elle se surprit même à voir ses mains trembler.

Sa collègue et amie, Joyce, lui tapota sur l'épaule et lui demanda si elle se sentait bien, en ajoutant qu'elle la trouvait très pâle. Sophie la rassura mais elle avait conscience de ne pas être vraiment crédible. Elle essaya de se concentrer sur le client. Son front perlait de sueur. Invariablement, tout la ramenait à Jérôme, qui pouvait surgir à chaque instant.

Bon sang, mais quel était donc le délai de prescription en France ?

*Allez, j'arrête de me comporter comme une cinglée, tout va bien se passer...*

*Ah oui ? Après des années de silence, Jérôme te réécris, plusieurs fois, et là comme par hasard il est là, à des milliers de kilomètres de chez lui, et il veut venir te voir jouer au théâtre. Qui est la plus cinglée des deux : la sereine ou la paranoïaque ?*

Elle tenta de mettre en pratique ses exercices de méditation. Sans succès.

Elle ne pourrait pas tenir ainsi toute la journée. C'était impossible. Elle préférait encore prendre le risque de se faire virer plutôt que de rester assise à guetter tous ceux qui s'approchaient du guichet.

Et ce n'était rien comparé à ce qui l'attendrait ce soir au théâtre. Il avait peut-être l'intention de faire un esclandre, pour ruiner sa carrière. N'en déplaise donc à son boss, surnommé l'Adjudant, elle devait absolument rentrer et parler à Jérôme pour éviter à tout prix qu'il se pointe au théâtre...

Elle se leva, tituba, et Joyce la retint juste avant qu'elle ne sente ses genoux se dérober sous elle. Le patron arriva aussitôt. Sa mine blafarde plaiderait en sa faveur : au moins ne pourrait-on pas lui reprocher de simuler.

Elle expliqua avoir mangé un truc qui ne lui avait vraisemblablement pas réussi. Comme elle s'y attendait, l'Adjudant lui balança qu'il lui était difficile de trouver une remplaçante au pied levé, et que si son problème s'éternisait, il allait devoir y répondre de manière définitive. Sophie s'excusa et proposa de poser trois jours de congés. Qu'elle reviendrait totalement requinquée et que cela ne se reproduirait plus. L'Adjudant prit quelques secondes pour l'observer. La file commençait déjà à s'allonger. Mais il suffisait de regarder Sophie pour comprendre qu'elle serait incapable d'assurer son service. Il allait ouvrir la bouche pour lancer un cinglant : « Tu auras tout le temps pour te reposer : tu es virée ! » mais il se retint. En cette saison, les touristes affluaient et former quelqu'un lui prendrait trop de temps.

Au grand soulagement de Sophie, elle entendit à la place :

— Tu as trois jours pour revenir fraîche comme la rosée. Sinon, inutile de te repointer ici. Tu piges ?

Elle hocha vigoureusement la tête, le remercia et s'excusa une dernière fois avant de déguerpir.

Trois jours, c'était toujours ça de gagné.

Il fallait juste qu'elle s'assure que tout serait réglé d'ici là.

Elle n'avait dorénavant plus que deux objectifs en tête : s'isoler pour appeler cet imbécile de Jérôme, puis faire en sorte qu'il déguerpisse au plus vite.

*

*New York – 10.45 a.m.*

Malgré l'heure matinale, Jérôme et Charlène savouraient deux énormes bagels de chez Absolute

Bagels, une institution à Manhattan. Le téléphone de Jérôme retentit. La bouche pleine, celui-ci consulta son écran.

Charlène le vit subitement suspendre sa mastication, puis déglutir rapidement. Après une longue inspiration, elle l'entendit dire d'une voix grave :

— Bonjour, Sophie...

*

*New York – 10.52 a.m.*

D'un geste rageur, Sophie balança l'ensemble des coussins posés sur son canapé-lit.

Mais qu'est-ce qui lui avait pris d'accepter ce foutu rendez-vous ?

Les problèmes existentiels de la gamine ne la concernaient pas. Elle n'avait rien contre elle, mais elle ne l'avait jamais vue, n'avait jamais eu envie d'entrer en contact avec elle. Si ce n'était les premiers jours de son existence. Et ça remontait à presque dix-sept ans. Certes, elle avait tout de même porté cette gamine dans son ventre durant huit mois et demi. Et souffert de longues heures pour la mettre au monde. Mais que restait-il de tout cela, qu'elle avait mis toute son énergie à fuir ?

Sophie n'arrivait pas à analyser ce qu'elle ressentait. Était-ce de la peur ? de l'affection ? Rien de tout cela, elle devait le reconnaître. Rencontrer sa « fille » lui était vraiment indifférent. Quoique. Elle devait avouer un brin de curiosité. Cette jeune fille lui ressemblait-elle ?

De toute façon, elle n'avait guère eu le choix. Puisqu'elle voulait les voir rentrer à Paris, elle avait dû accepter un rendez-vous avec eux. Jérôme avait été catégorique sur ce point. Alors, perdre une demi-heure dans sa journée n'était rien comparé au cauchemar qu'elle avait imaginé...

Elle s'aspergea le visage d'eau fraîche, se donna un coup de brosse, un autre de blush rose sur les joues et se regarda dans le miroir. Son reflet lui renvoya l'image de celle qui avait un jour choisi de tourner la page pour changer de vie. Celle qui avait tout plaqué pour rejoindre cette Amérique qui la fascinait. Celle qui avait dû faire des choix terribles pour se donner les moyens de réaliser ses rêves.

Plus vite elle serait partie, plus vite elle serait rentrée.

*

*Près de Fleutière – 17 h 05*

Le dos calé contre un muret, face à l'hôtel où Nicolas dormait encore, Aude ne savait plus quoi faire.

Après avoir ramené Alexandre à Paris, elle était aussitôt revenue à Fleutière. Par deux fois, elle s'était rendue seule chez les Thévenard, mais personne ne semblait être revenu dans cette petite maison aux volets bleus, restés clos. Et pas de chien pour l'accueillir, malgré l'avertissement de Mme Martier.

Jérôme lui avait laissé un message après sa tournée des théâtres. Tiraillée entre sa rancœur contre

« Jonathan » et son envie de l'entendre, elle avait lutté pour ne pas le rappeler mais fini par essayer de le joindre une dizaine de minutes auparavant. Elle était tombée sur sa messagerie. Avec le *jet lag*, lui et Charlène devaient être crevés...

Alexandre, resté au chevet de sa mère, était également sur répondeur.

Nicolas n'avait pu regagner l'hôtel qu'à son ouverture, à 8 heures. Tombé comme une pierre, il n'avait émergé que vers 14 heures lorsqu'elle l'avait appelé, puis s'était rendormi après lui avoir raconté son périple de la nuit précédente. Hannibal était resté couché à ses pieds, ces deux-là étaient devenus inséparables depuis leurs dernières aventures. Nicolas le couvait comme la prunelle de ses yeux, et passait son temps à le caresser. Un comble !

Du coup, Aude se retrouvait seule et incapable de prendre une décision. Devait-elle réserver une chambre pour la nuit prochaine dans le but de retourner chez les Thévenard le lendemain ?

Elle soupira et s'accorda encore une heure de réflexion.

*

*New York – 11.47 a.m.*

Assis à l'une des tables du Starbucks, Jérôme et Charlène patientaient en silence.

Jérôme fixait son gobelet de café. Charlène faisait inlassablement tournoyer son portable sur lui-même. Elle ne s'arrêta que pour taper à la hâte un

SMS à l'intention de ses trois amis : « Vous vous rendez compte ? Dans quelques minutes, je vais enfin rencontrer ma mère... »

— Tu voudrais que je te laisse un peu seule avec elle ? lui demanda Jérôme, qui devinait son angoisse.

Charlène hésita, ne sachant que répondre. Elle n'eut pas à le faire, car la porte du café s'ouvrit à ce moment-là sur Sophie. Jérôme se redressa aussitôt en serrant les mâchoires. Charlène ne réalisa que c'était elle que lorsque la femme se planta devant leur table.

— Bonjour, Jérôme ! s'exclama-t-elle dans un grand sourire, comme si elle l'avait vu la veille. Toi, tu es donc Charlène, ajouta-t-elle en la dévisageant.

Sophie jouait un rôle de composition. Cette fausse convivialité masquait sa gêne et son embarras. Aucune vraie émotion ne traversait sa voix.

— Oui, c'est bien moi, répondit timidement Charlène, qui cherchait déjà dans son attitude, son regard, ses cheveux, le signe de ce qui allait pouvoir la raccrocher à elle.

Combien de fois avait-elle rêvé de cette rencontre ? Elle ne parvenait pas à détacher son regard de cette femme qu'elle avait si souvent imaginée.

— Je suis tellement heureuse de vous rencontrer, balbutia-t-elle d'une voix à peine audible.

Décontenancée, mais flattée par le regard admiratif que Charlène lui renvoyait, Sophie saisit une chaise pour combler le silence qui s'éternisait.

— On prend quelque chose ? proposa-t-elle à Jérôme qui, lui, ne quittait pas sa fille des yeux.

Il acquiesça, leur demanda à toutes deux ce qu'elles souhaitaient, et partit passer commande.

— Bien, commença Sophie. Tu désirais me rencontrer, Charlène. Me voici. Alors, que veux-tu savoir ?

*

*Neuilly-sur-Seine, Hôpital américain – 17 h 55*

Alexandre était appuyé sur le chambranle de la fenêtre. Sa mère s'était rendormie.

Sa rupture avec Dimitri, la disparition de son chien puis l'infarctus de sa mère avaient provoqué une onde de choc. Alexandre réalisait la fragilité des choses : en l'espace de quelques jours, il était sur le point de perdre les trois êtres auxquels il tenait le plus au monde.

Perdre l'un de ses parents, n'était-ce pas un peu se perdre soi-même ? Ce serait à n'en pas douter son cas. D'un sourire, d'un regard, d'une caresse furtive, sa mère avait su apaiser ses tourments lorsqu'il se cherchait, le rassurer quand son père le recadrait avec sévérité et froideur, lui apporter de la chaleur les jours de solitude. Auprès d'elle, il ne se sentait pas jugé. Elle aimait sa spontanéité. Et elle préférait son exubérance à la prison dans laquelle son éducation l'avait, elle, enfermée. S'il ne lui avait pas avoué son homosexualité, ce n'était pas par crainte de sa colère ou de son rejet. Il voulait juste ne pas la décevoir.

Il jeta un coup d'œil sur le scope qui retraçait l'activité électrique du cœur de sa mère.

Comment avait-il donc pu croire qu'elle serait éternelle ? Pourquoi n'avait-il pas vu le temps creuser des rides sur son visage, blanchir ses longs cheveux autrefois aussi noirs que le jais, flétrir cette peau fine dont il aimait tant la douceur lorsqu'il était enfant ?

Alexandre leva la tête pour se perdre dans le bleu azur du ciel. Si sa mère mourait, il ne se pardonnerait jamais son silence. Il passerait le reste de son existence à se répéter qu'elle était partie sans savoir qui il était réellement.

Les moments qu'il vivait étaient en train de le transformer, il devait en tirer les conséquences.

*

*New York – 11.58 a.m.*

Rien ne se déroulait comme Charlène l'avait imaginé.

Elle avait pensé que son père serait triste et fâché, que sa mère serait envahie d'un sentiment de culpabilité en la voyant et qu'elle la serrerait dans ses bras en pleurant.

Or, non seulement elle sentait le regard inquiet de son père rivé sur elle, mais sa mère ne l'avait même pas embrassée, et le seul sujet qui semblait stimuler son intérêt était d'évaluer leurs ressemblances physiques, pour retrouver la jeune fille qu'elle-même avait été.

C'était difficile à admettre, mais Charlène était déçue. Elle écoutait sa mère retracer sa carrière d'artiste d'une oreille polie mais distante. Ce n'était pas ce qu'elle était venue chercher. Elle était venue chercher une mère, sa mère, et elle découvrait une femme qui n'éprouvait visiblement de sentiments que pour elle-même.

— Avez-vous parfois regretté d'être partie et de m'avoir abandonnée, madame ? la coupa brusquement Charlène.

Sous le coup de la surprise, Sophie manqua renverser son gobelet.

— Oh... Tu es plutôt directe, toi !

Mais quand elle vit que ni Jérôme ni sa fille ne souriaient, et qu'ils attendaient une réponse claire de sa part, elle se lança :

— Tu sais, Charlène, être mère, ce n'est pas que porter un bébé ou accoucher. Et je n'ai rien contre toi... mais, moi, je ne voulais pas d'enfant. Et je l'ai toujours dit...

Elle s'arrêta un instant avant de poursuivre :

— Ça ne signifie pas que je ne t'aime pas, attention ! Mais je ne me sens pas, et ne me suis jamais sentie maman. Alors, non, je n'ai pas regretté d'être partie. Je savais que Jérôme s'occuperait bien de toi. Mieux que je ne l'aurais fait personnellement.

Charlène laissa les paroles infuser dans sa tête, et veilla à ne rien montrer de la peine qu'elles lui faisaient.

— Merci de votre franchise, murmura-t-elle.

— Tu sais, chercha-t-elle à se rattraper, je suis très émue. Te voir, là, en chair et en os... J'ai l'impression de me voir en plus jeune. C'est fou, tu ne trouves pas ? s'enquit-elle auprès de Jérôme.

— Non, je ne vois pas beaucoup de points communs...

— Ça m'aurait étonnée ! riposta Sophie en levant les yeux au ciel, agacée.

Mais Charlène n'avait pas le cœur à être juge de leurs règlements de comptes. Seuls les faits l'intéressaient.

— Pourquoi ne pas être venue à Paris lorsque je suis tombée malade ?

Sophie écarquilla les yeux.

— Malade ? De quelle malad... Ah oui ! Ton séjour à l'hôpital...

Elle avala une gorgée de thé.

— Jérôme m'a toujours répété que tu voulais me voir. Et maintes fois je lui ai répondu que ne pas nous connaître simplifiait les choses.

— Mais quel est le rapport avec l'hôpital ?

Elle s'approcha de la table et saisit les deux mains de Charlène.

— Je connais bien ton père et sa fâcheuse tendance à dramatiser. J'ai compris que l'histoire de ta pseudo-maladie n'était qu'un subterfuge pour me faire rentrer.

— Elle avait une méningite ! siffla Jérôme, les mâchoires si serrées qu'on les aurait dites sur le point d'éclater. Et elle n'avait besoin que d'une chose : voir sa mère !

Sophie lui retourna une moue signifiant qu'il ne fallait pas en faire un drame.

— L'important est que tu sois là aujourd'hui, rayonnante et en excellente santé !

C'était étrange. Charlène se rappelait une voix féminine lui chanter une chanson, l'apaiser par une main fraîche posée sur son front, lui déposer un nounours rose dans ses bras. Nounours qui n'avait jamais quitté son lit depuis... Qui était-ce, alors ? Une infirmière, probablement.

Elle retira vivement ses mains et se tourna vers son père, qui hocha imperceptiblement la tête comme pour lui dire *Ne t'inquiète pas, ma puce, ça va aller.* Elle lut dans ses yeux un amour absolu, et comprit pourquoi il avait mis tant d'énergie à contrarier sa quête.

Son portable vibra. Elle baissa les yeux sur le message qui s'affichait. Voir le prénom d'Alexandre lui fit un bien fou : « *Darling*, tu dois être avec elle ! Topissime !!! Je suis avec toi. Tu verras, il y aura un avant et un après ! »

Elle prit quelques secondes et tapa en retour : « Oui, Alex, tu as raison, rien ne sera plus jamais comme avant. »

Puis elle questionna à nouveau :

— Si vous ne vouliez pas d'enfant, pourquoi ne pas avoir avorté ?

Interloquée, Sophie ne sut quoi répondre.

Charlène la devança avec une autre question :

— N'est-ce pas plutôt l'accident qui vous a fait fuir hors de France ?

Sophie se recula sur sa chaise comme si Charlène l'avait frappée, tandis que Jérôme donnait un petit coup de pied à sa fille. Charlène observait attentivement sa mère, en proie à une soudaine agitation.

Cette femme était finalement capable de vraies émotions si le sujet venait à la concerner personnellement.

— Je ne vois pas de quel accident tu parles, bafouilla-t-elle.

Elle se tortilla sur sa chaise avant de relever les yeux vers Jérôme.

— Ah oui ! L'accident... Celui que tu n'as pas pu éviter, c'est ça ? fit-elle en insistant volontairement sur la fin de sa phrase, le regard menaçant.

Puis elle revint vers Charlène :

— Je suis partie car une opportunité de carrière s'offrait à moi...

Une nouvelle fois elle porta son mug de thé à la bouche dans un geste théâtral. Jérôme se faisait violence pour ne pas laisser sa colère éclater. Lorsqu'il vit qu'Aude avait par trois fois cherché à le joindre, il s'excusa, se leva et s'éloigna de la table. Il eut juste le temps de voir Sophie reposer son gobelet et l'entendre dire à Charlène :

— Allez ! À ton tour, maintenant ! Parle-moi un peu de toi...

Charlène expliqua à Sophie quelles études elle souhaitait poursuivre mais c'est comme si elle s'entendait parler de loin, comme si tout ça ne l'intéressait plus. Se demander ce qu'Aude avait de si important à annoncer à son père pour que ça ne puisse attendre une heure de plus était tout d'un coup devenu beaucoup plus important.

— Tu es avec moi, Charlène ?

— Pardon. Vous disiez ?

— Tu peux me tutoyer, quand même... Je te demandais quand tu saurais, pour ta prochaine école.

D'où elle était, Charlène vit le visage de son père se décomposer. Il se laissa tomber sur une chaise. Il tourna la tête et ses yeux croisèrent ceux de Charlène, affolés, guettant le moindre signe qui la rassurerait ou l'inquiéterait. Son cœur cogna fort dans sa poitrine. Charlène se trouvait face à la chimère qu'elle avait poursuivie durant des années, mais c'était bien lui qui était non seulement son père, mais ses deux parents à la fois.

Il toisa Sophie. Le sentiment d'un immense gâchis le submergea. Toutes ces années à s'empêcher de vivre, d'aimer, parce qu'il se croyait un criminel, un monstre... Il se ressaisit, remercia Aude et raccrocha. Puis il activa la touche « enregistrer » du téléphone.

Lorsqu'il revint à la table, il demanda à Charlène de bien vouloir le laisser seul avec Sophie. Sous le regard sans appel de son père, la jeune fille obtempéra sans broncher.

*

*Près de Fleutière – 18 h 14*

— Alors ? demanda Nicolas à Aude qui le rejoignait après avoir raccroché.

Le fait d'avoir appelé Jérôme en présence de Nicolas lui avait permis d'éluder le sujet de Jonathan. C'était mieux ainsi. Elle annonça :

— Changement de programme ! Jérôme veut se rendre lui-même chez les Thévenard...

Nicolas acquiesça lentement de la tête, tout en continuant à caresser Hannibal, couché sur ses genoux.

— J'imagine qu'il a eu du mal à croire la nouvelle...

— C'est clair. Il a aussi pensé, comme nous, qu'un autre avait morflé à sa place.

Aude pivota vers lui, examina le duo improbable qu'il formait avec Hannibal.

— Les revirements de situation commencent à devenir monnaie courante, avec nous...

Elle rassembla ses cheveux en une queue-de-cheval.

— Ils sont avec Sophie. Ça n'a pas l'air de bien se passer. Jérôme va avancer leur vol à ce soir. Il veut nous rejoindre ici demain en fin de journée, en espérant que les Thévenard seront de retour...

— Et nous deux, qu'est-ce qu'on fait ?

— Nous, on rentre.

*

*New York*

Une fois que Charlène fut sortie du café, Jérôme se rapprocha le plus possible de Sophie.

— Il y a beaucoup de choses que je n'ai jamais eu l'occasion de te dire.

Aucune réaction.

— Cet accident où tu m'as obligé à laisser cette petite fille pour morte sur le bord de la route, et qui m'a permis de découvrir ton vrai visage, m'a rongé durant toutes ces années. Or je viens d'apprendre que cette gamine n'a pas été tuée.

Il continua d'une voix plus sourde :

— J'ai porté ce fardeau pendant dix-sept ans. J'aurais dû me rendre à ce commissariat sans ton accord et malgré tes menaces.

— Mais pourquoi ressors-tu cette vieille histoire ? rétorqua-t-elle, sur la défensive.

Imperturbable, Jérôme poursuivit :

— Tu te rends compte que le chantage que tu as exercé sur moi a bousillé les plus belles années de ma vie ?

Il la fixait maintenant d'un regard pénétrant.

— Mais je ne t'en veux même plus. Je ne suis pas le criminel que j'ai cru être, à cause de toi, durant toutes ces années et c'est ce qui m'importe le plus.

Il chercha la silhouette de Charlène à travers la vitre. Plus tard, il pardonnerait peut-être. Plus tard.

— Cette gamine est mon seul rayon de soleil. Je l'aime plus que tout au monde. Sans elle...

Il resta quelques secondes perdu dans ses pensées puis revint planter ses yeux dans ceux de Sophie.

— Tu n'imagines pas combien cette petite m'a fait grandir. Sa première dent, son premier pas, son premier chagrin, ses premières inquiétudes, la recherche de ses racines, ses interrogations sur son avenir... Chacune de ces étapes a construit et forgé le lien indestructible et magique qui existe entre nous deux.

— Et alors ? questionna-t-elle, nullement impressionnée.

— Par ta faute, tu ne connaîtras jamais tout cela.

Sophie soupira et joua avec le liquide qui restait au fond de son gobelet.

— Charlène était encore prête à te l'offrir, malgré le temps perdu.

Elle ne daigna pas lever la tête. Elle ne voulait qu'une chose, le voir partir. Le plus loin possible et pour toujours. Mais Jérôme n'avait pas terminé.

— Tu l'as déjà beaucoup fait souffrir. Je la sais forte, j'espère qu'elle le sera assez pour surmonter le rejet de sa propre mère.

— Mais je n'ai rien contre elle, Jérôme. Je t'ai toujours dit que je ne souhaitais aucun lien entre mon ancienne et ma nouvelle vie, c'est tout.

Jérôme resta interdit. N'avait-elle donc à ce point aucun cœur pour être si déterminée ? Il s'exhorta au calme et se contenta d'ajouter :

— Je terminerai par deux questions. Elles m'obsèdent depuis des années. Comment as-tu pu t'enfuir sans jamais prendre le temps de t'interroger sur cette gosse que tu avais renversée ? Et comment as-tu pu vivre en m'ayant rendu responsable de cet accident à ta place ?

— Pourquoi reviens-tu là-dessus, Jér...

— Arrête ! Je viens de te le dire, tu ne risques plus rien. Je ne sais pas par quel miracle cette petite fille s'en est sortie, mais il semblerait qu'elle se porte bien aujourd'hui. Mais moi j'ai besoin de savoir, tu peux comprendre ça ?

Elle soupira, regarda autour d'elle puis lâcha après une courte hésitation :

— Écoute, le principal est que tout se soit bien terminé pour elle. Un procès m'aurait coûté ma réputation. Je ne pouvais pas me le permettre...

Elle claqua dans ses mains, comme si elle venait d'avoir une révélation.

— En plus, je n'avais plus toutes mes facultés. Je te rappelle que j'avais bu. Tu n'avais qu'à m'empêcher de prendre le volant...

— Je te rappelle que je l'ai fait, Sophie !

— Eh bien alors tu n'avais qu'à être plus efficace !

Elle jeta un coup d'œil autour d'elle et rapprocha son visage de celui de Jérôme.

— Tu fais exprès de ressasser tout ça juste pour me faire du mal. Pour te venger ! accusa-t-elle tout en sachant pertinemment que ce n'était pas vrai.

Il la regarda un long moment, sidéré par tant de mauvaise foi. Heureusement, la fatigue l'emporta sur la colère.

— Je vois, se contenta-t-il de déclarer en hochant lentement la tête.

Il prit son téléphone, coupa l'enregistrement, l'envoya discrètement via WhatsApp à Charlène, tandis que Sophie continuait à fulminer contre lui.

Sur le trottoir du Starbucks, Charlène trouvait le temps bien long. Qu'avaient-ils à se dire qu'elle ne pouvait entendre ?

Elle jeta discrètement un coup d'œil vers ses parents. Leur discussion semblait houleuse.

Deux bips sur son portable détournèrent son attention. Le premier signalait un SMS de Nicolas : « Ma petite Charlie, je suis heureux que tu trouves enfin ce que tu as toujours cherché. Biz »

Le second l'informait d'un message audio de son père via WhatsApp.

Il lui suffit de regarder en direction de Jérôme pour comprendre.

Elle brancha son casque et tourna son visage pour mieux se concentrer sur le message.

*

Charlène déboula à l'intérieur du café aussi révoltée que libérée. Désormais, elle n'avait plus aucun doute sur la probité de son père. Elle s'en voulait aussi de ne pas l'avoir cru sur parole. Mais à l'inverse, l'image de cette femme qu'elle avait idolâtrée devenait bien vilaine...

Son irrépressible besoin d'amour maternel venait de s'envoler. Elle ne voulait pas de cette femme égoïste dans sa vie. Dans leur vie.

Charlène se planta devant eux.

— Viens, papa, on y va.

Elle se tourna vers sa mère :

— Sophie, merci de nous avoir accordé un peu de votre temps. Ça m'a fait beaucoup de mal, mais je crois que c'était nécessaire...

Elle se recula.

— Vous allez être heureuse : nous partons.

Son téléphone sonna au même moment. Sur l'écran, le visage d'Aude apparut. Celui de Charlène s'illumina. Elle sentit le besoin impérieux de retrouver Paris.

— Décidément, coup de théâtre ! Alors que je quitte une femme que j'ai cherchée durant tant d'années, en voici une autre dont j'ignorais l'existence il y a deux semaines et qui a pris une importance capitale dans ma vie en l'espace de quelques jours...

Elle posa l'une de ses mains sur la table et fixa Sophie droit dans les yeux.

— Vous pouvez dormir tranquille, madame : nos routes ne se croiseront plus, et vous pourrez jouer ce soir en toute sérénité. Vous avez raison : il n'y a pas de plus belle famille que celle qu'on choisit. Vous avez choisi celle du théâtre, moi ce sera celle du cœur. Et elle s'est récemment agrandie. Elle est née un matin de mai. Un matin où j'ai failli bêtement en finir pour ne plus souffrir de votre absence.

Sa voix se brisa sur ces derniers mots. Elle agrippa la table pour se donner le courage de poursuivre :

— Mais sachez une dernière chose. Lors de ma méningite, papa m'a fait croire que vous étiez passée pour m'offrir une peluche. Elle est encore sur mon lit et ne me quitte pas. Elle m'a consolée toutes ces fois où je vous ai appelée en vain. Elle était un trait d'union entre vous et moi. J'en avais fait un symbole.

Elle laissa passer un instant de silence puis se tourna vers Jérôme.

— Tu sais, papa, quand nous avons quitté l'hôpital, l'infirmière m'a dit que tu étais resté en permanence à mes côtés, de jour comme de nuit. Elle m'a raconté que tu ne cessais de me parler, de passer des lingettes fraîches sur mon front pour faire tomber ma fièvre. Elle a même dit qu'elle avait rarement vu un père aimer autant son enfant.

Elle baissa la tête.

— Mais moi, je n'écoutais pas parce que je voulais juste qu'elle me parle de ma mère, qu'elle me dise qu'elle était folle d'inquiétude pour moi et qu'une urgence l'avait contrainte à partir avant mon réveil.

Elle plongea les yeux dans ceux de Jérôme.

— Je te demande pardon d'avoir été si dure avec toi, papa. Mais tu vois, ce voyage n'était pas inutile : il m'a fallu rencontrer ma mère pour réaliser que je n'avais pas besoin d'elle. Je t'aime de toutes mes forces. Ton amour me suffit.

Elle revint à nouveau vers Sophie.

— Je crois que le bonheur nous tend maintenant les bras, madame. Enfin, je parle pour papa et moi. En ce qui vous concerne...

Charlène jeta un regard triste sur l'environnement extérieur : ce monde fait de lumières, de bruits et de mouvements continuels.

— Pour vous, j'ai quand même l'impression que ça va être compliqué. Mais ça, c'est vous qui l'aurez voulu.

Elle posa une main sur l'épaule de Jérôme.

— On rentre à la maison, papa ? Je crois qu'on est attendus...

Jérôme lui sourit, se leva et, sans un regard pour Sophie, ils quittèrent le café.

Elle resta seule sur sa banquette.

Et, d'un seul coup, le poids d'une immense solitude s'abattit sur ses épaules.

# 18.

Aude se gara à une centaine de mètres de l'église de Fleutière. Jérôme étant rentré le matin même de New York, il avait dormi une bonne heure puis ils avaient tous deux pris la route. Aude commençait à connaître le trajet. Elle avait proposé de conduire en pensant qu'il pourrait ainsi s'assoupir, mais il n'avait pas fermé l'œil.

L'un et l'autre avaient fait comme si l'épisode Meetic n'avait jamais existé.

Arrivée devant la maison des Thévenard, elle envoya un SMS à Nicolas, resté avec Charlène et Hannibal.

Les volets bleus désormais grands ouverts annonçaient le retour des propriétaires de cette petite maison bien entretenue. Lorsqu'ils sonnèrent à la porte, Aude et Jérôme n'en menaient pas large. Un énorme saint-bernard les accueillit avec force aboiements. Quelques secondes plus tard, un homme à la figure rondouillette rejoignait le molosse, un grand sourire aux lèvres. D'un geste, il fit taire son chien. Tout en lui respirait la bonhomie. Vêtu d'un bermuda et d'une chemisette à carreaux, il arborait fièrement une casquette sur son crâne chauve.

Aude plongea ses yeux dans ceux de son interlocuteur. Jérôme et elle s'étaient entendus pour qu'elle prenne la parole en premier.

— Bonjour, monsieur, débuta-t-elle avec un léger tremblement dans la voix.

Elle chercha à reprendre un peu d'assurance avant de poursuivre :

— Nous sommes désolés de surgir ainsi mais nous souhaiterions vous parler d'un sujet délicat...

— C'est-à-dire ? interrogea l'homme, dont les sourcils se levèrent.

Aude ravala sa salive. Elle aurait donné cher pour avoir Alexandre ou Nicolas à ses côtés.

— C'est une longue histoire, monsieur, se lança-t-elle. Elle concerne un accident dont votre fille a été victime il y a presque dix-sept ans...

L'homme se redressa lentement, sans la quitter des yeux. Puis il s'écarta et les invita à entrer. Il les fit s'asseoir dans un salon rustique, modeste mais méticuleusement entretenu en s'excusant de ne rien leur offrir, mais il expliqua qu'il revenait de vacances et que justement son épouse était sortie faire quelques courses.

— C'est très gentil de votre part, monsieur, bégaya Aude, mais nous n'avons pas l'intention de vous importuner longtemps. Nous avons échangé avant-hier avec Mme Martier au sujet de l'accident qui a coûté la vie à sa petite fille et...

Elle décida d'édulcorer un peu la vérité :

— ... et elle nous a conseillé de venir vous voir.

— C'est elle qui vous envoie ? Pauvre femme. C'est un terrible malheur qui a touché cette famille...

Aude se racla la gorge.

— C'est vrai. Nous parlions des conduites à risque pour les habitants de ce village. Elle nous a raconté pour sa petite Chloé et... a ensuite parlé de ce que vous-même avez vécu.

— C'est bien la première fois que quelqu'un de la ville s'intéresse à nous, et c'est tant mieux ! On vous écoutera sûrement plus que nous.

Ni Aude ni Jérôme ne cherchèrent à le contredire.

— Ça fait des lustres qu'on réclame des radars. Y a que ça qui les arrête, ces fous du volant. Mais la seule chose qu'on a réussi à avoir, c'est deux dos-d'âne ! Pensez donc, ça les fait à peine ralentir...

Il s'assit à son tour, face à eux.

— Le drame de la petite Chloé a bien plus marqué les esprits que l'accident de ma Juliette. Mais si ça peut aider à faire bouger les choses...

Il se cala tout au fond de son fauteuil.

— Vous savez, ma femme et moi avons mis longtemps avant d'avoir Juliette. Lorsque ce miracle est survenu, on n'arrivait pas à y croire. Mon épouse avait quarante ans, et moi quarante-neuf. Vous vous rendez compte ? Encore quelques années et ma Jeanne et moi on finissait seuls tous les deux. Sans cette lumière qui éclaire notre vie depuis qu'elle y est entrée. Heureusement que dame Nature fait bien les choses.

Il demeura quelques instants pensif puis reprit :

— Nous n'aimons pas reparler de cet accident. Il réveille en nous de terribles souvenirs. Nous avons vraiment cru perdre notre Juju... Je la revois, là, gisant à terre comme un pantin désarticulé...

L'émotion venait de faire vriller sa voix. Il chercha à se ressaisir.

— Dieu n'en a pas voulu, heureusement. Mais la gamine a sacrément morflé : traumatisme crânien, fractures du fémur et du bassin, qu'ils ont dit, les médecins. Puis ils l'ont opérée et lui ont mis des trucs en métal dans le corps. Je saurais pas trop vous détailler mais ce que je sais, c'est que ma Juliette est restée hospitalisée pendant quarante-six jours. Vous vous rendez compte ? Quarante-six jours pendant lesquels personne ne pouvait toucher la petite qui hurlait de douleur. Quarante-six jours durant lesquels j'ai maudit le salopard qui avait abandonné ma fille toute cassée sur le bord de la route. Je ne l'aurais pas fait pour un chien... Ma femme et moi avons remercié Dieu d'avoir laissé la vie à notre bébé. C'est que ça vous remue le cœur d'un homme, toutes ces choses-là... On ne comprenait pas pourquoi c'était arrivé à notre petite, si innocente et si douce... Et puis le destin s'est chargé de nous l'expliquer. C'est fou, la vie, vous savez...

Il se tut encore un instant. Ses mains s'étaient mises à trembler.

— Mais qu'est-ce que vous êtes venus me dire ? Parce que, finalement, y a que moi qui cause...

Jérôme avait la gorge nouée. Il comprenait ce que cet homme voulait dire lorsqu'il parlait de la lumière que sa fille avait apportée dans sa vie. Comment allait-il expliquer l'inexplicable ?

Le silence devenait pesant. Il sentait le regard bienveillant d'Aude posé sur lui. Il déglutit péniblement mais les mots ne sortaient pas.

*Tu vis depuis des années avec ce poids sur la conscience.*

*Tu as essayé de racheter une partie de ta culpabilité en envoyant de manière anonyme de l'argent à une mère meurtrie par un autre que toi.*

*Aujourd'hui, tu peux enfin rétablir la vérité. Rendre à ces gens une partie de ce que tu leur dois.*

*Alors vas-y.*

Jérôme sentit une main se glisser dans la sienne et exercer une brève pression en guise d'encouragement. Il adressa à Aude un sourire de gratitude.

Il se redressa, plongea ses yeux dans ceux de l'homme et lâcha d'une voix grave :

— Ne cherchez plus ce salopard, monsieur... C'est moi.

*

Xavier se servit un second verre de cognac. Pas trop dans ses habitudes, mais ce qu'il traversait n'était guère usuel non plus.

Dix jours qu'Aude avait quitté l'appartement. Ça commençait à faire beaucoup. Beaucoup trop.

Fréquenter des types à peine sortis de la puberté devait avoir un effet infantilisant sur elle. Aude avait toujours été sérieuse, ne sortait jamais en boîte. Il aimait cette sécurité affective qu'elle lui apportait. Elle le connaissait aussi suffisamment pour savoir quand le rassurer, l'encourager, le tempérer... Sans elle à ses côtés, il perdait ses repères.

Il observa un long moment les deux glaçons tournoyer et fondre dans le liquide transparent, avant de vider son verre d'un seul trait. Une grimace lui déforma le visage.

Aude et lui avaient instauré un rituel : le vendredi, le cabinet fermait ses portes à 16 heures, et tout le monde était en week-end. Aude en profitait pour faire les courses et éviter les files de Caddies du samedi. Lui retrouvait Cindy. Mais désormais...

*Maintenant, te voilà tout seul comme un con !*

Agacé, il reprit la bouteille de cognac. Aude avait en plus trouvé le moyen de bien s'amuser, s'il se fiait à la dernière fois où il l'avait vue !

Il joua avec ses ongles contre le verre d'alcool. Puis il se leva soudainement, attrapa son blouson et se dirigea vers la porte de l'appartement.

— Direction rue Botzaris ! clama-t-il en hissant la bouteille comme s'il portait un étendard.

Un sourire mauvais déforma ses lèvres : il était grand temps pour lui de reprendre les choses en main.

*

M. Thévenard écouta Jérôme sans l'interrompre. Au fil du récit, il passa par toutes les émotions, puis, lentement, un sentiment de compassion l'envahit. Aude s'interrogea alors sur la capacité de cet homme à pardonner l'impardonnable. Comme s'il lisait dans ses pensées, il l'éclaira sur ce point :

— Je vous l'ai dit, fit-il après un long silence, j'ai longtemps maudit le chauffard qui n'avait pas su trouver assez d'humanité en lui pour porter secours à ma petite fille, leur dit-il. Je l'aurais tué de mes propres mains si je l'avais retrouvé...

Il baissa la tête.

— Mais je vous ai dit aussi que le destin s'était chargé de donner un sens à ce drame.

Roger Thévenard échangea un long regard avec Jérôme avant de reprendre :

— Deux semaines après l'accident, Juliette et sa cousine Solène devaient partir ensemble en colonie de vacances à Fréjus. Juliette a beaucoup pleuré de ne pas pouvoir y aller.

Il leva ses deux mains qu'il fit claquer sur ses genoux.

— Solène a donc dû y aller seule. Elle s'est assise dans l'autocar, à côté d'une gamine qu'elle ne connaissait pas. Dans un virage, un camion est venu percuter le car. Une partie de sa cargaison a fait exploser les vitres du car et s'est écrasée sur Solène et sa petite voisine. Les deux gosses sont mortes sur le coup. C'est sûr que Juliette se serait assise à côté de sa cousine si elle avait pu partir.

Évoquer cet autre drame ravivait des souvenirs qu'il aurait préféré oublier. Il frissonna puis reprit :

— Nous avons tous été très choqués. Ça a été terrible pour Juliette. Elle s'en est longtemps voulu d'être vivante. J'ai lu dans un bouquin que cette réaction portait un nom : la culpabilité du survivant. C'est un truc qui sonne bien mais c'est vraiment moche de voir quelqu'un se reprocher d'être en vie à la place d'une autre... En tout cas, dix-sept ans plus tard, j'en suis toujours à me dire qu'il a fallu un sacré concours de circonstances pour laisser la vie sauve à ma petite fille.

Aude perçut la fêlure dans la voix de l'homme. Pas Jérôme. Lui sentait les larmes noyer ses yeux et luttait de toutes ses forces pour ne pas les laisser couler.

— Aujourd'hui encore, les gamins présents dans ce car sont traumatisés. Les parents de Solène n'ont plus jamais voulu nous revoir. J'imagine que voir Juliette n'aurait fait que leur rappeler la disparition de leur propre enfant... Mon épouse et moi remercions le Ciel de ne pas nous avoir enlevé notre petiote, mais au prix de quelle cruauté du destin...

Il releva la tête avec un petit rire triste.

— Finalement, vous aurez payé votre lâcheté.

Il se leva.

— Juliette n'a gardé aucune séquelle physique de cet accident. Je suis convaincu que si elle n'avait pas été hospitalisée à ce moment-là, je n'aurais pas pu la voir grandir. Alors, je ne sais pas si c'est lié au fait que ma fille aurait pu mourir dans cet autocar, ou si c'est Dieu qui m'en a donné la force, pour autant je pense avoir réussi à vous pardonner. Je ne vous serrerai pas la main, mais je crois pouvoir dire que nous sommes quittes, monsieur...

Aude et Jérôme se levèrent à leur tour, incapables d'ajouter quoi que ce soit. Ils réempruntèrent le petit couloir sombre en direction de la porte d'entrée, obstruée par le saint-bernard.

Les yeux de Jérôme tombèrent sur une photo : une jeune fille y posait en maillot de bain, belle et souriante. Quel âge avait-elle sur ce cliché ? Sans doute pas loin de celui de Charlène aujourd'hui.

— C'est votre fille, monsieur ? demanda-t-il timidement.

— Oui, c'est ma Juliette...

Jérôme hocha lentement la tête, puis il regarda l'homme droit dans les yeux.

— Je voudrais vous dire...

Aude s'éclipsa pour les laisser seuls.

Cette partie de l'histoire ne la regardait plus.

*

Aude longea la route jusqu'à la voiture. Elle s'assit sur un bloc de pierre, contempla la maison aux volets bleus. Elle découvrait en Jérôme un homme profondément bon et sensible.

Depuis dix jours qu'elle était partie de chez elle, elle avait vécu avec plus d'intensité qu'au cours de ces dix dernières années.

Aude réalisait que le ciment de son couple avec Xavier tenait à peu de chose : une association qui fonctionnait bien au quotidien, le partage d'un cabinet qu'ils avaient créé ensemble, une amitié, une routine. Mais...

Il était difficile de se reconstruire quand tout ce que l'on pensait solide s'écroulait. Et comment se poser la question du pardon lorsque toute votre vie reposait sur une seule personne : celle qui vous avait trahie ? Alexandre, Nicolas, puis Charlène et Jérôme ne lui avaient pas laissé prendre le chemin de la facilité. Ils l'avaient au contraire menée sur des sentiers sinueux et escarpés, contrainte à découvrir que la vie ne s'arrêtait pas à sa routine rassurante, qu'elle était source de rencontres fabuleuses, et qu'elle pouvait encore lui réserver des surprises extraordinaires.

Aude repensa à ce qu'Alexandre leur avait dit au début de leur aventure : « Avant, cela aurait été trop tôt, et plus tard aurait été trop tard. » Il ne s'était pas trompé.

Certes, il lui restait beaucoup de chemin à parcourir pour trouver une issue salvatrice. Pour son couple. Pour elle-même aussi. Mais chaque jour elle sentait grandir en elle une force qu'elle n'avait jamais soupçonnée.

— Vous êtes prête ?

Elle se retourna. Jérôme lui souriait. Ses yeux rougis et gonflés le trahissaient. Mais elle le sentait enfin libéré de son terrible fardeau. Elle s'abstint de tout commentaire, et répondit à son sourire en lui tendant les clés.

— Oui, je suis prête...

# 19.

Lorsque Jérôme et Aude regagnèrent l'appartement, Alexandre et Nicolas y avaient rejoint Charlène depuis un bon moment. Ils avaient commencé par l'écouter leur raconter son immense déception mais également son soulagement d'être allée au bout de sa quête. Elle pouvait avancer désormais.

Ils avaient enchaîné avec les aventures nocturnes de Nicolas et Hannibal, face à un Alexandre en adoration devant son chien.

— Ah ! s'exclama le jeune homme en voyant entrer Aude et Jérôme. Vous voilà enfin, les amis !

Il les serra tous les deux contre lui.

— Alors, papa ? bondit Charlène.

Jérôme raconta à son tour. Son récit fut suivi d'un long silence.

— Finalement, je préfère de loin les aventures de Nicolas, qui a bravé le risque de se retrouver face à une meute d'ours pour récupérer mon Hannibal ! finit par s'exclamer Alexandre pour détendre l'atmosphère.

Jérôme taquina gentiment Nicolas, puis se redressa lorsqu'il remarqua que Charlène était restée silencieuse et morose.

— Qu'est-ce qui t'arrive, ma chérie ? Tu penses à ta mère ?

Elle aurait eu bon nombre de sujets à évoquer : l'angoisse, par sa propre faute, de ne pas avoir d'école à la rentrée, le stress des épreuves du bac qui approchaient à grands pas alors qu'elle n'avait pas suffisamment révisé, la crainte de perdre ses amis maintenant qu'ils étaient libérés de leur promesse... Elle les garda pourtant pour elle.

— Non, je me rappelais juste notre première rencontre aux Buttes-Chaumont...

— Entre nous soit dit, je n'aurais pas parié qu'on arriverait jusque-là sans nous entre-tuer ! s'exclama Alexandre avec un clin d'œil à l'intention de Nicolas.

— Oh mais attends ! On n'en a pas encore fini, riposta ce dernier.

— Si, justement.

Stupéfaits, tous se tournèrent vers Charlène, qui les regardait d'un air grave.

— Je vous ai fait faire une promesse, ce jour-là. Et vous l'avez tenue jusqu'au bout. Très franchement, j'étais loin d'imaginer où cela nous mènerait...

Elle baissa la tête et se tritura les ongles avant de poursuivre :

— Je ne vous remercierai jamais assez. Mais ne vous sentez plus obligés de rien vis-à-vis de moi. Vous êtes libres de retourner à vos vies.

Un grand silence accueillit sa déclaration. Alexandre finit par le rompre sur un ton faussement enjoué :

— Quelle bonne nouvelle, n'est-ce pas, Hannibal ? Plus besoin de t'imposer des opérations de décontamination pour éviter un choc anaphylactique à ton copain Nicolas !

— C'est surtout que je vais pouvoir retrouver un niveau de dépenses raisonnable en cirage. Je n'ai jamais eu à astiquer aussi souvent mes chaussures depuis qu'on se connaît. Ce chien doit être croisé avec un escargot : sa bave colle autant que la glu !

— Bon, tout le monde est heureux finalement, ironisa Aude. Et chacun va pouvoir reprendre son chemin...

Son commentaire tomba là encore dans un silence pesant.

Aude songea à ce qui l'attendait, justement. D'un seul coup, un gouffre de solitude s'ouvrit devant elle. Elle avait envie de pleurer, mais se força à sourire.

Alexandre avait serré Hannibal contre lui.

— Et toi, Charlène, que vas-tu faire ? s'enquit doucement Nicolas.

Jérôme observa sa fille avec attention. Certes, elle avait toujours été brillante. Mais aujourd'hui, quelque chose de nouveau apparaissait en elle. La traversée d'une épreuve difficile, le partage de secrets longtemps enfouis, la rencontre de ces trois personnes si différentes : cette aventure l'avait transformée.

— Très franchement, je ne sais pas trop... Déjà, le bac... Dans dix jours, je démarre avec la philo. Je commence à avoir grave les boules ! Et puis, sans vous...

— Tranquille, Charlie ! L'histoire ne s'arrête pas là, ajouta Nicolas. Nous nous reverrons. J'ai l'impression de vivre une scène d'adieu...

— C'est vrai, murmura Alexandre. Rien ne nous empêchera de nous revoir de temps en temps autour d'un petit verre ! On s'est quand même bien marrés, non ?

Visiblement ému, Nicolas renchérit, avec un rire jaune :

— On a effectivement partagé de drôles de trucs.

— Et des trucs forts, compléta Aude, une boule dans la gorge.

— Nous ressortons tous transformés de cette rencontre. Enfin, presque, corrigea-t-il à voix basse en regardant Nicolas d'un air gêné.

— Comment ça, « presque » ? releva Nicolas.

Embarrassé, Alexandre prit le temps de réfléchir.

— Ce que je veux dire, c'est que nous avions tous des problèmes. Jérôme et Charlène ont réglé les leurs. Aude et moi allons devoir prendre des décisions pour notre avenir. Mais en partageant une histoire qui n'était pourtant pas la nôtre, nous avons tous progressé dans nos têtes. Moi, j'ai le sentiment d'être sorti changé de tout ça... même si je sais que le plus difficile m'attend.

— Alors que moi, tu as l'impression que j'ai stagné aux côtés de mon seul ami Doctissimo, c'est ça que tu veux dire ?

— Non, ce que je veux dire c'est que ton problème à toi est l'hypocondrie et qu'on ne peut rien y faire. C'est plus... pathologique, dans le sens où il n'y a qu'un psy qui pourrait t'aider à résoudre ça...

Il comprit en terminant sa phrase la maladresse de ses propos. Trop tard.

— En fait, tu me vois comme un malade, conclut Nicolas d'une voix triste. Un mec atteint de troubles psychologiques qui devrait être enfermé.

Mortifié, Alexandre ne savait pas comment se rattraper.

— Mais non, je t'assure que ce n'est pas ce que j'ai voulu dire ! J'essayais simplement de vous remercier pour m'avoir permis de franchir des caps que je n'aurais jamais passés seul. À l'inverse, j'éprouve une sensation d'impuissance pour t'aider à mon tour. Et je le regrette...

— Bien sûr... J'avoue que je ne m'attendais pas à ça.

Les propos d'Alexandre le ramenaient à une réalité douloureuse : avec eux, il s'était trompé d'histoire.

— Je pensais pourtant être resté honnête avec vous. Je n'ai pas feint d'avoir le sourire lorsque j'avais de la peine. Je n'ai pas fait preuve de témérité lorsque j'avais la trouille. Hormis mon frère, les gens m'imaginent à l'aise dans mes Dockside. Je vous croyais différents. Je vous pensais susceptibles de dépasser les apparences... Je me suis bien planté.

— Mais, Nicolas..., tenta Aude.

— Non, c'est bon, Aude ! la stoppa-t-il en tendant la paume de sa main. J'ai compris. Le taré va vous laisser tranquilles. Et, soyez rassurés, je ne vous en veux pas. Je ne peux pas vous reprocher de ne pas avoir vu ce que je cachais.

— Mais pourquoi tu dis ça, Nico ? demanda Charlène.

Il se tourna vers elle, amer et abattu.

— Parce que c'est toujours plus difficile d'écouter quelqu'un d'introverti. Ça prend du temps, et vous n'en avez pas eu beaucoup. Mais si vous l'aviez pris, vous auriez su que mon hypocondrie cache quelque chose de plus profond.

— Pas rassurant, persifla Alexandre dans une tentative d'humour.

— Alexandre, ce n'est pas le moment ! s'agaça Aude.

— OK, OK..., s'excusa-t-il d'un air penaud.

— Ne t'inquiète pas, Alex. Je sais que tu voudrais m'aider. Mais comment vous reprocher de ne pas être allés au-delà de ce symptôme dont je vous rebattais les oreilles ? Là où tu fais erreur, c'est que ma planche de salut ne repose pas sur un médecin. J'ai naïvement espéré que notre aventure m'aiderait. Mais je comprends d'un seul coup que je ne pourrai guérir que par moi-même...

Il les dévisagea tour à tour, et son expression trahissait tous ses tourments intérieurs.

— Pour la première fois, j'avais l'impression d'être compris sans avoir besoin de parler. Mais j'avais tort. Vous ne vous êtes fiés qu'aux apparences. Et vous êtes restés davantage attachés à la forme qu'au fond... J'aurais pourtant pensé que vos expériences respectives feraient de vous des gens plus attentifs : Aude, la femme trompée et sa joie trop appuyée pour être vraie, Jérôme et sa certitude d'avoir tué une petite fille, Charlène et la conviction qu'elle avait de trouver en sa mère les clés du bonheur...

La main de Charlène le fit sursauter lorsqu'elle se posa sur son épaule.

— Ne dis pas ça, Nicolas !

Pour toute réponse, il recouvrit lentement la main de Charlène avant de l'ôter de son épaule. Ses yeux étaient voilés de larmes.

— Seulement voilà... Un père qui élève seul sa fille peut paraître malheureux à cause d'un chagrin d'amour mais cacher en fait une blessure bien plus profonde. Une femme trompée peut souffrir à l'idée d'imaginer son mari dans les bras d'une autre, alors que le plus dur est de réaliser qu'elle n'aime plus cet homme. On peut encore décréter que l'homo efféminé est exubérant parce que superficiel, alors qu'il est en fait profondément meurtri par une éducation ultra-rigide. On peut enfin porter le nom d'un tueur psychopathe mais être aussi une vraie boule d'amour, ajouta-t-il en baissant la voix et en fixant Hannibal.

Il se redressa, inspira lentement comme s'il cherchait à maîtriser son émotion.

— Non, décidément, il ne faut pas se fier aux apparences. J'ai toujours cru que nous ne nous étions pas rencontrés par hasard, et que c'était nos souffrances, nos peines, nos trajectoires qui nous avaient conduits les uns vers les autres ce matin-là. Charlène était un peu notre épicentre. Il fallait quelque chose de solide pour maintenir soudés quatre tempéraments aussi différents que les nôtres. J'ai même fini par croire que nous soignerions nos plaies ensemble. Mais je me suis complètement planté.

Il fixa Alexandre, recroquevillé dans le canapé.

— Eh bien non, Alex, le type qui est devant toi, qui semble à ce point épanoui et dont le seul problème serait l'hypocondrie n'est pas heureux, entends-le bien. Ma peur des maladies, c'est la partie visible de l'iceberg, ce que j'accepte de montrer. Ma vraie blessure, je la camoufle. Elle repose sur un gigantesque sentiment de culpabilité. Alors, je m'occupe des autres. Les inciter à parler d'eux me permet de ne pas exposer ce qui me ronge depuis tant d'années. Je dois faire partie de ces gens qui cherchent à sauver les autres pour essayer désespérément de se sauver eux-mêmes...

Il marqua un silence.

— Et le fait est que les gens se focalisent tellement sur l'attention que je leur porte qu'ils en oublient de s'intéresser à qui je suis vraiment. Comme vous.

Cette remarque sonnait plus comme un regret que comme une accusation. Une larme coula sur sa joue.

— Vous êtes tous restés focalisés sur mes souliers bien cirés, mon gilet convenablement boutonné, mon petit flacon de gel...

Il s'arrêta, un peu essoufflé. Et ce mal de tête qui ne le quittait pas... Personne ne pipait mot. Il aurait eu envie de balayer tout ça d'un revers de main, de s'asseoir pour reprendre une discussion badine. Mais il s'était encore une fois couvert de ridicule. Il n'avait plus de raison de rester ici.

Il se dirigea vers l'entrée. Aude bondit de sa chaise :

— Nicolas, je t'en prie, reste !

Mais il ne l'écoutait déjà plus. Il ouvrit la porte, qu'il referma délicatement sur lui.

Jérôme restait silencieux. Charlène, en pleurs, prit la main d'Aude.

— Viens, on va le chercher !

Mais Aude ne bougea pas d'un pouce. Elle gardait les yeux fixés sur la porte close. Au bout de quelques secondes, elle murmura :

— Ça ne sert à rien, Charlène. Nous n'arriverons pas à le convaincre. Je pense que ce n'est pas nous qu'il attend...

— C'est juste, Aude, acquiesça Alexandre. C'est à moi d'y aller...

Et il quitta à son tour l'appartement.

*

Xavier avait depuis longtemps ingurgité le reste de sa bouteille de cognac.

Quatre heures. Quatre heures qu'il poireautait enfermé dans sa caisse à étouffer dans la chaleur !

Mais cela n'avait pas été inutile. Parce que trois quarts d'heure plus tôt, il avait vu Aude accompagnée d'un de ses bouffons entrer dans l'immeuble.

Depuis, il avait appelé une dizaine de fois sur son portable. Sans surprise, elle n'avait pas décroché. Du coup, il avait fini par taper le code qu'il avait noté et était entré dans le bâtiment, puis dans la cour intérieure. Une autre porte protégeait l'accès à l'escalier. Il était ressorti, s'était traîné jusqu'à une petite épicerie à une centaine de mètres, et s'était muni d'un pack de bières.

Puis il était revenu dans la voiture, et avait descendu trois bouteilles.

Que foutait-elle et chez qui dormait-elle ? Xavier savait Aude suffisamment droite et honnête pour ne pas lui être infidèle. Mais l'alcool aidant, son imagination le poussait à entrevoir l'idée qu'elle se tape la tarlouze à la tête de statue grecque.

Il éructa bruyamment dans l'habitacle et se mit à ricaner.

— Elle me fait cocu avec un pédé !

Il balança la bouteille vide sur le siège passager.

Maintenant, son tableau de bord lui indiquait 21 h 17, et Xavier décida subitement qu'il était l'heure de passer à l'action.

Il s'extirpa tant bien que mal du véhicule.

Pédé ou pas, Aude était sa femme. Et il fallait qu'elle revienne à la maison. Parce que leur appartement lui semblait froid lorsqu'elle n'y était pas. Parce que les heures s'écoulaient lentement sans sa présence. Parce que le silence devenait insupportable sans sa voix, son rire.

Parce qu'il n'était plus rien sans elle.

Il sentit la colère monter. Il retapa le code, revint dans la cour intérieure. Il entendit le bruit d'une gâche électrique : la porte donnant sur les escaliers s'ouvrit sur l'autre jeune qu'il avait aperçu le soir où il avait fait le guet. Il n'avait pas l'air en grande forme. La porte se referma. Xavier se morigéna pour ne pas avoir eu le réflexe de se précipiter dans l'escalier.

Il décida de forcer la porte à coups d'épaule. Mais à peine allait-il se lancer qu'elle s'ouvrit à nouveau.

Alexandre ne prêta aucune attention à l'homme qui entra dans le bâtiment. Il nota juste la présence d'une forte odeur d'alcool et se précipita vers la rue.

Xavier monta illico dans les étages, s'arrêtant à chaque palier pour écouter aux portes des appartements.

Arrivé au troisième, il entendit Alexandre et Nicolas revenir et parler dans la cage d'escalier. Ils s'arrêtèrent au deuxième. Xavier exulta et serra le poing. Ils habitaient donc là.

Il allait attendre que tout ce petit monde-là dégage en restant planqué dans la cour intérieure. Ensuite il irait chercher Aude : il avait besoin d'elle pour retrouver son équilibre et cesser de partir en vrille.

Oui, ce soir, coûte que coûte, il ramènerait Aude à la maison.

*

Lorsque Alexandre et Nicolas revinrent dans l'appartement, ils s'assirent sans un mot l'un à côté de l'autre.

D'une voix fragile, Nicolas rompit le silence :

— Vous allez finir par croire que je suis coutumier de ce genre de départ... Et puis, je n'ai pas été juste avec vous. Je ne sais pas pourquoi je vous ai dit tout ça. Mais je ne me sens pas dans mon assiette depuis mon malaise près des étangs. Mon mal de tête ne me quitte pas... Je vous demande pardon.

Alexandre lui donna une tape amicale sur l'épaule. Alors il commença :

— Mon problème à moi, c'est 6 h 03...

Il regarda Aude, baissa les yeux sur ses mains dont les doigts s'entrelaçaient avec nervosité. Pour la première fois de sa vie, face à ceux qu'il considérait désormais comme des amis dignes de confiance, allait-il être capable de partager son histoire, sa véritable histoire, celle qu'il avait toujours cachée, celle qui était à peine racontable ? Comme pour se protéger, il choisit d'utiliser la troisième personne pour la rapporter. Prenant une grande inspiration, il plongea quinze ans en arrière...

## 20.

*Mercredi 4 août 2004, 23 h 35.*

*Nicolas a seize ans.*

*Ce soir, il tourne et tourne dans son lit. Il ne parvient pas à trouver le sommeil. Comment le pourrait-il au souvenir de la journée incroyable qu'il vient de vivre ? Il se repasse inlassablement le film de son après-midi. Ce moment où Camille, la plus belle fille du lycée, l'a transformé.*

*Nicolas est très amoureux. Tout du moins le croit-il. Lorsque Camille et lui ont échangé leur premier baiser, il y a tout juste deux mois, Nicolas sentait déjà que cette histoire serait plus forte que les autres. Camille est tellement extraordinaire...*

*Tous deux ont passé le mois de juillet ensemble. Et aujourd'hui... ils ont sauté le grand pas. Celui qui vient de faire de lui un homme. Un vrai.*

*Nicolas éprouve une immense fierté : il n'est plus puceau. Il n'aura plus à changer de conversation dès que l'un de ses potes abordera ce sujet. Il a enfin franchi la barrière.*

*Il fait chaud en cette nuit du mois d'août. Il a entrouvert sa fenêtre pour laisser entrer un peu d'air, mais rien ne passe entre les lattes des volets.*

*Il se tourne et se retourne.*

*Se sent-il vraiment différent, au fond ?*

*Certes, le moment a été magique. Enfin, ça, il n'en a pris conscience qu'une fois l'acte sexuel achevé. Car, sur l'instant, il était davantage concentré sur ce qu'il avait à faire pour ne pas se ridiculiser, c'est-à-dire deviner les bonnes réponses aux questions qu'il s'était toujours posées : Devait-il la caresser longtemps avant d'entrer en elle ? À quel moment devait-il mettre le préservatif qu'il gardait toujours dans sa poche ? À quel rythme devait-il poursuivre ses mouvements de va-et-vient ? Et combien de temps devait-il tenir ?*

*Le fait d'être amoureux avait été plus puissant que sa peur et sa maladresse, et toutes ces interrogations avaient fini par être gommées.*

*Il n'avait jamais parlé de ces choses-là avec son père. Il ne se sentait pas assez proche de lui, et son manque de présence à la maison, ajouté à son comportement vis-à-vis de son frère et lui, ne l'y avait pas encouragé.*

*La complicité, il la partageait avec sa mère.*

*À elle, il pouvait tout confier. Enfin presque. Comment demander à sa propre mère la manière de se comporter en homme dans une situation si intime ?...*

*Nicolas tournicote toujours dans son lit.*

*Assurément, le moment passé avec Camille a été merveilleux. Pourtant, Nicolas se sent un peu déçu. Il s'était imaginé que le simple fait de faire l'amour le transformerait aux yeux des autres. Or, personne ne semblait avoir remarqué quoi que ce soit ce soir. Pas même sa mère, qui le connaissait au demeurant par cœur.*

*Nicolas soupire et pense à Camille. Demain, il doit la retrouver. Il se dit que, cette fois-ci, il se montrera plus sûr de lui. Maintenant, il sait comment procéder.*

*Il entend soudainement un bruit de pas dans l'escalier, puis le bouton de porte de sa chambre tourne lentement dans son grincement habituel. Il ferme les yeux et fait semblant de dormir. Il n'a pas envie de couper l'histoire qu'il vient de commencer à rêver tout éveillé. Il va donc juste la mettre en suspens le temps de se retrouver seul.*

*Il reconnaît l'effluve de cette eau de Cologne avec laquelle sa mère se frictionne les bras après la douche. Mais une autre odeur, désagréable et inconnue, vient recouvrir l'odeur d'amande.*

*Il sent sa mère approcher du lit, s'asseoir sur le bord, et devine son regard posé sur lui dans la pénombre. Combien de temps reste-t-elle ainsi à ses côtés, sans un mot et sans un geste ? Il serait incapable de le dire. Il hésite un moment à ouvrir les yeux. Mais il s'en abstient car le visage de Camille se dessine dans sa tête.*

*— Nicolas ?*

*Sa mère a à peine murmuré son prénom. Peut-être même a-t-il cru l'entendre. Il doit à présent lutter contre l'envie d'ouvrir grand les yeux, s'asseoir à son tour et tout lui raconter, lui faire partager son bonheur et qu'elle le félicite. Et en même temps, il voudrait encore garder pour quelques heures ce secret enfoui en lui, pour le savourer seul.*

*Alors qu'il hésite, il sent la main de sa mère lui effleurer le visage, et ses lèvres se poser sur son front.*

*— Je t'aime, Nicolas.*

*Elle n'a fait que chuchoter et pourtant Nicolas sent qu'elle n'a pas sa voix habituelle. Elle est comme enrouée. Il devine qu'elle a de la peine. Il l'a entendue se disputer au téléphone avec son père avant le dîner. Comme souvent. Puis elle s'est enfermée dans la cuisine. Lorsqu'elle en est ressortie une demi-heure plus tard, elle avait les yeux rouges et gonflés. Nicolas n'a pas posé de question.*

*Pour le moment, plongé dans la pénombre, il décide d'attendre le lendemain pour lui annoncer la grande nouvelle, celle qui a fait de son fils un homme. Comment partager un tel bonheur maintenant alors qu'il la sent si triste ?*

*Il ferme les yeux un peu plus fort. Là, il veut retourner dans les bras de Camille.*

*Il croit entendre sa mère renifler, mais il n'en est pas sûr. Il la sent se lever et repartir comme elle est venue, en refermant la porte avec douceur.*

*Il ouvre les yeux, se redresse dans son lit avant de regarder son réveil : il est 23 h 43. Pourquoi ne va-t-elle pas se coucher ?*

*Elle est infirmière et, comme d'habitude, elle devra se lever à 6 h 10 pour partir à 7 heures et prendre son poste à l'hôpital à 7 h 30. Entre-temps, son père terminera sa nuit de gardien à 7 heures, et arrivera à la maison entre 7 h 20 et 7 h 30.*

*C'est ainsi trois fois par semaine. Le reste du temps, sa mère est là. Son père travaille du lundi soir au samedi matin. Nicolas a l'impression de le voir de plus en plus rarement, et que leurs disputes sont de plus en plus fréquentes. Il préfère penser à Camille... C'est un sujet tellement plus agréable... Il se repasse pour la énième fois leur étreinte au ralenti. Et il se dit que, demain...*

*Lorsque Nicolas se réveille en sursaut, il fait encore nuit. Il a cru sentir la caresse de sa mère sur sa joue. Mais lorsqu'il ouvre les yeux, il est seul dans sa chambre. Il jette un coup d'œil à son réveil : 6 h 03.*

*6 h 03 ? Dans sept minutes, le réveil de sa mère sonnera. Lui est en vacances. Comme son petit frère, qui dort dans la chambre d'à côté.*

*Il aimerait tellement tout lui raconter avant qu'elle ne parte travailler. Ne lui répète-t-elle pas souvent qu'il n'existe aucun secret entre eux ?*

*Il saute de son lit, le soleil commence à se lever. Il se sent heureux. Une belle journée s'annonce.*

*Sans un bruit, il ouvre la porte, s'engage dans les escaliers pour descendre au rez-de-chaussée. Il connaît chaque habitude de sa mère : dès que son réveil sonnera, elle se lèvera, se rendra dans la cuisine pour allumer la machine à café, préparera un bol, sortira une cuillère, deux biscottes et le beurre. Puis elle ira prendre une douche, reviendra en peignoir savourer son petit déjeuner en écoutant la radio.*

*Nicolas décide que cette journée ne sera pas une journée comme les autres. Lorsqu'elle se lèvera, il aura tout préparé. Lui aussi prendra des biscottes. Il se sent d'ailleurs une faim de loup...*

*Arrivé dans la cuisine, il ferme la porte et allume la lumière. Il veut absolument aller au bout de sa surprise, sans réveiller sa mère ou son frère.*

*Il déplace le dessous-de-plat ainsi qu'une feuille pliée en quatre où le prénom de son père est griffonné.*

*Une bouteille presque vide s'y trouve également. Elle est débouchée et il reconnaît immédiatement l'odeur qui l'a dérangé la veille. De la vodka. Bizarre. Sa mère ne boit jamais. Peu importe. Il doit se dépêcher. Il ne lui reste que quelques petites minutes, et il ne veut pas que sa mère entre avant que tout soit prêt. Il dispose biscottes et beurre sur la table. Il y ajoute sa gourmandise préférée : le Nutella. Dans la foulée, il prépare un café. Lorsqu'il sort du réfrigérateur la bouteille de jus de fruits, il jette un coup d'œil à l'horloge du four. Il est 6 h 14.*

*Il quitte la pièce et emprunte le couloir qui mène à la chambre de ses parents. Il pose l'oreille contre la porte mais aucun bruit ne lui parvient. L'horloge du four est-elle en avance ? Sa mère aurait-elle oublié de mettre son réveil à sonner ?*

*Il entrouvre la porte. Le lit est impeccable. Comme si personne n'y avait dormi. La pièce est vide, mais pourtant il appelle à voix basse :*

*— Maman ?*

*Il rebrousse chemin, revient vers la cuisine, bifurque à gauche, vers la salle de bains. La porte est fermée, un rai de lumière s'en échappe. Nicolas s'étonne de ne pas avoir entendu sa mère passer de sa chambre à la salle d'eau. Se serait-elle levée plus tôt que d'habitude ? Mais sa mère commence toujours par allumer la machine à café : or elle était éteinte lorsqu'il est descendu. Il avance et frappe trois petits coups contre la porte.*

*— Maman ? répète-t-il doucement.*

*Mais là encore, il n'obtient aucune réponse.*

*Il revient à la charge.*

*Sans plus de succès.*

*Il abaisse la poignée de la porte. Cette dernière est verrouillée de l'intérieur. Il frappe de nouveau. Le silence continue à faire écho à ses appels.*

*Mû par quelque chose qu'il n'arrive pas à nommer – un pressentiment ? l'odeur d'un danger ? une peur panique ? –, il court à nouveau vers la cuisine pour s'emparer d'un couteau. Combien de fois son frère s'est-il enfermé dans cette pièce munie d'un verrou ? Il sait comment l'ouvrir. Il revient, introduit la lame dans la fente du mécanisme et tourne dans le sens inverse des aiguilles d'une montre.*

*La porte s'ouvre enfin.*

*Les objets sont à leur place habituelle. Mais le seul mot qui vient heurter son cerveau avec une violence inouïe est :* ROUGE.

*Rouge comme l'eau dans laquelle sa mère semble s'être endormie.*

*Rouge comme les flaques qui se sont formées autour de la baignoire.*

*Rouge comme les filets qui ont coulé puis séché le long de l'émail.*

*Dans un réflexe absurde il referme la porte derrière lui, comme si l'image d'horreur qui s'offre à lui allait à son tour grimper les escaliers et contaminer son petit frère.*

*La pâleur du visage tranche crûment avec le ton grenat de ce liquide qui ressemble à un drap.*

*Son cerveau en état de choc trouve encore le temps de poser une question absurde : Pourquoi sa mère s'est-elle aujourd'hui baignée en tee-shirt et culotte ?*

*Sept secondes s'écoulent précisément entre le moment où ses yeux se sont posés sur cette scène d'épouvante et celui où il se jette sur sa mère.*

*Il l'attrape alors sous les aisselles et la tire de toutes ses forces hors de la baignoire. Mais il perd l'équilibre et tombe sur le carrelage, en même temps qu'une énorme flaque teintée de rouge s'abat sur le sol et sur son pyjama. Son corps absorbe la chute de celui de sa mère, qui a commencé à se raidir. Affolé par cette raideur qu'il n'aurait jamais imaginée possible, il bascule aussi délicatement que possible pour étendre son corps sur le sol. Il se redresse, glisse sur les carreaux d'argile, pose son visage contre le sien. L'odeur de vodka a imprégné sa chevelure.*

*Il la secoue, et l'appelle, la supplie d'ouvrir les yeux. Terrorisé, il attrape l'une de ses mains et découvre d'immenses lacérations sur ses avant-bras, desquelles s'échappent encore quelques gouttes de sang. Mais comment peut-elle encore saigner avec tout ce qu'elle a perdu ? Et comment peut-on entailler aussi profondément sa propre chair ?*

*Naïvement, il pense aux cicatrices qu'elle va devoir dissimuler au regard des autres. Il regarde instinctivement le flacon Roger & Gallet posé sur son étagère, avec la sensation que rien de ce qu'il vit ne se produit vraiment. Combien de temps devra-t-elle patienter avec de telles plaies pour pouvoir à nouveau se frictionner les bras ?*

*Nicolas n'a jamais été confronté à la mort. Ni de près, ni de loin. Alors, il espère. Et il continue à secouer, à appeler, à supplier. Bravement, il appose des serviettes contre les lésions profondes dont le souvenir ne le quittera jamais plus.*

*Il réalise enfin qu'il faut appeler à l'aide, tout en songeant que son petit frère ne doit surtout pas voir cela. Car il sait, il sent que les images qui sont en train de défiler sous ses yeux le hanteront à jamais. Il sort de la salle de bains en tremblant, arrive à trouver le téléphone, appelle le 15. Parvient encore à se souvenir de son adresse et épelle le nom de sa rue. Il s'entend même dire ces mots affreux : « Je crois que maman est morte. »*

Comment ça, morte ? Pourquoi tu dis qu'elle est morte ?

*La femme au téléphone lui pose une question : « Est-ce que tu sais si ta mère respire encore ? »*

*Mais qu'est-ce que c'est que cette question ? Et comment le savoir ?*

Calme-toi. Tu vas te ressaisir et tout ira mieux. Ce que tu vis n'est qu'un cauchemar.

*— Est-ce que tu peux me décrire plus précisément les choses, Nicolas ? entend-il encore.*

*Décrire ? Mais décrire quoi ? Il ne saura jamais trouver les mots pour décrire la scène qui s'est imprimée dans sa tête.*

Souviens-toi de ses bisous magiques. Tu te rappelles ? Un seul de ses baisers et tout allait mieux...

Alors, là aussi, il suffira d'un baiser magique.

*Nicolas raccroche. Il n'a pas besoin de questions mais d'aide. Il se précipite à nouveau vers la salle de bains. Avant de rouvrir la porte, il ferme les yeux et espère un instant que lorsqu'il les rouvrira, sa mère se tournera vers lui en souriant, qu'elle lui dira qu'il a un peu trop d'imagination et qu'il devrait remonter se coucher. Et ils en riront ensemble lorsqu'elle rentrera de son travail.*

*Il voudrait.*

*Oui, il voudrait.*

*Parce que ce qui s'est figé derrière cette porte dépasse tout ce qu'on peut imaginer.*

*C'est bien pire.*

*Et de loin.*

*Des pensées désordonnées le secouent maintenant. Il revoit sa mère le rejoindre cette nuit. Il l'entend lui dire qu'elle l'aime.*

Ce soir, moi aussi je lui dirai combien je l'aime. Cela fait tellement longtemps que je ne lui ai pas dit...

*Mais pourquoi a-t-il senti cette caresse à 6 h 03 ?*

*Il rouvre la porte.*

*Puis les yeux.*

*Le corps est là, inerte, les lèvres bleues et entrouvertes, le tee-shirt blanc devenu rouge écarlate... Il remarque même un fin collier de perles à son cou, cadeau qu'il lui avait offert lors de vacances passées en Turquie.*

*Mais il comprend surtout que sa mère n'est plus en capacité de faire de bisou magique.*

*Alors il se jette de nouveau sur elle, couvre son visage de baisers, noie ses larmes au sang qui s'est répandu dans les longs cheveux châtains. Il l'implore de ne pas les abandonner, lui et son frère. Il lui demande pardon pour ne pas lui avoir répondu hier soir. Il lui promet que plus jamais il n'aura de secret pour elle.*

*Puis il la recouvre d'un drap de bain pour qu'elle n'attrape pas froid.*

*Il s'entend hoqueter bruyamment, comme s'il planait au-dessus de son propre corps.*

*Il sort subitement de son état de torpeur lorsque des coups sont frappés à la porte de la salle de bains.*

*Par réflexe il s'y est enfermé. Son frère est derrière, en larmes. Nicolas sèche maladroitement ses joues, réalise que son pyjama est couvert de sang. Il enlève précipitamment son tee-shirt, entrouvre la porte, se glisse dehors.*

*Ce qui a réveillé son frère, c'est la sonnerie insistante. Nicolas, lui, ne l'a pas entendue. Il glisse une main dans celle du garçon de douze ans et part ouvrir à des inconnus en uniforme qui entrent. Sans un mot, il leur désigne la salle de bains tandis qu'il emmène son frère loin de ce cauchemar. Pour que lui puisse conserver intactes l'image de son visage entouré par de longues boucles châtaines, l'odeur de cette eau de Cologne qui laissait un sillage de parfum lorsqu'elle venait les embrasser.*

*Nicolas fait promettre à son frère de ne pas sortir de la chambre tant que lui-même ne sera pas revenu l'y chercher. Soudain un détail lui revient : la feuille manuscrite qu'il a vue sur la table.*

*Il ferme la porte de la chambre, redescend l'escalier en courant. Il veut savoir. Il* doit *savoir.*

*Un ambulancier parle de police.*

*Trois individus penchés sur le corps de sa mère, des appareils et du matériel médical étalés tout autour.*

*Lui doit lutter contre son envie de retourner se jeter dans ses bras. Il y parvient en se disant qu'il doit découvrir ce qu'il y a d'écrit sur cette feuille.*

*L'un des hommes l'a suivi dans la cuisine, et cherche à lui parler. Mais Nicolas n'a qu'une idée en tête : découvrir le contenu de la lettre. En entrant dans la pièce, il remarque les nombreuses boîtes vides de médicaments posées sur le buffet. Une gélule est tombée sur le sol. Sur l'un des emballages, il déchiffre*

*« Prozac ». Par chance, l'homme fonce directement sur les médicaments, ce qui permet à Nicolas de subtiliser le papier avant de se rendre aux toilettes.*

*Là, enfin seul, il déplie la lettre qui se compose de deux feuilles.*

*Il lit :*

*« Sylvain,*

*Je suis au bout du rouleau.*

*J'ai longtemps espéré que cette Nadine ne ferait que passer dans ta vie mais notre conversation de ce soir me met face à la réalité : tu aimes cette femme au point de me quitter, de tout quitter pour elle.*

*Je travaille durement. J'assume beaucoup de choses. Certaines journées sont longues et fatigantes, mais je tiens le coup parce que j'ai toujours en tête de retrouver cette maison que j'ai choisie, cet homme dont je suis un jour tombée follement amoureuse, et ces deux enfants conçus dans le bonheur.*

*Tu me dis que rien ne changera avec ton départ. Qu'il faudra juste vendre la maison. Mais nous sommes criblés de dettes et arrivons à peine à joindre les deux bouts... Comment veux-tu que j'y arrive seule ? Et que j'arrive à élever nos fils avec mes horaires de travail ? Que vont-ils penser de moi ? Que je n'ai même pas les moyens de leur offrir un foyer digne de ce nom ? Que je ne suis pas assez bien pour t'avoir donné envie de rester avec nous ? Et quelle image auront-ils lorsqu'ils me verront triste comme une caillasse, à pleurer toute la journée, alors que toi tu fileras le parfait amour avec une autre que moi ?*

*Je ne veux pas avoir à t'effacer de ma vie. Je préfère m'effacer moi. Parce que je t'aime, Sylvain.*

*Autant que ce jour où tu m'as invitée à danser pour la première fois. Autant que ce jour où j'ai accepté de devenir ta femme.*

*Je ne peux pas t'imaginer vivre sans moi. Et encore moins m'imaginer vivre sans toi. La douleur est trop forte. Insupportable même. Ni les cachets ni l'alcool n'en sont venus à bout. Maintenant, il faut qu'elle s'arrête. Qu'elle se taise. Qu'elle cesse de me rendre folle de désespoir.*

*Et pour cela, je ne vois plus qu'un moyen. J'y ai songé plusieurs fois. Mais en pensant à ceux que je laisserais derrière moi, j'ai reculé.*

*Aujourd'hui il est temps de passer à l'acte. J'ai décidé de ne penser à rien d'autre qu'à la paix que je vais enfin ressentir, et que je ne pourrai jamais retrouver en te sachant dans d'autres bras.*

*Tu vois, je ne croyais pas qu'il était possible de mourir d'amour.*

*Maintenant, je le sais.*

*Je vais partir m'endormir pour un temps bien plus long que d'habitude, en me disant que, bientôt, tu rentreras. L'Éternité de notre amour me tend les bras...*

*Je te souhaite d'être heureux, puisque j'ai enfin compris que tu le serais bien plus sans moi.*

*Ce sera là mon dernier acte d'amour.*

*Ton Anya »*

*Nicolas a besoin de relire trois fois la lettre pour comprendre qu'aucun mot ne lui est adressé, et qu'aucun mot ne parle même de lui. Hormis « ceux ».*

*Certes, il vient de découvrir sa mère sous un autre jour : celui d'une femme amoureuse et dépressive dévastée par la douleur d'une rupture. Une douleur devenue trop forte. Intolérable. Insupportable.*

*Mais une autre blessure lui entaille le cœur : pourquoi sa mère parle-t-elle si peu de lui et de son frère ? N'ont-ils donc jamais existé pour elle ? Une question qui ne trouvera jamais de réponse s'immisce insidieusement dans la tête de Nicolas : Qu'avons-nous donc fait pour qu'elle nous abandonne ?*

*Bien des années plus tard, un psychologue lui expliquera que, sous l'emprise des médicaments et de l'alcool, sa mère n'était plus en état de raisonner clairement. Que ses mots ont été dictés par le cœur d'une femme amoureuse en souffrance, pas par celui d'une mère qui réfléchit. Qu'au moment où elle tenait ce crayon, elle était en dehors de la réalité et déjà dans le passage à l'acte.*

*Nicolas essaiera de comprendre. Mais cela n'enlèvera jamais ce syndrome d'abandon dont il ne pourra jamais plus se défaire, ni la conviction qu'il aura de ne pas avoir été à la hauteur ce jour-là, ce qui perpétuera en lui le sentiment d'être quelqu'un indigne d'être aimé.*

*Au moment où sa mère s'entaillait la première veine, son mari volage lui adressait un SMS pour lui annoncer qu'il ne rentrerait pas ce matin-là. Ainsi, malgré les supplications et la dispute par téléphone, il avait préféré rejoindre sa maîtresse. Tout cela, Nicolas l'apprendra aussi plus tard.*

*Parfois, rien ne se passe comme prévu.*

*Nicolas replie la lettre, anéanti.*

*Il voudrait remonter le temps. Retrouver ce moment précis où elle lui a dit : « Je t'aime, Nicolas. » Pour ouvrir les yeux et la retenir. Pour lui raconter sa journée. Partager sa joie. L'inonder de son amour. Et lui expliquer qu'il est devenu suffisamment grand pour l'aider, qu'ils s'en sortiront tous les trois. Et lui redonner l'envie de vivre.*

*Il se sent assez grand pour aider sa mère, mais bien trop petit pour la perdre.*

*Il sort comme un automate des toilettes. Il a besoin de la voir, de la toucher une dernière fois.*

*Une femme s'approche de lui, il a juste le temps de cacher la lettre au creux de sa main. Elle lui parle mais il ne la comprend pas. Il ne la voit qu'au travers d'un rideau de larmes. Son visage est empreint de gravité. De tristesse aussi. Mais comment peut-elle être triste puisqu'elle ne connaît pas sa mère ? Elle pose sa main sur son avant-bras, il sent une légère pression.*

*« ... rien pu faire, je suis désolée. »*

*Il est sûr d'avoir entendu « rien pu faire ». Mais qu'est-ce que ça veut dire ?*

*Il le sait bien. Il a compris que tout était fini lorsqu'il a vu le collier acheté à ce vieux marchand turc. Il l'a ressenti dans sa chair. Comme si elle lui envoyait un ultime message.*

*Pourtant, il secoue vigoureusement la tête. Il n'est pas prêt à accepter. Ils se trompent forcément. Sa mère ne peut pas mourir. Elle n'a pas pu les laisser seuls, son petit frère et lui. Ce n'est pas possible.*

*Il voit passer un brancard recouvert. On lui a caché le visage. Mais ses longs cheveux tombent en cascade sur les côtés. Elle qui passait des heures à les brosser... Alors Nicolas bondit vers elle et hurle qu'on ne doit pas laisser ses cheveux dans cet état. Deux bras vigoureux le rattrapent. Il se débat. Il ne voit et n'entend plus rien. Il sent juste son cœur et son ventre qui se tordent de douleur. Au travers de tout ce tumulte, un seul son lui parvient. La voix de son frère, qui l'appelle en pleurant. Il éprouve à cet instant un amour colossal pour cet enfant porté par le même ventre, nourri au même sein, et lié à lui à jamais. Il arrive à se dégager, se précipite vers le haut de l'escalier. La femme de tout à l'heure monte les marches en courant mais déjà Nicolas la dépasse. Il prend son frère par la main, le tire hors de sa chambre pour l'amener dans la sienne, tout en faisant barrage avec son corps pour qu'il ne voie rien de la scène qui se déroule en bas. Nicolas repousse violemment l'inconnue et referme la porte de sa chambre sur eux deux. Les grands yeux inquiets de son frère se posent sur lui avec confiance, mais s'emplissent d'incrédulité lorsqu'ils découvrent le short de pyjama maculé de sang. Nicolas le serre dans ses bras, dont il n'arrive plus à contrôler les tremblements. Il sanglote silencieusement, et se revoit face au cadran de son réveil lorsqu'il a émergé de son sommeil.*

*6 h 03.*

*Son réveil brutal ne peut pas être lié au hasard.*

*Tandis qu'il lutte contre son envie de pleurer et de hurler sa détresse, il entend sa mère lui souffler qu'ils ne sont dorénavant plus que deux, et qu'il doit désormais veiller pour toujours sur son petit frère. À voix haute, il fait la promesse que rien ne les séparera jamais, et que, pour Elle, ils traverseront ensemble toutes les épreuves de la vie. Il est terrorisé, ravagé par la peine, mais jure qu'il sera toujours là pour le protéger.*

*À cet instant précis, Nicolas réalise que ce n'est pas en faisant l'amour qu'il est devenu un homme.*

*C'est ici et maintenant. Dans le malheur. Dans le drame. Au fond de l'ignominie.*

*Brutalement.*

*Irréversiblement.*

*Il comprend que rien ne sera jamais plus comme avant.*

*Qu'une plaie béante vient de s'ouvrir en lui.*

*Et qu'il sera difficile de la refermer.*

## 21.

Nicolas releva la tête. Un silence religieux enveloppait la pièce. Un instant il eut l'impression qu'ils avaient vécu ces moments horribles à ses côtés.

— Mon père n'est arrivé que trois heures plus tard, alerté par la police, reprit-il. Il a commencé à me baratiner au sujet de son boulot. Plus il me mentait, plus je sentais un fossé se creuser entre nous. Il semblait davantage ennuyé par la situation que peiné. Je lui ai remis la lettre qu'il a lue aussitôt. Son visage s'est décomposé. Il a serré les mâchoires et a lâché un misérable : « Je ne suis pas responsable de ce qu'elle a fait, Nicolas. C'est son choix. »

Nicolas s'enfonça dans son fauteuil, les bras croisés sur le ventre.

— J'ai refusé d'aller vivre avec lui. Je préférais encore être placé par la DDASS. Mon frère restait collé à moi. Impossible de nous séparer. Ma grand-mère maternelle a accepté de nous prendre, ce qui a arrangé mon père vu que sa « maîtresse » préférait nettement l'avoir tout seul plutôt qu'accompagné de deux pièces rapportées.

Il avait prononcé le mot « maîtresse » avec un dégoût manifeste.

— Alors, oui, vous savez maintenant que moi aussi j'ai appris qu'à tout instant la vie peut basculer. Et je suis peut-être un homme, mais je peux mesurer l'ampleur de la douleur éprouvée par une femme trompée, ajouta-t-il en fixant Aude. Pourtant, je crois qu'il y a toujours un bonheur qui nous attend quelque part. Il faut juste ne pas se tromper dans les choix que l'on fait, dans les décisions que l'on prend...

Il posa les yeux sur Charlène.

— Je sais également ce que c'est de vivre sans une mère. Certes, j'ai eu la chance de connaître la mienne. Mais à moi aussi il m'est arrivé de me sentir perdu sans ses conseils, à des époques charnières de ma vie.

Il se tourna ensuite vers Jérôme.

— Je crois encore pouvoir dire que, oui, le sentiment de culpabilité est une torture quand on le traîne comme un boulet. Je suis son esclave depuis le 5 août 2004.

Il laissa errer son regard sur le plafond.

— Depuis, je ne compte plus les matins où je me réveille aux alentours de 6 heures. Chaque année, le 5 août, je me rends à Étretat, sur cette plage où elle nous emmenait tous les étés, mon frère et moi. C'est comme un rendez-vous avec elle, je...

Il s'interrompit, gêné.

— N'allez pas croire que je fête la date anniversaire de son suicide, murmura-t-il. Mais c'est ma manière de lui montrer que ni le temps ni sa disparition n'ont entaché l'amour que je lui portais.

— Mais ton frère ne t'accompagne pas ? l'interrogea Aude.

— Contrairement à moi, mon frère n'a pas eu à grandir avec cette question : aurais-je pu la sauver si j'avais réagi cette nuit-là ?

Il se massa les tempes. Cette sensation d'étau lui enserrait toujours le crâne...

— Il n'a donc jamais compris le sens de ce pèlerinage. Ni mon besoin de me recueillir en ce lieu si cher à ma mère. Il trouve ça morbide.

Alexandre, lui, ne parvenait plus à esquisser le moindre geste, ou à prononcer la moindre parole. Certaines images lui revenaient en tête, notamment celle de Nicolas sur le pont des Buttes-Chaumont, le matin où ils s'étaient tous rencontrés. Il comprenait maintenant sa réaction quand Charlène avait menacé de sauter. L'histoire de Nicolas était la plus poignante qu'il ait jamais entendue.

*

Deux étages plus bas, Xavier poussa avec rage la porte donnant sur les escaliers.

Trois plombes qu'il attendait depuis que ces deux abrutis étaient remontés, et plus personne ne quittait l'appartement.

La coupe était pleine.

Alexandre allait prendre la parole lorsque plusieurs coups frappés à la porte les firent tous sursauter. Jérôme se leva aussitôt, tandis qu'une voix, bien connue d'Aude, vociférait :

— Aude, si tu n'ouvres pas cette putain de porte, je la défonce !

Tous sortirent immédiatement de cet état de recueillement dans lequel la confession de Nicolas les avait plongés. Aude constata que Xavier avait cherché à la joindre pas moins de dix-neuf fois ces deux dernières heures. Elle ne comptait plus les SMS, tous plus illisibles les uns que les autres.

— Je suis désolée, bafouilla-t-elle, mortifiée.

Xavier cognait maintenant comme un damné sur la porte.

— Non mais, qu'est-ce que c'est que ce malade ? Il a inhalé de la flakka ou quoi ? lâcha Alexandre d'une voix stridente. Il va défoncer la porte !

— Il n'est pas dans son état normal, je vous assure, balbutia Aude, partagée entre la peur et la honte.

Jérôme lui fit signe de ne pas avancer.

— J'y vais. Les voisins vont appeler les flics et ils vont finir par se questionner sur ce qui se passe ici...

— Aude, planque-toi ! ordonna Nicolas. On va calmer Belzébuth et lui dire que tu n'es pas là.

— Parce que vous croyez qu'il va libérer le plancher juste en découvrant la bonne bouille de Jérôme ? railla Alexandre. Parti comme il est, il ira jusqu'à soulever les dalles du parquet pour vérifier qu'elle ne se planque pas dessous !

— Je vais lui parler ! commença Jérôme.

— Non mais ça ne va pas ? reprit Alexandre en le retenant par le bras. Je n'ai pas envie de passer la nuit à quatre pattes pour rechercher vos dents sur la moquette !

— Mais il faut bien essayer de le calmer ! chercha à argumenter Nicolas.

— Arrête ton délire ! C'est un fusil hypodermique et une cartouche de M99 qu'il nous faudrait pour calmer ce type ! le coupa Alexandre.

— Il faut cacher Aude ! souffla Nicolas en cherchant désespérément dans la pièce l'endroit où elle pourrait se cacher.

— Elle n'entre pas dans le buffet, et ne passe pas sous le canapé. Alors on la met où ? Dans notre poche ? gémit Alexandre d'une voix aiguë.

— Non, oubliez ça tout de suite ! lança Jérôme à Aude lorsqu'il la vit lorgner vers la porte-fenêtre. La balustrade est toute rouillée et bringuebalante !

Il poussa doucement Charlène vers le canapé.

— Derrière les rideaux ? suggéra Charlène, tremblante.

— Et pourquoi pas dans le vase ? s'excita encore Alexandre. On n'est pas au théâtre, là...

— Je ne sais pas pour vous mais, moi, entre le tétanos et le diable de Tasmanie, je choisirais quand même l'infection ! trancha Nicolas.

Tous se regardèrent. Il n'y avait pas d'autre recours possible.

— OK, je prends le balcon ! se résigna Aude en se jetant sur la porte-fenêtre. Promis, je vais faire hyper gaffe ! dit-elle à Jérôme tandis qu'elle glissait prudemment entre la vitre et la balustrade en priant pour que cette scène ne dure pas.

De l'autre côté, Xavier continuait à tambouriner à la porte.

Nicolas, Charlène et Alexandre s'assirent et cherchèrent à se donner une contenance. Lorsque Jérôme entrouvrit la porte, Il fut littéralement propulsé sur le mur d'en face.

Hirsute, Xavier entra dans l'entrée en titubant.

— Où est-elle ? rugit-il. OÙ EST-ELLE ?

Il surgit au milieu du salon, ignorant délibérément tout le monde. Nicolas se leva :

— Monsieur, calmez-v...

— OÙ EST-ELLE ? hurla à nouveau Xavier, incapable de se maîtriser.

Nicolas aperçut Jérôme arriver par-derrière. À voir l'éclat dans son regard, il comprit immédiatement ses intentions et se précipita sur lui :

— Jérôme, ne faites pas ça, ça ne sert à rien. Ce type pue l'alcool à cent mètres. Il est tellement imbibé que vous pourriez cogner dessus toute la nuit sans que ça le ramène à la raison. Laissez-le vérifier partout : il partira de lui-même lorsqu'il verra qu'elle n'est pas là...

Xavier était déjà dans la cuisine, où il ruminait à voix haute des propos totalement incohérents.

Jérôme serra les mâchoires et les poings, hocha la tête pour indiquer à Nicolas qu'il allait tenter de se contenir.

Quant à Aude, tétanisée par ce qu'elle devinait au travers des rideaux, elle pria pour ne pas avoir à rester plus d'une minute sur ce parapet protégé par ce morceau de fer corrodé qui bougeait au moindre mouvement.

À l'intérieur, Xavier continuait d'inspecter toutes les pièces. Lorsque enfin il eut pu vérifier de ses propres yeux qu'Aude n'y était pas, il revint vers la porte d'entrée, retourna dans le salon sans même poser un regard sur ceux qui s'y trouvaient, inspecta le dessous de la table, derrière le canapé. Il se demandait comment elle avait pu quitter l'immeuble sans qu'il s'en aperçoive. À moins qu'elle ne connaisse quelqu'un d'autre dans cet immeuble... Elle aurait ainsi pu se planquer dans les étages supérieurs, regagner le rez-de-chaussée pendant qu'il entrait ici...

Il jura à voix haute et regagna la porte d'entrée, en jetant un regard assassin à Jérôme. Il venait de poser sa main sur la poignée de porte lorsqu'un tressaillement attira son attention et le fit reculer de quelques pas. Une légère brise venait de faire frémir le rideau de la porte-fenêtre. L'information parvint à traverser son cerveau embrumé, et il comprit.

Tel un animal, il bondit en direction de la fenêtre, tandis qu'Alexandre laissait échapper un : « Oh bon sang ! » Mais Nicolas, qui avait deviné son intention, se rua lui aussi sur la fenêtre, s'intercalant ainsi entre Aude et le molosse alcoolisé.

Fou furieux, ce dernier empoigna Nicolas et, avec une force décuplée par l'alcool et la colère, le dégagea brutalement de sa vue en le projetant avec une brutalité inouïe à l'intérieur de la pièce. Un fragment de seconde, une image s'imposa à l'esprit de Jérôme : celle d'un violent dégagement de mêlée au rugby. Sauf que Nicolas n'avait pas la carrure de ces joueurs entraînés.

Alors qu'il se précipitait à son tour sur Xavier pour le stopper, Jérôme eut le temps d'apercevoir Nicolas, totalement déséquilibré, se prendre le pied dans la table basse et s'écrouler sur celle-ci. Sa tête heurta le plateau de verre qui se brisa instantanément en des milliers de fragments dans un bruit épouvantable.

Dans un état de semi-conscience, Nicolas vit Jérôme attraper Xavier par le col, il crut apercevoir Aude jaillir du balcon, entendit Alexandre hurler son prénom, eut encore la sensation d'une langue râpeuse sur sa joue... Puis ce fut le trou noir.

# 22.

Alexandre et Nicolas sortirent dans le couloir désert et allèrent s'asseoir sur les chaises mises à disposition pour les visiteurs, face à la salle des soins. Une infirmière était affairée à la préparation des médicaments à distribuer à l'étage.

— Tu es sûr que c'est mieux ici ? s'étonna Alexandre.

— Tout plutôt qu'entendre la respiration de mon voisin de chambrée. Me coller un asthmatique alors que je suis hypocondriaque, c'est quand même pas de bol !

Alexandre haussa les épaules.

— Arrête ton char : l'asthme n'est pas contagieux ! Et puis en dehors de ça, il a l'air de péter la forme.

— Peut-être. Mais chacune de ses expirations sifflantes me met le myocarde en émoi. Ça me rappelle toutes les merdes qui peuvent me tomber dessus. C'est comme la torture de la goutte d'eau. La nuit, crois-moi, je me cramponne aux draps !

Alexandre ne put retenir un éclat de rire, ce qui lui valut un regard courroucé de la soignante. Par chance, la sonnerie du téléphone l'éloigna de la paroi vitrée.

— Sauvés par le gong ! s'esclaffa Nicolas.

— Dis donc... Elle peut me faire les gros yeux pour un éclat de rire : je suis sûr qu'on l'entend parler du bout du couloir.

— Et il y a pire ! Quand elle fait sa tournée des chambres, tout le monde est au courant de tout. Lorsqu'elle est venue me chercher hier pour passer une IRM, tout l'étage avait été mis au parfum ! Chut !

Nicolas venait de l'attraper brutalement par le poignet. Surpris, Alexandre l'interrogea du regard.

— Écoute, elle parle de moi ! Chambre 404. Examen cérébral...

— Oui, docteur. Nous venons de recevoir ses résultats. Ils ne sont pas bons. Pas bons du tout.

Un silence, auquel les deux amis restèrent suspendus.

— Astrocytome anaplasique... Celui-là, on ne l'aura vraiment pas vu venir...

— Qu'est-ce que c'est que ce truc ? questionna Alexandre à voix basse.

— Jamais entendu parler. Mais je n'aime aucun des deux mots, lui répondit Nicolas tout en les googlisant frénétiquement sur son portable.

— Non, bien sûr, reprit l'infirmière. Et s'il me demande si on a les résultats, je lui dis que c'est vous qui les recevrez, et que vous passerez le voir demain matin.

Un nouveau silence. Nicolas lut son écran d'une voix tremblante :

— « L'astrocytome est une tumeur infiltrante et lentement évolutive qui fait partie des tumeurs développ... »

— Arrête avec ces conneries ! le somma Alexandre sur un ton autoritaire.

Un bruit de page que l'on tourne, puis :

— C'est noté, docteur. Ensuite, en 405, nous avons M. Guitron. Il semble très mal supporter ses injections d...

Alexandre pivota vers Nicolas : il était devenu d'une pâleur effrayante.

— Eh ! Pas de panique ! Elle doit parler de ton copain de chambre. Alors on va jus...

— Tu l'as dit toi-même : mon voisin est gai comme un pinson.

Il n'avait toujours pas retiré sa main du poignet d'Alexandre, qu'il serra un peu plus encore.

— Alex, si Pince-mi et Pince-moi sont dans un bateau et que Pince-mi tombe à l'eau, qui reste-t-il à bord de cette saloperie de rafiot ? Nous ne sommes que deux dans la chambre !

Alexandre était étourdi par ce qu'ils venaient d'entendre. Quel était le sens de tout ce qui leur arrivait ? Avaient-ils donc chacun pour mission d'accompagner les autres lors d'un passage douloureux dans leur existence ? de les aider à trouver en eux les bonnes réponses ? de les pousser à faire des choix ?

*Et ma mission vis-à-vis de Nicolas serait alors de l'accompagner dans la maladie...*

Alexandre secoua la tête. Il ne devait pas entrer dans le délire de Nicolas. Il se leva subitement de sa chaise.

— Non, ça suffit. On va en avoir le cœur net !

— Arrête !

Une nouvelle fois, les doigts s'agrippèrent à son poignet. Le regard de Nicolas était devenu implorant. Alexandre percevait le tremblement de tout son corps au travers de cette main qui le serrait à lui faire mal.

— Je t'en prie, Alex. Laisse-moi profiter de ces dernières heures. Je veux agir comme si de rien n'était jusqu'à demain, tel le bienheureux qui ne sait pas ce qui l'attend. Il y a tant de choses que je n'ai jamais tentées par peur des conséquences sur ma santé... Tu te rends compte ? Je n'ai même jamais pris de cuite ! Viens !

Alexandre sentit la main le lâcher, et Nicolas se dirigea d'un pas lourd vers sa chambre.

— Non, Nicolas ! Autant savoir tout de suite de quoi on parle, là !

Nicolas lui décocha un regard terrorisé.

— Je t'en supplie, Alex... Si tu veux vraiment m'aider, faisons comme si nous n'avions rien entendu.

Sidéré, Alexandre observa attentivement Nicolas, qui serrait de toutes ses forces les bords de sa chaise. Il réalisa combien vivre dans sa tête, avec sa phobie, devait être insupportable.

— Nicolas, je crois que la meilleure manière de t'aider est encore de vérifier que nous ne partons pas sur une mauvaise hypothèse. Pour ma part, il n'est pas question que je quitte cette saloperie de couloir sans avoir parlé avec l'infirmière !

— Eh bien moi, je me tire. Je veux rire, boire, chanter et danser. Comme si j'avais encore toute la vie devant moi. Parce que, là, je ne peux plus respirer, ajouta-t-il en tirant brutalement sur son tee-shirt, pour dégager son cou.

Effectivement, Nicolas cherchait de l'air en ouvrant grand la bouche. Incapable de proférer un mot, Alexandre se laissait gagner par la panique de son ami.

— Allez, je me tire ! déclara Nicolas.

Cela eut pour effet de faire sortir Alexandre de son mutisme.

— Comment ça tu te tires ? Non mais, t'es pas bien ! On ne se barre pas d'un hôpital comme d'un hôtel. Il te faut une autorisation !

— Rien à foutre ! scanda Nicolas, tout en reprenant le chemin qui le menait à sa chambre. Je prends mes papiers, mon argent, je m'habille et... ouste !

— Putain, là, c'est vraiment hardcore, décréta Alexandre, très nerveux à l'idée que Nicolas ait subitement perdu la raison.

Il faillit emboîter le pas de Nicolas mais se retint. Il s'empara de son portable et pria pour qu'Aude décroche vite. Il n'avait pas beaucoup de temps pour lui dépeindre la situation, puis pour aller trouver l'infirmière : juste celui qui permettrait à Nicolas de se changer et de rassembler quelques affaires. Mais il voulait savoir.

*

Xavier s'introduisit dans la cuisine et considéra l'amoncellement d'assiettes et de verres sales dans l'évier. Le salon n'offrait pas meilleur spectacle.

Un désordre sans nom régnait dans la pièce : la table basse était recouverte de canettes de bière vides, de paquets de chips et gâteaux apéritifs, et d'autres bouteilles d'alcool en tous genres.

L'image qu'il avait sous les yeux n'était finalement qu'une métaphore du foutoir sans nom qu'était devenue sa vie depuis le départ d'Aude.

Mais tout cela allait bientôt rentrer dans l'ordre.

Car ce matin, Aude lui avait annoncé son retour par SMS. Certes, elle n'avait pas indiqué de date, se contentant d'un « dans les jours qui viennent ». Mais le principal était qu'elle revienne enfin. Tout allait pouvoir redevenir comme avant, avec le même quotidien apaisant.

Satisfait, rassuré, Xavier revint dans la cuisine et sortit seau, éponge, gants et produits ménagers : il allait tout remettre en ordre. Au sens propre comme au sens figuré. Aude et lui allaient reprendre aux yeux de tous une vie de couple heureux.

*

Lorsque Alexandre mit fin à leur conversation, Aude reposa comme une automate son portable sur le bureau de Charlène. Comment ce qu'elle venait d'entendre était-il possible ? Elle laissa son regard errer sur les couleurs lumineuses projetées par l'écran de l'ordinateur.

Il y avait encore quelques minutes, elle parlait tranquillement avec Jérôme autour d'un café. Elle se sentait bien. Formidablement bien, même. Ils avaient passé la quasi-totalité de la nuit à discuter tous les deux, et ils n'avaient cessé que lorsque l'heure leur avait semblé totalement déraisonnable. Ils n'avaient jamais abordé la parenthèse « Meetic », mais il était évident que cet épisode avait modifié leur manière de s'adresser l'un à l'autre. Leur discussion avait davantage ressemblé à leurs tchats : profonds, sincères, attentionnés. En allant se coucher, elle avait pris grand soin de ne pas réveiller Charlène : il était 3 h 47.

Avec un immense pincement au cœur, elle se dit que tout cela serait bientôt terminé. En se levant, elle avait en effet annoncé à Jérôme et Charlène qu'elle retournerait chez elle le lendemain ou le surlendemain.

Elle repensa à cette soirée cauchemardesque. Lorsque Nicolas avait perdu conscience, Jérôme avait immédiatement appelé les secours, qui avaient transporté Nicolas à l'hôpital Saint-Louis. Xavier, sans doute dans un sursaut de lucidité, s'était enfui.

La confession de Nicolas, qui la hantait, avait bougé les choses en elle. Même si ça lui crevait le cœur, il était temps qu'elle retourne à sa vie d'avant. Ne méritait-elle pas de donner une dernière chance à Xavier ? De toute façon, quel autre choix avait-elle ?

Il fallait qu'elle soit honnête avec elle-même : à part les premiers jours, elle n'avait presque plus pensé à son mari. Il ne lui manquait pas. Mais l'idée de vivre seule la terrifiait. Ce n'était pas glorieux, mais il était temps qu'elle affronte la réalité, et c'était ça, sa réalité. Elle pensa aux liens qu'elle avait noués, si fort, si vite, avec ces quatre inconnus qui étaient devenus en si peu de temps des personnes à ce point importantes de sa vie. Nicolas, Alexandre, Jérôme, Charlène...

Aucun d'entre eux n'avait joué plus qu'un autre avec les dés du destin. Mais tous avaient ramassé.

Et Nicolas, dans sa peur phobique de la maladie, avait peut-être aujourd'hui à affronter le pire.

Bouleversée, elle se demanda ce qu'elle pouvait faire pour son ami.

« Ami... »

Curieux qu'elle ait spontanément choisi ce terme pour parler de Nicolas. Mais en l'espace de douze jours, il était indéniable qu'elle avait vécu plus de choses avec eux qu'avec n'importe qui d'autre.

Nicolas avait eu raison de leur rappeler que tous avaient une vie bien réelle et rangée *en apparence*. Avec pourtant bon nombre de secrets. Secrets qu'ils avaient finalement choisi de partager avec des étrangers.

La solidité des liens ne résidait-elle pas dans la difficulté ou la profondeur de ce que l'on avait à traverser ensemble ?

Nicolas n'avait que 31 ans. On oubliait souvent que la vie n'était pas toujours juste. Jusqu'à ce qu'un accident vous le rappelle.

Elle s'efforça de retrouver son calme : que devait-elle faire *maintenant, là, tout de suite* ? En quoi pourraient-ils tous aider Nicolas si la mauvaise nouvelle était confirmée ?

Si, elle savait quoi faire.

D'un geste vif, elle attrapa son sac à main et sortit de la chambre.

*

Lasse, Charlène se laissa tomber sur son siège.

Aude venait de partir pour rejoindre Alexandre et Nicolas. Elle avait tenu à y aller seule, et Charlène n'avait pas insisté. Elle n'avait jamais été confrontée à la maladie et n'avait jamais imaginé que cela puisse frapper un jour quelqu'un de son entourage.

Tout partait en vrille.

Bientôt, Aude ne s'assiérait plus ici, sur ce fauteuil à roulettes, face à cet ordinateur. Bientôt, le silence qu'elle-même et son père avaient tant apprécié pendant de nombreuses années allait leur sembler subitement bien pesant. Et triste.

Quant à Nicolas...

Elle plongea la tête dans ses mains. Elle aurait voulu pouvoir dormir et ne plus penser. Mais elle s'était engagée auprès de son père à travailler dès leur retour de New York. Il avait tenu parole. À son tour d'honorer sa promesse.

Elle se redressa, ouvrit l'ordinateur. Un nouveau message l'attendait dans sa boîte mail. Elle l'ouvrit.

C'était Parcoursup. Une boule d'angoisse lui enserra la gorge.

Tremblante, elle fit glisser le curseur jusqu'au message, se laissa le temps d'une longue respiration pour se préparer au pire. Puis elle double-cliqua.

Elle ne comprit pas immédiatement la signification des mots qui s'affichaient. Elle secoua la tête, cligna des yeux avant de revenir les poser sur ce mot de deux syllabes qu'elle lut à voix haute pour mieux s'en imprégner :

— Admise...

L'information parut soudain cheminer jusqu'à son cerveau. Elle se leva lentement, le temps de sentir une vague de bonheur déferler dans tout son corps. Elle répéta ce mot magique, en riant cette fois-ci.

Elle était admise à Ginette ! Elle se précipita hors de sa chambre en hurlant, des larmes de joie coulant sur ses joues :

— Papa ! Papa !!!

*

En sortant de l'hôpital, Nicolas était entré dans une petite épicerie à proximité, où il avait acheté deux bouteilles d'alcool. Il avait maintenant rejoint un jardin public, juste à côté de l'hôpital, et s'était affalé sur un banc exposé en plein soleil, une bouteille de vodka à la main, qu'il buvait à même le goulot.

Il ingurgita une nouvelle rasade et grimaça. Certes, ce combustible à 40 degrés suffisait à enflammer toute sa sphère digestive, mais il n'était pas assez costaud pour lui faire oublier la réalité. Il ne songeait désormais qu'à une chose : la maladie, dans toute son horreur, avec toutes les souffrances qui l'attendraient, puis la mort au bout du chemin. Cette ultime étape le séparerait à jamais de son frère, l'être qu'il aimait plus que tout au monde. Comment allait-il lui annoncer cette nouvelle ? Et comment être sûr qu'il s'en sortirait tout seul dans la vie ?

*Ce n'est plus un petit garçon, Nicolas. C'est un homme fort. Et tu as contribué à ce qu'il le devienne.*

*Et puis... C'est la vie.*

Oui. C'était la vie. Dans toute sa beauté et sa fragilité. Et avec ses injustices. Toujours ses injustices. N'avaient-ils pas eu leur compte, pourtant ?

Son téléphone sonna. C'était Alexandre. Nicolas eut à peine le temps de décrocher que la voix de son ami hurlait dans son oreille :

— Ce n'est pas toi, Nicolas, tu m'entends ? Tu n'as rien ! L'infirmière me l'a dit ! Où es-tu ? Je te cherche partout !

— Je suis sur un banc, juste en face de l'hosto. Tu es d'une naïveté, mon pauvre Alex... Tu crois vraiment qu'elle te révélerait un truc pareil ?

— Bon sang de bonsoir ! Mais non, j'ai bien compris ! Bouge pas, j'arrive ! hurla à nouveau Alexandre avant de raccrocher.

Nicolas balança son téléphone dans le sac plastique où se trouvait l'autre bouteille. Il connaissait les hôpitaux, il savait comment ça fonctionnait. Jamais une infirmière n'aurait délivré les résultats d'un patient ; a fortiori à quelqu'un qui n'avait aucun lien familial avec ledit patient. Non, c'était impossible. Alexandre avait inventé tout ça, c'était la seule explication.

*C'est ça, ça ne peut être que ça. Il veut juste te rassurer. C'est d'ailleurs ce que tu lui as demandé : faire comme si vous n'aviez rien entendu...*

Il s'offrit une bonne gorgée du liquide transparent. Cinq minutes plus tard, Alexandre surgissait dans le parc, rouge, essoufflé et dégoulinant de sueur.

— Non mais, tu aurais pu m'attendre avant de te sauver ! essaya-t-il d'articuler.

— Ça arrache, ce truc ! s'exclama Nicolas en brandissant la bouteille comme s'il trinquait joyeusement.

— Nicolas, arrête tes conneries. Je comprends que tu sois sonné mais te prendre une murge ne va rien arranger...

— Ah oui ? Tu as peur que j'ajoute une cirrhose à mes problèmes ?

Lorsque Alexandre comprit que son ami ne plaisantait pas, il hurla :

— Mais je te répète que tu n'as rien, Nicolas ! Rien du tout !

Nicolas le regarda longuement à son tour. Alexandre semblait convaincu. Mais lui savait que cela ne pouvait pas être vrai. Ils n'étaient que deux dans la chambre. La sortie de son voisin était prévue pour le lendemain matin. Cet astrocytome ne pouvait donc *pas* le concerner. C'était pour lui. Mais Alexandre était un gentil.

— Tu crois vraiment que l'infirmière t'aurait dit la vérité, Alex ? À toi, qui n'es même pas de ma famille ? Et que fais-tu du secret médical ?

Alexandre le fixait toujours d'un air éberlué.

— Crois-moi, Alex, elle aurait risqué gros en te donnant de telles informations.

— Elle ne m'a pas donné d'informations. Et elle ne m'a même pas demandé ton nom de famille, que je ne connais d'ailleurs pas, au passage ! Elle se souvenait nous avoir vus dans le couloir, je lui ai simplement dit que nous l'avions entendue, au sujet de l'astro-je-ne-sais-quoi... Et que nous en avions déduit que cela te concernait. Elle a eu l'air très embarrassée puis m'a simplement dit : « Euh non, non... » Alors ?

— Et alors, ça confirme ce que je viens de te dire. Seul un médecin est habilité à délivrer un diagnostic.

Le mien me sera donné demain, lors de la visite du médecin...

*Astrocytome anaplasique.* Combien de malades atteints de cette tumeur maligne pour combien de guérisons ? Il aurait aimé imaginer pouvoir s'en sortir, mais il n'était pas sûr de pouvoir s'autoriser à y croire. Et maintenant qu'il savait cette masse en train de se développer sous son crâne, il *sentait* chacune de ses cellules saines lui hurler que son cerveau était attaqué de toutes parts.

Il observa autour de lui, ignora le regard inquiet d'Alexandre et s'attarda sur les rares passants. Sans doute en bonne santé. Ou tout du moins ignorants de leur éventuelle pathologie. C'était désormais la grande différence entre eux et lui. Eux voyaient la guillotine, mais n'avaient pas encore la tête sur le billot. Lui attendait désormais que la lame tombe.

À son tour, il intégrait ce groupe de personnes atteintes d'une maladie potentiellement mortelle. Le monde se scindait subitement en deux. Pas celui des morts et des vivants. Mais il y avait les « en bonne santé » et les autres. Ces « autres » qui ne pouvaient plus faire de vrais projets, ces « autres » subitement devenus moins fréquentables et que l'on n'invitait plus à boire un verre, ces « autres » que l'on regardait soudainement avec un air peiné, ces « autres » qui faisaient presque déjà partie d'un autre monde.

Nicolas découvrait ce monde-là de l'intérieur. Et chacun de ses premiers pas, faits dans la peur et le chagrin, l'éloignait un peu plus de l'autre. Et donc de son frère.

Alors que lui restait-il ? Quelle était sa liste à lui des cent choses à faire avant de mourir ? En avait-il seulement l'énergie, l'envie ?

Non.

Il n'aspirait qu'à une chose : voir son frère.

Pour lui dire combien il était désolé de devoir l'abandonner à son tour.

Et que, contrairement à leur mère, lui ne l'avait pas choisi.

Il leva la tête et fut remué par le regard d'Alexandre, toujours fixé sur lui. Rêvait-il ou était-ce bien une larme qui s'apprêtait à couler de son œil droit ?

— Tu veux que je te dise, Alex ?

Celui-ci hocha vigoureusement la tête en essayant de sourire.

— Tu es un mec bien...

Incapable de répondre quoi que ce soit, Alexandre le prit dans ses bras.

— Tranquille, Alex ! Ce n'était pas une déclaration d'amour.

— Viens, Nicolas, on rentre à l'hôpital, maintenant... S'il te plaît.

Docile, Nicolas se laissa entraîner. Mais Alexandre l'arrêta au bout de quelques mètres.

— Tu veux que je prévienne ton frère ? Si tu veux, donne-moi son numéro et je l'appelle...

Il fit non de la tête.

— Je préfère le lui annoncer moi-même. Et de vive voix. Je me suis contenté de lui envoyer un SMS, pour l'instant... Je lui ai dit que j'étais à l'hôpital à la suite de ma chute dans les bois l'autre nuit et du mal de crâne qui ne passe pas depuis.

Il se tut un instant, puis comme pour se rassurer, murmura :

— Ce n'est pas complètement faux...

Alex lui répondit dans un même souffle :

— Non, pas complètement...

Une sonnerie retentit, Alexandre attrapa son portable. Aude était arrivée devant l'entrée de l'hôpital.

Ils remontèrent tous deux la rue, sans dire un mot. Lorsque Aude les aperçut, elle courut à leur rencontre et serra longuement Nicolas contre elle. Puis ils regagnèrent ensuite le hall principal et prirent l'escalier à la demande de Nicolas.

— Le bureau des infirmières se trouve juste devant l'ascenseur, et le cerbère de tout à l'heure y sera. Pas moyen de lui échapper si on passe par là. Je préfère encore me taper les marches !

Mais, une fois arrivés en haut, ils avaient à peine avancé dans le couloir qu'une voix tonitruante les stoppait dans leur élan :

— Vous vous croyez en cure thermale, jeune homme ? Ici, on ne sort ni ne rentre comme dans un moulin !

L'infirmière-chef était maintenant plantée face à Nicolas et pointa son tee-shirt.

— Je vais mettre tout ça sur le compte de votre petite commotion et fermer les yeux sur votre escapade. Nous vous avons cherché partout lors de la visite d'étage !

— Ma petite commotion ? Tu parl...

Un coup de coude dans les côtes lui coupa la respiration. Il jeta un regard noir à Alexandre, qui intervint :

— Désolé, madame. Nicolas a une peur bleue des hôpitaux. Mais ça va aller, maintenant.

L'infirmière plissa les yeux et dévisagea Nicolas d'un air méfiant. Puis elle se détendit.

— Bien... Je veux vous voir au lit : je passe prendre votre tension dans dix minutes !

Nicolas maugréa dans sa barbe, tandis que la soignante repartait vers son bureau.

— Au fait, votre frère est arrivé il y a une bonne demi-heure. Il vous attend dans votre chambre.

Nicolas s'arrêta net dans le couloir, attendit que l'infirmière soit hors de sa vue pour se tourner vers Aude et Alexandre.

— Je compte sur vous deux pour ne rien dire. Pour lui, on s'en tient à ma chute de l'autre nuit et à ma migraine. Sinon, il va se faire un sang d'encre. Donc, motus et bouche cousue, c'est clair ?

Alexandre et Aude acquiescèrent.

Tous deux avaient en tête les confidences de Nicolas. Il avait toujours protégé son frère. Et aujourd'hui encore, il veillait sur lui malgré le tsunami qui lui tombait dessus.

Mais comment allaient-ils pouvoir faire comme si de rien n'était ?

Nicolas entra dans sa chambre et lança d'une voix qu'il voulait enjouée :

— Salut, frangin ! Trop content de te voir !

Ils entrèrent à leur tour, au moment où Nicolas se détachait des bras de son frère et se tournait vers eux.

— Les amis, je vous en ai souvent parlé, mais le voici en chair et en...

Il s'arrêta net lorsqu'il vit le visage de son frère se décomposer, tandis que la voix abasourdie d'Alexandre résonnait dans son dos :

— DIMITRI... ?!

*

Alexandre avait précipitamment quitté la chambre. Aude lui avait emboîté le pas.

Également sous le choc, Nicolas restait cloué sur place. Tout comme Dimitri.

Finalement, une fois tous les éléments rassemblés, tout devenait logique. Le rendez-vous annulé par Dimitri le matin où Nicolas devait le retrouver au parc des Buttes-Chaumont. Ce frère dont Nicolas parlait sans cesse et qui était homosexuel. Les origines russes de Nicolas...

Il aurait suffi que Nicolas prononce une seule fois le prénom peu répandu de son frère pour qu'Alexandre s'interroge et découvre le pot aux roses avant qu'il ne lui tombe dessus de la sorte. Mais les circonstances, la vie délirante qu'ils menaient tous depuis quelques jours et le destin en avaient décidé autrement.

— Ça va aller, Alex ?

La voix hésitante d'Aude lui fit du bien. Il suffisait parfois de peu de chose.

— Je crois qu'on est sur le *Titanic*. On prend la flotte de partout, dit-il, la voix enrouée.

— Oui, je suis d'accord. C'est surréaliste, tout ça... Et ça n'a aucun sens.

— J'avoue ne pas bien comprendre non plus...

Ils poursuivirent leur marche en silence, chacun perdu dans ses songes tourmentés.

— J'espère que Nicolas ne nous en voudra pas d'être partis, finit par reprendre Aude.

— Il est avec son frère. Il a plus besoin de lui que de nous.

Alexandre effectua encore quelques pas avant de s'arrêter subitement.

— C'est peut-être ça la finalité de cette avalanche d'emmerdes !

— Qu'est-ce que tu veux dire ?

Il sembla chercher une réponse dans les nuages qui assombrissaient çà et là le bleu azur de l'horizon, puis revint poser son regard sur Aude.

— On s'est plantés. On a pensé que nos chemins étaient destinés à se croiser pour nous aider à découvrir ensemble ce que nous ne trouvions pas par nous-mêmes. La vérité, c'est que tous ces événements nous poussent à reprendre chacun notre route, Aude... Des routes qui se séparent.

Le regard bleu la fixait. Elle y lut une vraie conviction.

— D'accord pour Jérôme et Charlène. Mais nous deux ? Tu as fait le deuil de ta rupture ? Et moi, j'ai pris ma décision, mais je ne suis pas certaine d'avoir pris la bonne... Je pense au contraire que nous avons plus que jamais besoin les uns des autres !

Alexandre lui posa affectueusement la main sur le bras.

— Les réponses à nos problèmes sont au fond de chacun de nous, ma chérie. Le reste du chemin, nous allons devoir le parcourir seuls...

Déstabilisée, elle masqua sa tristesse par un élan de colère.

— Je ne comprends pas en quoi le fait de ne plus vous avoir à mes côtés m'aiderait à y voir plus clair dans ma relation avec Xavier ! Au contraire ! Et puis

Nicolas ? On s'en fout de Nicolas ? On le laisse affronter seul sa maladie ?

Aude vit une ombre voiler le visage du jeune homme. Il laissa retomber son bras le long de son corps.

— Nicolas n'est pas malade, Aude, c'est le monsieur qui partage sa chambre, j'ai entendu l'infirmière, enfin c'est ce que j'ai compris... Sinon, je ne comprends pas pourquoi il lui arriverait un truc pareil...

— Tu vois ! Tu pars dans de ces élucubrations, parfois... À mon avis, tu es complètement sonné par le fait d'avoir vu Dimitri, et appris qu'il était le frère de Nicolas.

Alexandre baissa la tête.

— C'est vrai... et j'espère que tu as raison. L'avenir nous le dira.

Elle le connaissait maintenant suffisamment pour imaginer ce qu'il devait éprouver à avoir revu Dimitri, surtout dans de telles circonstances. Ce n'était pas possible que tout s'écroule de nouveau autour d'eux. Elle accéléra le pas pour le rejoindre, attrapa sa main, et ils gagnèrent le métro sans plus prononcer un seul mot.

# 23.

Nicolas n'avait pas dormi de la nuit. L'humeur joyeuse de son compagnon de chambre et sa petite valise sagement posée au pied du lit lui rappelaient la sortie programmée le lendemain de son voisin. Au petit matin, sa religion était faite : cet astrocytome ne pouvait être que pour lui... Depuis, il attendait au fond de son lit, terrorisé, que le verdict tombe.

À 6 h 50, Nicolas entendit des rires étouffés fuser de la salle des soignants. L'heure du changement d'équipe, où deux nouvelles infirmières allaient prendre la relève...

Dix minutes plus tard, une femme portant une blouse blanche aux manches et col bleus vint leur déposer deux plateaux-déjeuners. Nicolas refusa de toucher au sien. Comment aurait-il pu avaler quoi que ce soit avec cette épée de Damoclès dont il sentait déjà la lame sur sa peau ?

Le temps s'écoula avec une abominable lenteur jusqu'à ce que le médecin pousse la porte de leur chambre, à 10 h 37.

Il prononça quelques banalités, s'approcha du lit de Nicolas et balaya du regard son dossier médical.

Nicolas avait le sentiment d'assister à une mise à mort au ralenti. Lorsque le praticien ouvrit la bouche pour prononcer la sentence, Nicolas retint son souffle.

— Alors, comment vous sentez-vous aujourd'hui, monsieur ?

Une autre interrogation, absurde, traversa l'esprit de Nicolas :

*Si, d'un coup de baguette magique tu pouvais revenir en arrière, est-ce que tu choisirais d'avoir la même vie que celle que tu as eue ?*

Décontenancé par sa propre question, il plongea ses mains sous les draps et crispa les poings de toutes ses forces.

*Après tout, quelle importance ?*

— Je ne me sens pas dans mon assiette, bredouilla-t-il d'une voix faible.

Le médecin replongea dans son dossier médical.

— Ce sont des effets secondaires fréquents en cas de commotion cérébrale.

Il observa une pause, tapota deux fois le tibia de Nicolas d'un geste rassurant.

— Quoi qu'il en soit, votre scanner est normal. Tout devrait donc rentrer rapidement dans l'ordre. Le temps de remplir vos papiers de sortie et vous serez libre ! conclut le docteur dans un grand sourire avant de se tourner vers son voisin de chambre.

L'interne et l'infirmière firent machinalement de même. Nicolas mit plusieurs secondes pour recouvrer ses esprits.

— Je vous demande pardon ?

Surpris, le praticien se tourna à nouveau vers lui.

— Le stress post-traumatique peut être difficile à différencier du syndrome post-commotionnel. Ce que vous ressentez aujourd'hui est davantage psychologique.

Nicolas sentit son rythme cardiaque accélérer brutalement.

— Mais nous attendions des résultats complémentaires...

— C'est exact. Nous les avons reçus et tout va bien, déclara le médecin sur un ton réconfortant.

— Arrêtez de me ménager, docteur ! Vous pouvez y aller, je suis prêt à tout entendre, vraiment, bafouilla Nicolas d'une voix mal assurée.

L'homme en blouse blanche ne put réprimer un haussement de sourcils pour marquer son étonnement. Quelques secondes s'écoulèrent avant qu'il ne réponde :

— Votre céphalée et votre... mal-être devraient rapidement disparaître. Si ce n'était le cas pour la première, ce dont je doute, revenez me voir. Si le second persiste, je vous recommande de consulter un psychologue. Mais je vous assure que nous n'avons plus aucune raison de vous garder ici, termina-t-il en rabattant brusquement son dossier, signifiant ainsi que le sujet était clos.

Puis il se tourna vers le voisin de Nicolas, toussota brièvement, et son visage s'assombrit.

— Bonjour, monsieur Perrin, comment vous sentez-vous ce matin ?

Sans même attendre la réponse, il murmura quelques mots à l'oreille de l'infirmière qui se précipita vers Nicolas, tandis que lui-même et l'interne se rapprochaient du lit d'à côté.

— Monsieur, si vous pouviez avoir la gentillesse de patienter dans le couloir, pendant que le docteur Buissaire examine votre voisin...

Nicolas ouvrit la bouche pour contester mais il la referma aussitôt. Il venait de comprendre.

Il s'était focalisé de manière obsessionnelle sur la respiration sifflante de son compagnon, mais pas un instant il n'avait relié son asthme au service de neurochirurgie où ils étaient tous deux hospitalisés.

Alexandre avait donc raison. Cet astrocytome anaplasique n'était pas pour lui...

Tel un automate, il se mit debout, et son regard croisa celui de son voisin. Ce dernier venait de flairer qu'il se passait quelque chose d'anormal. Dans les yeux de Nicolas se lisait encore une certaine incrédulité, alors que ceux de son voisin se remplissaient progressivement d'inquiétude.

L'épée de Damoclès venait de changer de camp, et Nicolas éprouva de la honte à sentir son soulagement l'emporter sur la compassion. Honte de s'être à ce point monté la tête, honte de sa phobie, honte de son comportement vis-à-vis d'Alexandre...

Il s'empara de son téléphone et, les jambes encore cotonneuses, s'avança vers la porte avec un sourire pour son voisin qui ne l'avait pas lâché des yeux, mais il savait désormais que ceux qui étaient condamnés à court terme n'appartenaient plus au même monde que « ceux qui ne l'étaient pas ». Le destin venait de l'extirper de l'enfer d'une existence où l'avenir ne se conjuguait plus qu'au présent immédiat. Il n'avait pas le droit de s'en réjouir face à un homme qui allait à son tour y être plongé.

Dans le couloir, la lumière du jour qui perçait à travers les immenses fenêtres ne lui avait jamais semblé aussi éclatante.

*

Charlène s'étira et se laissa tomber sur le siège, face à son bureau.

Le film de ces deux dernières semaines défila devant ses yeux. Chacun de ses souvenirs lui procurait une émotion différente : la peur, la joie, la peine, l'espoir aussi... Certes, elle avait eu son lot de déceptions, mais compensées par un nombre de joies d'une intensité incroyable. Et n'avait-elle pas trouvé une nouvelle famille à l'occasion de cette aventure ?

Elle dégagea de sa main un pan de rideau : aucun nuage ne venait tacher le bleu uniforme. Elle sourit. Elle ne s'était jamais sentie aussi forte. Aussi déterminée à réussir. Pour son père. Pour Aude, Alexandre et Nicolas. Mais avant tout pour elle. Et ça, c'était tout à fait nouveau.

Elle lança à voix haute :

— Bac, à nous deux !

S'emparant de la pince qui se trouvait sur sa table de chevet, elle enroula sa longue chevelure qu'elle assembla sur sa nuque, et se rassit face à son ordinateur.

*

Avachi dans l'unique fauteuil de la pièce, Alexandre se perdait dans la contemplation du plafond. Sa mère dormait toujours.

Autre chambre d'hôpital, autre ambiance.

Dans celle-ci, le temps battait la mesure au rythme du monitoring cardiaque de sa mère. Avant, Alexandre aurait su égayer l'atmosphère angoissante de cet espace clos qui dégageait cette odeur désagréable caractéristique de l'hôpital. Avant. Car il sentait bien qu'une lumière en lui s'était éteinte.

Il ne se remettait ni d'avoir revu Dimitri, ni d'avoir appris que ce dernier était le frère de Nicolas. Certes, il savait que Dimitri avait un frère aîné. Il lui avait toujours répété qu'il n'en ferait la connaissance que lorsqu'ils seraient tous deux sûrs de vouloir parcourir un long bout de chemin ensemble. Ce qui nécessiterait une présentation officielle des deux familles... La vibration de son téléphone l'extirpa de ses pensées.

*Quand on parle du loup...*

Il sortit sans bruit dans le couloir.

L'ombre de Dimitri plana quelques secondes entre eux. Nicolas hésita un instant à s'excuser. Mais de quoi ? D'avoir Dimitri pour frère ? Et à aucun moment Alexandre ne l'avait choisi lui comme confident de son histoire d'amour...

Alors il se lança sur son échange avec le médecin.

— Par tous les saints ! s'exclama Alexandre dès que Nicolas eut fini de lui relater le quiproquo. Je te l'avais dit ! Si tu m'avais écouté, tu nous aurais évité bien du tourment, à Aude et moi ! Il a encore fallu que tu fasses ta tête de mule ! Tu m'as fait douter, tu sais !

Au téléphone, Nicolas sourit. Alexandre s'était montré protecteur. Il ne l'avait pas quitté d'une semelle et l'avait soutenu de manière indéfectible.

Qu'est-ce qui l'aurait empêché d'aller s'occuper de ses propres problèmes ? Pourtant, Alexandre ne l'avait pas lâché. Maintenant qu'il avait recouvré toute sa lucidité et réintégré le monde des vivants, il reconsidérait les choses. Il éprouva de la peine pour le chagrin d'amour d'Alexandre. Et une immense affection pour lui. Il chercha à faire diversion :

— En parlant de tête de mule, Aude m'a appelé : Jérôme n'est pas parvenu à la faire changer d'avis au sujet de son départ. Elle m'a annoncé qu'elle préparait sa valise.

— Sa valise ? Elle est arrivée chez Jérôme avec un sac à main !

— Oui, mais avec votre journée shopping il lui a quasiment fallu acheter une malle pour y caser toute sa nouvelle garde-robe !

Alexandre ne put retenir un sourire au souvenir de cette virée. Elle semblait remonter à si loin...

— Moi aussi, je vais faire ma valise. Enfin, un simple sac suffira ! reprit Nicolas.

— Pourquoi ? Tu repars en tournage ?

— Non. Je vais m'aérer un peu. J'ai besoin de prendre du recul après tous ces événements...

— Nico, tu n'as rien. C'est comme une seconde chance qui s'offre à toi. Sauf que tu n'as pas eu à vivre le cauchemar de la maladie pour en bénéficier.

— Le sujet n'est pas là, Alex. Durant presque vingt-quatre heures, j'ai *été* malade, tu comprends ? Pas comme d'habitude, lorsque je flippe à l'idée d'être atteint par un virus. J'ai intégré le diagnostic, et j'ai raisonné et ressenti les choses comme quelqu'un de condamné. J'ai vu les autres et le monde autrement. Et j'ai pu considérer ma vie avec une incroyable clairvoyance. Je dois me retrouver seul pour me confronter à mon passé et à qui je suis vraiment. Et je crois que tu devrais en faire autant, Alex...

Alexandre posa son front contre la paroi vitrée d'une fenêtre du couloir. Le présent lui donnait raison : ils étaient tous arrivés à un carrefour de leur existence, et chacun devait désormais reprendre sa route. Il était bien temps pour eux de se séparer.

— Je suis désolé, Alex. Si j'avais pu imaginer que Dimitri était celui que... Enfin, tu vois ce que je veux dire. Je me sens si mal quand je te revois face à mon frère...

Alexandre aurait voulu lui répondre qu'il n'avait rien à se reprocher. Que la vie était ainsi faite de choses improbables et surprenantes. Mais les mots ne voulaient pas franchir ses lèvres. Dans son oreille, il perçut un soupir.

— Dimitri t'aime toujours, Alex. Crois-moi, je connais suffisamment mon frère pour te l'affirmer sans l'ombre d'un doute.

— Non, Nicolas. Il est amoureux d'un autre...

Alexandre entendit un bref rire, puis :

— Tu parles ! Tout ça, c'est du pipeau. Il était tellement mal qu'il a dû s'inventer une gastro pour ne pas avoir à me dire la vérité. Crois-moi, Dimitri est aussi abattu que toi...

Une image s'imposa à l'esprit de Nicolas : celle du visage d'Alexandre la veille. Des cernes creusés, des joues amaigries, et l'absence totale de cette étincelle qui pétillait dans ses yeux dès qu'il oubliait ses tourments.

— Alex, écoute-moi. Il n'est pas trop tard. Prends le temps de bien réfléchir au sens que tu veux donner à ta vie. Celui du devoir, où tu joueras en permanence un rôle qui te rendra malheureux mais dont tu n'oseras plus sortir, ou celui du cœur, qui te mènera sur des chemins de traverse difficiles, mais que tu graviras en étant fidèle à ce que tu es vraiment...

— Ce n'est pas aussi simple, répondit doucement Alexandre en pensant à sa mère de l'autre côté du couloir.

— Les choses importantes ne le sont jamais. C'est ça que je pars chercher seul. J'ai besoin de faire le tri de ce qui est essentiel et de ce qui l'est moins. Il n'y a qu'au fond de soi que l'on peut trouver certaines réponses...

Portable à la main, chacun d'eux scrutait le ciel.

— Oui, tu dois avoir raison, finit par répondre Alex. Parfois, il suffit d'un coup de pouce pour comprendre les choses. Tout ce qui nous est arrivé à tous en quelques jours, ce n'était sans doute pas pour rien.

— C'est sûr. Tu sais bien que moi non plus je ne crois pas au hasard. Tout a un sens.

— Alors, bonne route, Nicolas... Je dois retourner auprès de ma mère.

Nicolas lui souhaita bon courage mais, au moment où il allait mettre fin à l'appel, il entendit une voix fragile dans le combiné :

— Dis, tu penses vraiment qu'il m'aime toujours ?

*

En fermant le dernier clip de sa valise posée sur le lit, Aude eut l'impression *physique* de tourner une page de son existence. Elle resta face à la Delsey, les bras ballants, les yeux rivés sur ce bagage qui ne contenait rien de cette ancienne vie qu'elle s'apprêtait à réintégrer alors même qu'elle réalisait ne plus l'aimer.

— Vous voulez un coup de main ?

Elle sursauta et n'eut pas le temps de répondre que Jérôme se précipitait déjà sur la valise et l'empoignait pour la poser au sol.

— Mais ce truc pèse un âne mort ! Vous m'avez piqué toute l'argenterie ou quoi ? plaisanta-t-il pour effacer l'expression de tristesse figée sur le visage d'Aude.

— Oui, c'est un beau paradoxe... Je suis venue ici la tête chargée mais sans le moindre balluchon, et j'en repars chargée comme une mule mais l'esprit plus clair. Enfin, j'espère...

Il lui pressa doucement l'avant-bras pour lui signifier qu'il comprenait ce qu'elle ressentait. Elle sentit ses joues s'enflammer, et même s'il le remarqua, il n'en montra rien. Se laissant tomber sur le lit, il désigna son téléphone.

— On vient de me proposer une mission de plusieurs mois à Londres. J'avais déjà été contacté en avril dernier. J'avais décliné l'offre car rien n'était vraiment décidé et la personne devait revenir vers moi. Alors compte tenu des circonstances...

— Des circonstances ?

— Les projets de Charlène. Et le reste.

Aude se laissa choir à son tour sur la valise :

— Vous allez partir à l'étranger ? Loin de Charlène ?

Jérôme fit retomber ses bras sur ses genoux d'un geste fataliste.

— Si tout va bien, Charlène aura son bac et sera donc en internat à partir de septembre. Je reviendrai à Paris quand elle sera en vacances. Ou elle me rejoindra à Londres.

Aude comprit qu'Alexandre avait eu raison, la veille : les routes de chacun allaient se séparer.

— C'est bien, fit-elle, le cœur bizarrement serré.

— Vous croyez ? répondit Jérôme.

*

Lorsque Hortense de Fontarnet se réveilla, sa chambre était plongée dans la pénombre. Les volets étaient baissés, son fils Alexandre était là, près d'elle.

— Bonjour, mon chéri...

Celui-ci sortit de ses réflexions et déposa un baiser sur sa joue.

— J'espère que tu n'es pas là depuis longtemps. Je passe mon temps à dormir... C'est incroyable, cette fatigue ! Mais... Regarde-moi !

Alexandre plongea sans un mot ses yeux dans ceux de sa mère. Les sourcils d'Hortense de Fontarnet se froncèrent.

— Tu as bien mauvaise mine... Que t'arrive-t-il ?

Il masqua l'émotion qui le gagnait.

— Je suis un peu fatigué en ce moment. Et j'ai eu tellement peur pour vous, maman... Je m'en serais voulu si...

Elle soupira et se redressa lentement dans son lit.

— Mais tu n'aurais rien eu à te reprocher, Alexandre. Ce sont malheureusement des choses qui arrivent. Et tu n'aurais rien pu faire de plus...

Alexandre haussa les épaules. Il n'avait plus la force de rien. Il n'avait qu'une seule envie : celle de pleurer.

La main de sa mère vint recouvrir la sienne.

— Nous parlons peu, dans la famille. Mais si tu as une peine de cœur, tu peux m'en parler, Alexandre...

Une esquisse de sourire vint se dessiner sur les lèvres de son fils, tandis qu'il s'agenouillait contre le lit.

— Ma pauvre maman, si vous saviez...

Hortense était certes introvertie, réservée. Mais, peut-être parce qu'elle avait frôlé la mort, pour la première fois de sa vie, elle n'en avait plus rien à faire du carcan dans lequel elle avait été éduquée.

— Je sais depuis toujours, dit-elle.

Alexandre sentit la main se resserrer sur la sienne. Il n'était pas sûr de bien comprendre.

— Ou plus précisément, je *le* sais depuis que tu as dix-sept ans.

Dans un réflexe ordonné par la pudeur, Alexandre baissa la tête, honteux de ne pas être pour cette femme le fils qu'elle aurait sans doute rêvé d'avoir. Hortense lâcha sa main et lui releva le menton, pour planter ses yeux dans les siens.

— Mais ce qui compte surtout, c'est que je t'aime et t'aimerai toujours. Alors, maintenant, mon garçon, raconte-moi ce qui te fait tant de mal...

*

Lorsque Nicolas regagna sa chambre, son voisin était parti pour un examen. À la vue de la petite valise ouverte, Nicolas éprouva un pincement au cœur. Sur le lit vide était posée la photo d'une fillette qui riait. Hier encore, cet homme avait cherché à engager la conversation. Nicolas avait repoussé ses tentatives. Il le regrettait aujourd'hui.

Mais à cause, ou plutôt grâce à ce qui venait de se produire, il réalisait l'absurdité de vouloir se protéger de tout. Et maintenant, il n'avait plus qu'une seule envie : vivre.

Vivre et savourer chacune de ces minutes qui lui seraient offertes, vivre en respirant à pleins poumons, vivre en acceptant cette impermanence de l'être.

Cela passait par une étape préalable : se confronter à son passé, oublier les manques qui l'avaient tant fait souffrir, et garder en tête tous ces petits bonheurs qui l'avaient fait grandir.

Les yeux de Nicolas revinrent s'arrêter sur le cliché posé sur le lit voisin : comment trouver la force de ne plus assimiler l'abandon de sa mère à un poids mais plutôt à une ressource ?

Il attrapa le sac de sport déposé par Aude, le remplit à la hâte de ses quelques affaires. L'air d'ici lui semblait à présent irrespirable.

Il s'empara du flacon de gel hydroalcoolique apporté par Alexandre. Une émotion le gagna. Il s'agissait là de petites attentions qu'il n'avait pas remarquées...

Accaparé par ses pensées, il n'avait pas pris garde à la venue d'une infirmière, qui le toisa d'un air réprobateur lorsqu'elle comprit ses intentions.

— Monsieur, attendez que le médecin signe votre bon de sortie ! Nous n'avons pas le droit de vou...

Nicolas se tourna vers la soignante et éclata de rire.

— Je suis désolé, mais je pars. Maintenant. Tout de suite. Je vais bien. Vraiment bien. En fait, je crois que je ne me suis pas senti aussi bien depuis longtemps. Alors...

Il passa devant elle et ajouta, un sourire radieux aux lèvres :

— Considérez que je décharge l'hôpital de toute responsabilité, mais je ne patienterai pas une minute de plus. Parce que des milliers de choses m'attendent à l'extérieur, vous comprenez ?

Il jeta le flacon au fond du sac, quitta la chambre et s'engouffra dans la cage d'escalier.

*

Adossé contre le buffet du salon, Jérôme écoutait Charlène et Aude s'esclaffer devant une vidéo. Il n'en montrait rien, mais voir Aude quitter l'appartement le désolait. Il s'était habitué à ses sourires, à leurs échanges. Les choses n'étaient plus pareilles depuis qu'elle vivait là, avec eux. C'était indéniable.

Et Charlène ne serait pas la seule à regretter la présence de cette femme peu commune.

Demain soir, il partirait pour Londres, où il signerait son contrat pour une mission de dix mois.

Ce serait mieux ainsi. Charlène en internat, plus personne n'aurait besoin de lui ici.

Il attrapa son téléphone : il tenait à remercier Aude, Alexandre et Nicolas pour tout ce qu'ils avaient fait. Pour sa fille. Et pour lui.

« Si vous êtes dispos, je vous invite à boire un verre demain midi à l'appart. Ce sera ensuite la fin des vacances : Aude retournera chez elle l'après-midi même, je partirai de mon côté à Londres, et Charlie s'enfermera pour ses révisions (premières épreuves lundi prochain !). Je serais vraiment heureux de vous voir. À très vite ! Jérôme. »

Il envoya son SMS au petit groupe.

## 24.

Jérôme se précipita dans la cuisine. Il avait sorti tous les plateaux et coupelles de la maison. Ne restait plus qu'à les remplir. Il n'avait pas lésiné et avait commandé plusieurs assortiments de petits-fours et amuse-bouches chez son traiteur favori. Plus tard dans la journée, il partirait pour Londres. Et Aude rentrerait chez elle...

Alexandre avait sonné dix minutes avant l'heure, et l'interphone venait à nouveau de retentir pour annoncer l'arrivée de Nicolas.

Il allait donc devoir les abandonner pour aller chercher sa commande.

Jérôme sourit : Alexandre, Aude et Nicolas avaient su se rendre aussi attachants qu'essentiels.

Il s'empara de deux bols qu'il remplit de cacahuètes et d'olives, puis il regagna le salon.

— Voici de quoi vous faire patienter le temps que je revienne avec quelque chose de plus consistant !

Il donna une petite tape amicale sur l'épaule de Nicolas en guise de salut, qu'il accompagna d'un clin d'œil. En retour, celui-ci lui sourit, mais Jérôme le sentit à cran. Il se tourna alors vers Aude pour voir si elle pensait la même chose que lui, mais celle-ci fixait Alexandre qui caressait Hannibal sans dire un mot.

— Je file, je serai de retour dans un quart d'heure ! lança-t-il avec jovialité à l'assemblée.

Aude lui adressa un geste amical de la main. Voir Jérôme partir ne la réjouissait pas. L'ambiance était pesante dans la pièce. Alexandre lui avait adressé deux ou trois mots gentils, mais à l'évidence, il était extrêmement tendu. Nicolas ne semblait guère plus décontracté.

Elle hésita un instant à leur demander ce qui n'allait pas, mais n'en fit rien. Dans quelques heures, elle regagnerait le « domicile conjugal », selon l'expression consacrée, de moins en moins sûre, plus le moment approchait, d'avoir pris la bonne décision. Elle n'avait donc pas du tout la tête à entendre les jérémiades d'Alexandre sur sa rupture avec Dimitri ou la dernière maladie que Nicolas avait dû se découvrir. Cela devenait lassant. Elle aurait voulu les sentir à ses côtés en cet instant. D'autant qu'ils n'avaient aucune idée de quand ils se reverraient tous ensemble après cet apéritif, qui avait tout d'un baroud d'honneur ou d'une préparation aux adieux...

À la fois agacée et peinée, elle s'adressa à Charlène qui ne cherchait pas davantage à égayer l'atmosphère :

— Charlène, tu devrais remplir ton rôle d'hôtesse et proposer à boire à ces messieurs !

L'adolescente émergea de ses pensées.

Dans exactement une semaine, à la même heure, elle serait en train de bûcher sur son épreuve de philo. Elle apprenait donc par cœur de nombreuses citations de philosophes sur divers sujets pour pouvoir enrichir sa dissertation. À J-7, le stress de l'épreuve l'avait complètement rattrapée, même si elle cherchait à le dissimuler.

Alors, évidemment, dans un tel contexte, le départ d'Aude ajoutait à son angoisse.

Elle releva néanmoins la tête et s'adressa à Nicolas, un sourire en coin :

— Maintenant que certains sont passés du jus d'orange à la tequila, je pensais devoir attendre un adulte pour servir tout le monde !

Aude et Alexandre eurent un petit rire forcé. Nicolas choisit d'en rire.

— Tout cela m'aura finalement permis de constater que je pouvais boire de l'alcool sans tomber malade ! essaya-t-il de plaisanter.

Personne ne réagit. Alexandre se demanda soudainement ce qu'il faisait là. L'ambiance n'avait plus rien à voir avec celle qu'ils avaient connue ensemble, même dans les pires moments. On avait l'impression qu'ils s'apprêtaient à se rendre à un enterrement. Il observa Nicolas, tête baissée, qui fixait désespérément son pantalon.

Après s'être confié à sa mère, Alexandre avait décidé d'aller affronter l'homme dont il avait toujours craint le regard et le jugement : son père. Il avait rendez-vous avec lui le soir même et avait répondu à l'invitation de Jérôme un peu pour se donner des forces, beaucoup parce que leur séparation prochaine le bouleversait.

Mais il semblait être le seul à se soucier de cette séparation...

Aude le décevait tout particulièrement. Sa décision de retourner à son ancienne vie lui semblait prise sur un coup de tête, à l'envers de ce qu'elle prônait. Elle n'avait cessé de lui rebattre les oreilles de l'importance de rester soi et l'avait encouragé à révéler la vérité à son père. Lui allait suivre ses conseils mais elle, de son côté, avait préféré baisser les bras...

Comme si elle avait lu dans ses pensées et voulait les court-circuiter, Aude lança à la cantonade :

— Bon, les amis, même si Charlène ne nous sert pas, je crois que nous pouvons boire un premier verre en attendant Jérôme ! Qu'en dites-vous ?

Alexandre releva la tête vers elle et nota qu'elle portait les mêmes vêtements que le jour où ils s'étaient rencontrés. Comment ne l'avait-il donc pas remarqué plus tôt ?

— Tes nouveaux vêtements ne te plaisent plus ? interrogea-t-il brusquement en la fixant.

Un instant décontenancée par la question, Aude rougit avant de répondre :

— Si, si, rassure-toi. Seulement je rentre chez moi et je préfère être à l'aise dans des vêtements amples...

— Je n'ai jamais entendu d'arguments aussi nazes...

— Pardon ? Tu peux développer, s'il te plaît ?

— Allons, n'en faisons pas toute une histoire ! intervint Nicolas en s'emparant d'une bouteille de soda. Charité bien ordonnée commence par soi-même, je me sers en premier. Qui me suit ?

Alexandre s'était levé à son tour, sans quitter Aude des yeux.

— Bien sûr que je peux développer ! À quoi ça sert de te coltiner cette valise si tu ne comptes pas porter les vêtements qui sont dedans ? Apparemment, la nouvelle Aude s'est volatilisée... Sœur Sourire est de retour ! Qu'est-ce qui se passe, Aude ?

— Alexandre, je n'ai aucune leçon à recevoir de ta part. Occupe-toi déjà de tes propres problèmes de cœur avant de mettre ton nez dans ceux des autres !

— Je ne me préoccupais que de ton bien-être physique. Parce que si l'Homme des neiges n'aime les tenues sexy que lorsqu'elles sont portées par d'autres femmes que la sienne, autant t'économiser les efforts à traîner cette foutue valise !

Nicolas tenta de ramener ses deux amis à la raison :

— Allons, calmons-nous. Nous sommes tous à cran. Et la simple idée de nous séparer nous...

— Mais, Nicolas, tu ne vois pas qu'Aude n'a aucune intention de nous revoir ? Elle retourne dans sa petite coquille confortable et ne se soucie pas un instant de savoir comment nous, nous allons ! cracha Alexandre tout en pointant un doigt accusateur sur Aude.

— C'est sans doute parce que j'en ai marre de tous vos enfantillages ! Moi, au moins, j'ai pris une décision. Je n'attends pas que *mon papa* décide de ma vie pour moi !

— Pour quelqu'un qui abdique en rentrant ventre à terre avec sa valoche, je te trouve gonflée de nous faire la morale ! riposta à son tour Alexandre en soulevant Hannibal et le blottissant contre lui.

— Arrêtez, s'insurgea Charlène, tandis qu'Aude bondissait sur ses pieds, furieuse.

— Crois-tu qu'il soit si facile de quitter quelqu'un avec qui l'on vit depuis tant d'années ? Penses-tu qu'il soit simple de divorcer alors que tu partages non seulement le même toit mais aussi le même travail ? Peut-être que ton héritage familial te prédispose à affronter certaines situations parce que tu te sais à l'abri du risque. Moi ce n'est pas mon cas. Et même si j'ai pris conscience que le couple que Xavier et moi formons n'est pas aussi idyllique que je le croyais, je... Nous nous entendions bien. Nous allons réessayer. Si tu avais été davantage présent ces derniers jours, je t'aurais expliqué tout ça.

La voix de Charlène résonna dans la pièce :

— Mais vous êtes devenus fous...

— Non, Charlène. C'est simplement que monsieur avait besoin de piquer sa crise. Tu sais bien qu'il adore se donner en spectacle ! railla Aude.

— Je suis fatigué de tout ça ! lâcha Alexandre, blessé de ne pas trouver de soutien.

— Vous ne croyez pas qu'on devrait arrêter là ? tenta à nouveau Nicolas.

— Tout à fait d'accord ! siffla Aude. Arrêtons là le massacre ! Et puis, aux dires de certains, le moment est venu de reprendre nos vies respectives : Charlène doit passer son bac, moi mon mari m'attend...

— Mouais... Passe quand même un coup de fil pour vérifier que la chambre est libre avant de rentrer ! persifla Alexandre.

Aude accusa le coup. Tous avaient les yeux rivés sur elle.

— Je ne me serais jamais attendue à une telle attaque de ta part, Alexandre. Et elle ne te fait pas honneur... Je ne chercherai donc pas à y répondre. Au revoir, et bon courage pour la suite !

Elle s'adressa à Charlène :

— Je rentre. Il y a eu des hauts et des bas entre nous tous, mais j'ai vécu quelque chose d'extraordinaire avec vous. Je garderai le souvenir d'une parenthèse incroyable dans ma vie. Vraiment. Même s'il est l'heure de reprendre le fil de cette vie là où je l'ai laissé.

De la main, elle leur fit un petit geste d'au revoir et partit dans la chambre chercher sa valise.

Alexandre regardait fixement le sol. Pourquoi avait-il dit tout cela alors qu'il n'en pensait pas un mot ? À elle qu'il adorait... Il sentit la main de Nicolas l'encourager d'une tape amicale dans le dos.

— T'inquiète... On tient tous un jour des propos qui nous dépassent. Finalement, Aude a peut-être raison, il est sans doute temps pour nous de poursuivre nos chemins.

— Vous me laissez tomber ? bafouilla Charlène.

Elle s'était mise debout et les regardait tous deux.

— Nicolas a raison, observa Alexandre. Je crois que nous avons fait le tour...

Il s'approcha d'elle, lui déposa un rapide baiser sur la joue avant d'appeler Hannibal qui se précipita vers lui.

— Mais on ne va quand même pas se quitter comme ça ? sanglota-t-elle.

— Je crois au contraire que nous en avons assez fait, bafouilla Nicolas, accablé par cette dispute. Je préfère partir maintenant...

Il se retourna pour envoyer un baiser à Charlène, serra brièvement Alexandre contre lui puis s'éloigna vers la porte d'entrée, Hannibal sur les talons.

— Hannibal, reviens ici ! hurla Alexandre.

— Même ton chien ne te reconnaît plus ! vociféra Charlène. À cause de toi, tout le monde est parti !

— Juste ciel ! Ça y est ! Tout va être de ma faute. Allez, on décanille ! ajouta-t-il en empoignant Hannibal et en emboîtant le pas à Nicolas qui dévalait l'escalier.

Au même moment Aude sortit de la chambre avec son énorme valise. Symbole du départ, elle devenait un symbole de fin. La fin de leur aventure, d'une tranche de vie, d'un lien dont elle n'aurait jamais cru qu'il puisse prendre tant de place en si peu de temps.

— Bien... J'y vais moi aussi, lâcha-t-elle d'une voix à peine audible.

*

Jérôme était à dix mètres de la porte cochère lorsqu'il vit Nicolas débouler dans la rue. Le visage fermé, celui-ci passa devant lui en lâchant :

— Désolé, Jérôme...

Quelques secondes et ce fut au tour d'Alexandre et Hannibal de surgir. Jérôme leva le bras au bout duquel pendait un sac rempli de petits-fours et de verrines :

— Attendez ! Regardez ce que j...

Mais Alexandre s'éclipsa sans le laisser achever sa phrase.

Perplexe, Jérôme commença à monter les escaliers. Il arriva rapidement à la hauteur d'Aude, qui descendait tant bien que mal sa valise.

Son visage s'éclaira quand elle le vit, tandis que celui de Jérôme exprimait la consternation. Elle réalisa qu'il lui coûtait autant de s'éloigner de Charlène que de quitter cet appartement et ne plus voir Jérôme.

— Mais ma parole, vous aussi ? Vous êtes bien sûre, Aude ?

Avait-elle réellement perçu de la tristesse dans le fond de sa voix ?

— Que voulez-vous dire ?

À cet instant, Aude aurait souhaité remonter l'escalier, s'asseoir à ses côtés et reprendre l'une de leurs interminables conversations. Elle sentit sa résolution vaciller et plongea ses yeux dans ceux de Jérôme. L'espace d'une seconde, une envie fulgurante la traversa : celle de se blottir contre sa poitrine. Elle se redressa, chassa le besoin subit de se réfugier dans ses bras, et se contenta de serrer la mâchoire.

Sans un mot, il posa son sac et le plateau qu'il tenait, s'empara de la valise qu'il descendit au bas de l'escalier. Puis il se tourna vers elle.

— Je vous souhaite vraiment de trouver le bonheur, Aude. Sincèrement.

— J'en dirai autant pour vous, Jérôme. Vous le méritez.

Il lui offrit un grand sourire.

— Le pire n'est jamais certain mais je crois l'avoir vécu. Je me sens plus libre que jamais.

Il s'approcha alors d'elle, la serra quelques instants contre lui, avant de déposer un baiser furtif sur son front. Puis il grimpa les marches de l'escalier quatre à quatre sans se retourner.

Au moment où il entra dans l'appartement, Charlène se jeta en sanglots dans ses bras.

— Ils sont partis, papa. Ça y est, tout est fini...

# 25.

Nicolas chercha vainement une musique de fond. Rien ne l'inspirait. Il coupa le son.

Sur le siège passager, un papier d'emballage de bonbon gisait encore, dernier vestige de l'escapade mouvementée à Fleutière. Nicolas serra les poings sur le volant et regarda droit devant lui. Pas de GPS, pas de carte, aucune destination programmée.

Le visage fermé, il accéléra et s'engouffra sur le périphérique parisien.

*

Alexandre reposa lentement le verre de limonade servi par son père.

Venir ici directement, sans attendre le soir comme il l'avait initialement prévu, sans avoir pu digérer les conditions lamentables de son départ de chez Jérôme, lui apparut soudainement comme une énorme bêtise.

Le manque de sommeil ne l'aidait pas. Mais trouverait-il jamais le bon moment pour accomplir ce qu'il aurait dû faire depuis longtemps ?

*Certes. Mais parler et révéler cette vérité que tu gardes au fond de toi depuis toujours pourrait te coûter cher...*

Oui, ce serait un « ça passe ou ça casse ».

*Te taire a eu un coût bien plus élevé. Celui de compartimenter ton existence, de te transformer en un hologramme trompeur, de te contraindre à vivre dans ce qui n'était pas ta réalité. Et bien plus encore, ton silence t'a coûté l'Amour de ta vie.*

Exact. La douleur de cette rupture aurait au moins permis cette prise de conscience. Plus que jamais, il éprouvait le besoin de tirer un trait sur ce passé d'imposteur, de reprendre le contrôle de son destin.

— Père, écoutez-moi, je vous en prie...

Alors, courageusement, il se lança. Il raconta, les yeux rivés sur ses mains nouées l'une à l'autre, ses interrogations face à l'attirance éprouvée pour son professeur d'anglais, sa douloureuse prise de conscience de son homosexualité quelques années plus tard, la difficile acceptation de sa différence, le chemin de honte qu'il gravissait jour après jour en pensant à ce que ses parents penseraient de lui...

Il s'arrêta un instant.

Debout, les poings sur la table, son père le jaugeait, impassible.

Alexandre parvint à se ressaisir en songeant à Dimitri. Il n'avait jusqu'à présent parlé que de l'attirance. Mais ses sentiments pour Dimitri sauraient donner un autre sens à tout ce discours...

Alors, il confia la force de son amour pour Dimitri, expliqua le sentiment de rejet que celui-ci avait éprouvé devant son refus de le présenter à sa famille. Il allait évoquer leur rupture, son père le coupa :

— Mais qu'avons-nous donc fait pour mériter ça ?

Alexandre demeura bouche bée.

— Je te préviens, je t'interdis de parler de *ça* à ta mère ou à ta sœur !

Le ton, glacial, était sans appel. Alexandre se retrouva instantanément dans la peau du petit garçon qui avait grandi terrorisé jour après jour. Il parvint néanmoins à articuler :

— C'est déjà fait pour maman, papa. Mais elle le savait déjà.

Son père tapa violemment du poing sur la table, le visage rouge de colère :

— Dieu ne nous a pas créés ainsi. Tu t'es laissé pervertir par un entourage malfaisant mais tu reviendras de toi-même sur le chemin de la raison. Tu vas rencontrer une jeune fille et tout rentrera dans l'ordre !

— Papa, ce n'est pas une question d'ordre ou de désordre. Je n'ai j...

— Il faut que tu commences par aller voir un médecin pour te faire soigner !

Interdit, Alexandre demeura muet. Un monstre ou un malade. Voilà ce qu'il était aux yeux de son père.

Quel intérêt d'avoir fait tout ça ? Et si Dimitri ne l'aimait plus, que lui resterait-il ?

Il se leva péniblement. Qu'y avait-il à ajouter ?

— Je suis désolé de ne pas être celui que vous auriez aimé que je sois, papa, dit-il pourtant, la voix tremblante. Mais je refuse de continuer à vivre dans le déni uniquement par crainte de vous décevoir.

— Tant que tu n'auras pas retrouvé la raison, je ne veux plus te voir. Ni ici, ni ailleurs.

Bouleversé, Alexandre planta ses yeux dans ceux de son père.

— Je n'ai pas choisi non plus. J'ai même cherché à enfouir tout ce que je ressentais pour être conforme à ce que vous qualifiez de « normal ».

Il s'interrompit lorsqu'il entendit sa voix s'enrayer. Il devait pourtant aller jusqu'au bout. Et peut-être qu'un jour son père lui pardonnerait. Ou pas.

— Seulement voilà... J'ai eu le bonheur de rencontrer mon âme sœur. Celle qu'on ne croise parfois qu'une fois dans sa vie lorsqu'on a cette chance. Et le hasard a voulu qu'elle soit un homme...

Il sentait à présent les larmes couler sur ses joues. Peu importait.

Son père se contenta de ranger la chaise devant lui sous la table :

— Je prierai pour toi. Pour que les choses rentrent dans l'ordre. Alors, peut-être...

Alexandre l'interrompit :

— Je ne vous reproche pas de ne pas me comprendre. Comment le pourrais-je alors que j'ai moi-même été terrorisé par la peur du qu'en-dira-t-on, par la honte... Difficile de comprendre ce que l'on ne connaît pas. Il m'aura fallu plus de dix ans pour le réaliser moi-même.

L'accablement ayant pris le dessus sur sa peur, Alexandre s'approcha de son père, prit quelques instants pour le regarder attentivement : le corps droit comme un I, les vêtements sombres, empesés, le cou raide et fier.

— J'ai retenu certaines leçons apprises au catéchisme. Un chrétien est censé aimer les autres comme lui-même. Et je vous aime, papa. Malgré tout ce que je viens d'entendre, malgré votre intolérance, malgré vous et malgré tout.

Il sentit son père frémir.

— Ne pensez pas que mes larmes soient uniquement liées à la tristesse de votre réaction, ajouta-t-il. Elles témoignent aussi de mon soulagement, de ma libération.

Il se dirigea vers la porte de la cuisine, en tourna la poignée.

— Et je regrette finalement de ne pas avoir eu cet échange plus tôt. Vous auriez gagné du temps. Moi aussi.

Sans un regard pour son père, il regagna l'entrée. Certes, il n'avait plus grand monde à ses côtés. Mais il n'aurait plus à faire semblant ou à se dissimuler.

C'était là le plus important.

*

Aude entra dans l'appartement silencieux et déposa son trousseau de clés sur la table. Le souvenir de ce même geste accompli à peine deux semaines auparavant réveilla en elle la douleur éprouvée ce matin-là.

*Me revoici...*

Au lieu de ressentir l'onde de soulagement espérée, elle éprouva un immense sentiment de solitude.

*C'est normal. Tu as passé douze jours de folie. Retrouver le calme de ta vie d'avant est forcément déstabilisant.*

Non. Pas seulement. Revenir n'était pas simple.

*Tu as pensé durant des années que ta vie se résumait à cet univers bien cadré : Xavier, le cabinet, les habitudes... Et là, dans ces meubles qui ont toujours été les tiens, tu réalises subitement que tu ne t'es jamais sentie aussi vivante que ces derniers jours.*

Elle tenta de chasser son envie de pleurer. Elle déposa son sac de sport sur la table du salon. Le silence de l'appartement était assourdissant.

*Un « silence assourdissant » ? « Juste ciel ! t'aurait lancé Alexandre, c'est un oxymore ! »*

Aude sourit dans le vide. Que n'aurait-elle donné pour que la bonne humeur d'Alexandre vienne égayer la pièce.

Elle se dirigea vers la chambre. La porte était fermée. Alors qu'elle posait la main sur la poignée, un flot d'images la submergea. Elle renonça à entrer et revint dans le salon. Elle laissa son regard errer sur les bibelots, les meubles... Comment un endroit pouvait-il être rassurant et repoussant en même temps ?

*Charlène t'aurait dit de partir en courant.*

Le côté rugissant de vie de cette gamine lui manquait aussi.

*Sauf que ce n'est pas ça ta vie. Ta vie à toi était calme. Moins folle. Mais plus rassurante.*

Avait-elle vraiment envie de revivre ainsi ?

Pas sûr.

Le visage de Jérôme s'imposa à son esprit.

*Cet homme te fait battre le cœur, même si tu ne veux pas te l'avouer.*

L'autre vérité était aussi que son histoire avec Xavier était finie depuis bien longtemps. Ils n'étaient plus un couple, ils n'étaient plus que des partenaires, des compagnons d'habitudes.

N'avait-elle pas le droit à son tour d'oser croire encore à une autre histoire et se donner la chance d'un nouvel amour ? Avec ou sans Jérôme.

Elle se laissa choir dans un fauteuil.

Elle avait changé. C'était sans doute la seule explication.

Nicolas, Alexandre et Charlène lui avaient communiqué une force qu'elle n'avait pas auparavant. Grâce à eux, elle avait désormais le courage d'ouvrir les yeux et de voir les choses telles qu'elles étaient réellement. Elle avait dépassé cette épreuve et était même parvenue à lui donner un sens. Elle s'en sortait enrichie et découvrait en elle des ressources insoupçonnées.

Alexandre avait raison : prendre de la distance avec soi permettait paradoxalement de se retrouver.

Imaginer Xavier entrer dans cette pièce lui coupa la respiration, et elle éprouva le besoin de respirer de l'air frais. Elle se leva, alla jusqu'à la fenêtre.

Plus bas, dans la rue, le va-et-vient incessant de personnes seules pressées, de couples flânant bras dessus, bras dessous. Elle détourna son regard qui tomba sur la mosaïque de photos accrochée au mur. Sur l'un des clichés, Xavier et elle. De cette photo flétrie par les années, que restait-il ?

D'un seul coup, tout devint clair. Les réponses à toutes ses questions lui apparurent évidentes : elle ne voulait plus finir son existence avec Xavier.

Elle ne voulait plus se tromper de vie.

En toute hâte, elle s'empara de son sac de sport, agrippa ses clés au passage et s'enfuit en claquant la porte.

*

Une heure et demie plus tard, Aude sortait de la contemplation de son verre. Elle n'avait pas chômé depuis son départ précipité de l'appartement : elle avait commencé par réserver une chambre pour une quinzaine de jours dans un hôtel, puis donné rendez-vous à Xavier dans ce café.

Les effets de la fatigue se faisaient sentir. Elle leva la tête : son mari approchait, et il la fixait toujours d'un regard réprobateur.

Dans la salle, certains clients prenaient un café avant de rejoindre leur bureau, d'autres savouraient un vrai repas. Un groupe d'étudiants, plus bruyant, faisait profiter son entourage de la piètre considération qu'il portait à un professeur, à grands coups d'éclats de rire. Cela ajoutait au caractère presque irréel de la scène qu'elle était en train de vivre. Aurait-elle imaginé un mois plus tôt se retrouver assise à une table de café pour annoncer à Xavier que leur route commune s'arrêtait là ?

— Tu ne peux pas prendre la décision de tout foutre en l'air pour une connerie, Aude !

— Xavier, cette « connerie » n'a été qu'un détonateur. J'aurais peut-être pu pardonner la tromperie. Seulement, le problème n'est pas que là. J'ai ouvert les yeux.

Xavier haussa les épaules et abaissa son poing à côté de la tasse de café qu'il n'avait pas touchée.

— Ouvert les yeux ? Mais nous avons tout pour être heureux, Aude ! Le cabinet tourne à plein régime, nous avons de nombreux amis, suffisamment d'argent pour partir quand on veut où bon nous semble...

— Le bonheur se limite à ça, pour toi ? le coupa-t-elle doucement.

Ses yeux s'écarquillèrent.

— Mais qu'est-ce qui t'arrive, Aude ? C'est déjà pas mal, non ? D'accord on n'a peut-être plus le cœur qui palpite comme aux premiers jours, mais c'est normal ! Beaucoup aimeraient ressentir cela au bout de tant d'années de mariage !

Elle repensa à la sensation de liberté éprouvée ces derniers jours. Ce sentiment de vivre à cent pour cent et non pas de végéter dans un train-train mortel.

— Je pense que notre couple aurait encore eu du sens avec un enfant, Xavier. Nous aurions un lien entre toi et moi qui...

— Nous n'avons jamais voulu d'enfant !

— Tu as constamment différé ce projet auquel moi je tenais ! corrigea-t-elle en haussant légèrement le ton. Au prétexte que ce n'était jamais le bon moment avec le cabinet. Ce n'est pas la même chose !

Il balaya l'espace d'une main.

— De toute manière, il est trop tard pour y songer, non ? Et que tu partes ou non ne changera rien au fait que tu n'es plus en âge d'avoir un bébé.

Blessée, elle déglutit en silence. Il n'était pas seulement d'une terrible indélicatesse ; il ne comprenait rien. Quelques jours plus tôt, d'autres lui avaient affirmé qu'elle aurait fait une excellente mère...

Une Audi sport passa devant la terrasse du café. Avec un pincement au cœur, elle se remémora son échange avec Jérôme lors de leur escapade sur le circuit de Montlhéry.

Elle avait aimé se confier à lui. Et elle avait pris plaisir à le découvrir à son tour, lorsqu'il s'était prêté avec pudeur au jeu des confidences.

Mais bientôt, Jérôme serait à Londres...

— Aude, tu m'écoutes ?

— Hmm... Tu disais ?

— On pourrait consulter un thérapeute ensemble.

— Mais tu as toujours pris les psys pour des charlatans !

— Eh bien, ça te prouve que je suis prêt à tout pour nous laisser une chance...

Pourquoi éprouvait-elle de la tristesse et simultanément la curieuse sensation d'être à distance de cette émotion, comme si elle se voyait de l'extérieur ? Pourtant, cette décision lui faisait vraiment mal.

*Normal.*

*Mettre fin à une longue relation est nécessairement douloureux. Et triste.*

Mais elle savait que cette rupture n'était pas la seule raison de sa soudaine mélancolie.

Le départ imminent de Jérôme loin de Paris occupait de plus en plus son esprit.

*Tu es chamboulée. Mais tu dois d'abord prendre le temps de tourner la page de ton mariage.*

— Oh, tu m'écoutes, Aude ? J'ai l'impression que tu as la tête ailleurs, là !

— Oui, Xavier, je t'écoute. Simplement, je me disais qu'il y aurait pire que de mettre fin à notre mariage : ce serait de reprendre notre vie en ayant l'un et l'autre le sentiment de ne le faire que par peur de casser nos habitudes, ou par crainte de finir seuls...

— Parce que ça ne te foutrait pas la trouille, à toi ? laissa échapper Xavier.

— Si, bien sûr. Qui ne le craindrait pas ? Mais rester ensemble juste pour contrer cette peur serait nous leurrer nous-mêmes, Xavier. Et nous priver peut-être d'un autre avenir. Parce que certaines portes doivent être fermées avant qu'on puisse en ouvrir de nouvelles...

Elle laissa volontairement passer quelques secondes avant d'ajouter doucement :

— Et c'est peut-être cette nouveauté que tu recherchais avec Cindy.

Il réagit en lui agrippant vivement le poignet.

— Tu te plantes complètement, je n'ai jamais éprouvé le moindre sentiment pour elle ! C'est toi que j'aime. Comme avant. Simplement, oui, comme beaucoup de couples mariés depuis presque vingt ans, nous sommes tombés dans une certaine routine et Cindy me permettait de m'en évader. Mais je n'ai jamais imaginé vivre au côté de quelqu'un d'autre que toi !

Elle se libéra de la main de Xavier.

— Je suis désolée mais ce n'est plus mon souci. J'ai été mise devant le fait accompli, si tu peux me passer l'expression ! Et cela m'a dévastée. Le seul moyen de me reconstruire a été d'analyser pour comprendre. Maintenant que je l'ai fait, je ne vois aucun retour en arrière possible.

*Et une fois que Jérôme aura séjourné plusieurs mois à Londres, que Charlène restera en internat, et qu'on lui proposera peut-être de transformer cette mission transitoire en définitive, crois-tu que lui aura envie de retourner à Paris ?*

Elle écoutait d'une oreille distraite les arguments avancés par Xavier cherchant à démontrer qu'ils formaient un couple idéal, proche de la perfection. Mais son esprit était effectivement ailleurs.

*Il ne tient qu'à toi d'essayer de le retenir.*

Sans doute. Mais elle ne pouvait pas planter Xavier qui restait et resterait celui avec qui elle avait partagé une telle tranche de vie.

— ... mais tu as passé l'âge !

La fin de la phrase de Xavier la ramena brutalement à sa discussion.

— Hein ?

Xavier la toisait maintenant d'un air arrogant.

— J'ai dit que sortir avec des ados t'était sans doute monté à la tête mais que tu avais passé l'âge ! Non mais, sérieusement, Aude, ressaisis-toi ! Parce que deux jeunots imberbes t'ont trimballée en boîte de nuit, tu t'imagines avoir rajeuni de vingt ans ? Redescends sur terre !

Sonnée, elle chercha à rassembler ses esprits.

— Hein ? Mais comment tu sais tout ça ?

— Je t'ai suivie.

— Pardon ?...

— Oui, je t'ai suivie. Que voulais-tu que je fasse, tu ne me répondais plus ! Il fallait bien que je...

— *Tu m'as suivie ?* Ça alors...

Elle s'en fichait.

*15 h 20. Dans moins de deux heures, il quittera Paris.*

— Et le type de l'appart... Tu ne trouves pas louche qu'il soit encore seul à son âge ? poursuivit Xavier.

*À toi de voir.*

— Allons, sois raisonnable, Aude. J'ai merdé, je le regrette mais...

*Mais c'est maintenant ou jamais.*

— Je crois que nous devons tous deux reprendre nos espr... Qu'est-ce que tu fais ?

Debout, Aude avait attrapé son sac à main.

— Quelque chose que tu ne pourrais pas comprendre...

Et elle quitta précipitamment le café.

*

Charlène venait de mettre un fond de musique pour combler le silence pesant laissé par le départ de son père. Pour viser la mention « très bien », elle avait du pain sur la planche.

Mais un immense sentiment de solitude l'avait envahie lorsque Jérôme avait refermé la porte de l'appartement, non sans lui avoir laissé les consignes habituelles.

Lorsque son portable sonna et que le visage d'Aude s'afficha sur son écran, elle ne put réprimer une exclamation de joie :

— Je croyais que tu ne me rappellerais jamais !

— Ma chérie, je t'expliquerai plus tard mais dis-moi vite : ton père est parti ?

— Oui. Il vient juste de monter dans son taxi.

— Son train part à quelle heure exactement ?

— Euh... 17 heures et quelques. 17 h 13, je crois. Pourqu...

Elle n'eut pas le temps de terminer : Aude avait raccroché.

*

Aude faisait du mieux qu'elle pouvait pour courir malgré ses satanés talons. Sûr que son accoutrement n'était pas adapté à la situation.

Elle s'arrêta une seconde pour regarder sa montre.

16 h 32.

Jérôme était parti en taxi. Avec un peu de chance, il y aurait des embouteillages... En métro, elle pouvait le rattraper. Elle reprit sa course.

*

Alexandre descendit l'allée de la cascade du parc des Buttes-Chaumont. Hannibal devant lui, il continua à se frayer un chemin au travers de la foule qui s'était pressée dans ce coin de verdure pour profiter du soleil, puis finit par rejoindre avec un pincement au cœur le fameux pont de pierre où tout avait commencé.

Mais contrairement à ce jour-là, beaucoup de monde le traversait.

Il s'assit à l'endroit précis où il avait entendu le cri glaçant de Charlène, quatorze jours plus tôt.

Comment aurait-il pu imaginer que ce cri allait faire basculer sa vie ?

Alexandre tourna la tête, se perdit dans la contemplation du pont, et songea à Aude, Nicolas, Jérôme et Charlène.

Tous s'étaient investis dans des histoires qui n'étaient pas la leur. Ils avaient partagé des choses intimes, alors que rien ne les prédestinait à se rencontrer, et encore moins à s'entendre. Et pourtant, ils s'étaient tous fait grandir les uns les autres.

Il s'allongea à même la pelouse et ferma les yeux, Hannibal couché à ses côtés. Il rouvrit lentement les yeux. Un ciel immaculé le surplombait. Alexandre se perdit dans cette immensité bleue qui ne se contentait pas de lui rappeler sa vulnérabilité, mais la lui faisait *ressentir*. Tout ce qui l'entourait disparut. Il était seul face à ce vide grandiose.

Il aurait aimé avoir Aude et Nicolas à ses côtés. Pour partager avec eux le flot d'émotions qui le traversait à cet instant, dans ce parc où le destin les avait un jour réunis : tristesse d'avoir sans doute perdu Dimitri, manque cruel de leur présence, fierté d'avoir avoué la vérité à son père, peur du lendemain, sentiment de solitude, profond regret de leur avoir dit des choses qu'il ne pensait pas...

*Ne sois pas si dur avec toi-même, Alex. Si tu crois encore que les choses ne se font jamais par hasard, tu ne dois pas t'en faire.*

*Il faut parfois savoir se quitter pour mieux se retrouver.*

Il s'arracha à sa contemplation, se rassit et serra son chien contre lui. À quoi se raccrochaient les gens lorsqu'ils étaient seuls ? Comment pouvaient-ils se convaincre d'un avenir meilleur alors que la seule chose qui leur tenait à cœur leur échappait ? La vie n'était-elle pas finalement une cause perdue d'avance ?

*Tu as eu ton lot de peines, de peurs, de doutes, de déceptions et de douleurs.*

*Mais n'oublie pas les moments de joie, de fierté, de bien-être et d'espoirs.*

*Nos nuits éveillées, nos moments de solitude sont remplis de tout cela.*

*De toutes ces petites choses qui font la vie.*

*De tous ces petits riens qui nous animent...*

Un nouveau coup d'œil sur le pont, sur cette balustrade à laquelle Charlène s'était accrochée ce matin-là. Elle avait besoin d'aide. Le destin y avait répondu. « Parfois, il suffit d'un petit coup de pouce », comme aurait dit Nicolas.

*Oui. Un petit coup de pouce.*

*Toutes ces aventures t'ont donné le courage de briser tes chaînes.*

*Te voici sur le chemin d'un nouveau départ.*

*Après avoir lutté pour la vérité, vas-tu baisser les bras ?*

Non. Mais avait-il seulement le choix ?

*Tant que l'on est en vie et en bonne santé, on a toujours le choix.*

Il se leva. Autour de lui, des enfants, des femmes et des hommes de tous âges.

Qui parlaient de tout, de rien.

*Tu peux donc faire celui de vivre avec des regrets.*

*Ou pas.*

Il tendit à nouveau son visage vers le ciel, se perdit une dernière fois dans la contemplation du bleu azur comme pour y puiser du courage, puis il posa Hannibal à terre et se dirigea d'un pas déterminé vers la sortie du parc qui menait chez Dimitri.

*

Station Châtelet. 16 h 47.

Mais qu'est-ce qui se passait encore ? Cette rame de métro avançait au ralenti.

Une pointe de culpabilité la traversa en songeant à Xavier qu'elle avait abandonné à un moment difficile. Il ne devait pas croire qu'elle vivait cette séparation avec légèreté. Pour elle aussi, il s'agissait d'un vrai virage.

Mais Jérôme avait su éveiller en elle quelque chose de profondément enfoui. Il ne s'agissait pas d'une attirance fugitive ni même d'un désir irrépressible. Entre eux, le démarrage n'avait même rien laissé augurer de bon. Jérôme incarnait *a priori* tout ce qui la rebutait précisément chez un homme : cette assurance à la limite de l'arrogance, cette absence totale de considération affichée pour ce que les autres pensaient de lui, ce côté franc-tireur qui le poussait à être très – trop ? – direct. Elle n'avait pas dû faire mieux de son côté : elle s'était brusquement incrustée dans sa vie, dans son intimité, en devenant pour sa fille une confidente, ce qui avait soudainement privé Jérôme de ce rôle. Mais ce qu'ils avaient partagé les avait ensuite rapprochés. De nouveaux liens s'étaient alors tissés dans la tendresse, avec pudeur et authenticité.

Elle repensa à Xavier. Lui en voudrait-il longtemps ?

*C'est lui qui t'a un jour contrainte à ouvrir les yeux.*

*Ceux-là mêmes qui n'ont jamais voulu voir...*

Pas faux.

Et elle ne s'imaginait pas les refermer comme si de rien n'était.

Bien sûr, elle avait aimé Xavier. Mais les années, le rythme infernal imposé par le travail, et la platitude confortable mais assassine de leur vie avaient eu raison de ce sentiment qui les avait un jour unis. Cindy n'avait finalement été qu'un révélateur. Une sorte de luminol qui avait mis au jour les gouttelettes de sang provoquées par des blessures accumulées au quotidien, mais indécelables à l'œil nu.

Combien de couples vivaient dans ces pièces contaminées sans même le savoir ?

Elle avait affronté la réalité, et avait choisi de ne pas devenir l'une de ces femmes résignées dont le confort constituait le seul lien qui les rattachait encore à leur mari.

Il ne pouvait donc pas lui en vouloir. Elle ne l'avait jamais trahi. Ne lui avait jamais menti. Et elle serait restée sincère jusqu'au bout. Y compris en prenant cette difficile décision de mettre fin à leur histoire.

Métro Château-d'Eau.

Charlène avait dit que le train partait à 17 h 13. Il était 16 h 57. Dans seize minutes, ce serait trop tard...

Devait-elle lui envoyer un SMS ? L'appeler ? Mais pour lui dire quoi ? Qu'elle avait l'intime conviction qu'il se passait quelque chose entre eux deux ? Au pire, il éclaterait de rire. Au mieux, il serait gêné. Peut-être même qu'il la prendrait en pitié en imaginant qu'elle cherchait à fuir une réalité en s'inventant un chemin de traverse à l'eau de rose.

Fadaises que tout cela. On ne pouvait passer d'un homme à un autre du jour au lendemain. Mais elle voulait comprendre pourquoi la simple idée de ne plus partager ses soirées avec Jérôme lui serrait le cœur, s'expliquer cette envie de se réfugier dans ses bras, et découvrir la nature de ce lien qu'ils avaient construit en toute innocence et avec sincérité.

Ce n'était donc pas une évasion qu'elle trouvait en Jérôme, mais la recherche d'une vérité.

Comment lui dévoiler tout cela sans se couvrir de ridicule ?

Gare-du-Nord. 17 h 03.

Elle s'éjecta du métro en courant.

*

Nicolas était enfin arrivé. Debout sur le rocher, face aux gorges de la Dordogne et de la Xaintrie, le Roc du Busatier lui offrait un spectacle à couper le souffle.

Une vague d'émotions contradictoires l'envahit et il s'agenouilla lentement.

Devant tant de splendeur, comment rester insensible ?

En même temps qu'une profonde humilité l'obligeait à rester ainsi au sol, comme uni à la pierre et à la terre, une impression de puissance monumentale le gagna. Au-dessus de ce vide, seul face au monde, il songea que rien ni personne ne pourrait plus lui faire de mal. Il laissa voguer son esprit dans cette nature verdoyante qui invitait à la plénitude et à la méditation.

N'était-il pas en train de rêver cette beauté qui s'offrait à lui ?

Il cligna des yeux, les referma pour mieux ressentir les rayons du soleil lui caresser le visage, tandis que des larmes perlaient au bord de ses paupières. Il ne chercha pas à les essuyer : abandonné dans ce paysage majestueux, il n'éprouvait nul besoin de les cacher. Une légère brise s'engouffra dans ses cheveux et il eut l'impression que la nature prenait possession de lui, l'arrachant ainsi à sa réalité d'homme, dans tout ce qu'elle représentait d'éphémère, de fragile et de petit.

Il se fondait dans ce décor époustouflant, et il sentit naître en lui une paix qu'il n'avait jamais éprouvée.

Face à tant de lumière et tant de beauté, que valaient les forces obscures de la tristesse qu'il portait en lui depuis ses seize ans ?

Les joues maintenant trempées, il tendit davantage son visage vers le soleil.

Et, face au vide, il hurla toute sa douleur.

*

Lorsque Aude déboula dans la gare du Nord, elle était en sueur.

17 h 07.

Il était peut-être déjà trop tard...

Elle réalisa brusquement qu'il lui serait impossible d'arriver à temps. Elle s'arrêta net, au beau milieu de la foule, profondément abattue.

*Tout ça pour rien ?*

Elle regarda autour d'elle les gens qui traversaient la gare en tous sens, qui pour rejoindre un quai, qui pour quitter le lieu.

*Appelle-le !*

Non. Elle ne voyait toujours pas ce qu'elle allait pouvoir lui dire sans se couvrir de honte.

*Alors fais demi-tour et ferme-la une bonne fois pour toutes !*

— Je ne vais jamais y arriver ! lâcha-t-elle à voix haute, tandis qu'un couple pressé arrivant à sa hauteur ralentit une seconde pour la considérer d'un air navré.

Aude attrapa son téléphone et tapa un texto sans réfléchir : « Vs avez déjà passé les contrôles pour prendre ce foutu train ? » Elle cliqua sur envoi en disant à voix haute :

— Ça passe ou ça casse. *Alea jacta est.*

Et, sans s'en rendre compte, elle croisa les doigts tout en montant vers la mezzanine qui donnait accès aux quais à destination de Londres.

Une tonalité.

17 h 09.

« Je suis en train. Pourquoi ? »

*C'est maintenant ou jamais...*

Elle leva des yeux suppliants vers le ciel. Que pouvait-elle dire sans se ridiculiser ?

Rien ne lui venait à l'esprit.

Alors elle pianota sur son écran sans réfléchir, tout en se faufilant tant bien que mal pour avancer vers les quais :

« J'avais une question à vous poser. Mais c'était une idée stupide. »

17 h 10.

Elle envoya son SMS.

17 h 11.

Pas de réponse.

17 h 12.

Toujours rien. Il devait passer le contrôle.

C'était terminé.

« Je suis arrivée trop tard à la gare », écrivit-elle sans réfléchir.

Son portable à la main, elle s'adossa sur l'un des piliers porteurs situé face à la zone de contrôle, se laissa lentement glisser sur le sol et éclata en sanglots en essayant de dissimuler son visage dans ses bras croisés.

— Je déteste les questions sans réponse...

Elle leva brusquement la tête : Jérôme se tenait face à elle, un bagage à ses pieds, et tendait la main pour l'aider à se relever.

— J'ai quitté la file à « J'avais une question à vous poser ». Je pourrai toujours prendre le train d'après, une heure plus tard...

Honteuse, elle s'essuya prestement les yeux et les joues, ce qui étala davantage son maquillage qui avait coulé.

— Oh... Je suis désolée, Jérôme, bafouilla-t-elle en se relevant aussi dignement que possible. Je pense que la fatig...

— Quelle est cette question, Aude ? la coupa doucement Jérôme sans la lâcher du regard.

Gênée, elle essuya le plat de ses mains contre ses vêtements.

— Je..., commença-t-elle avant de s'interrompre.

Il attendait patiemment la suite.

— Je..., recommença-t-elle.

— Vous... ? l'encouragea-t-il.

Elle croisa les mains, se redressa, inspira lentement à pleins poumons et arrima ses yeux aux siens.

— Vous vous souvenez quand nous étions à Montlhéry ?

— Très bien, Aude...

— Eh bien... Vous m'avez dit que, sur circuit, il était important de bien savoir prendre un virage, vous vous rappelez ?

Il observa quelques secondes de silence avant de lui répondre :

— Exact.

— Mais... Comment pouvez-vous savoir que vous prenez le bon et que vous vous y prenez de la meilleure manière ? Parce que tous les virages ne se ressemblent pas, et il existe tellement de variables qui peuvent influ...

— Vous avez raison, c'est une question importante, l'interrompit-il à nouveau en douceur, tout en lui posant la main sur l'épaule comme un parent l'aurait fait pour un enfant. Mais vous avez vraisemblablement oublié la suite de mes propos, ce jour-là...

Devant son air interrogateur, il compléta :

— Je vous ai dit qu'on ne savait jamais ce qu'il y avait derrière une courbe...

Elle baissa les yeux, tandis qu'il poursuivait :

— Dans le sport automobile, il faut à la fois regarder où l'on est mais surtout là où l'on veut aller. Après, tous les virages doivent se gérer de la même manière : il y a toujours un point de braquage, un point de corde et un point de sortie. Et chacun de ces trois points doit être géré avec prudence et en fonction d'éléments exogènes : la pluie, l'état de votre voiture, des pneus, de la courbure du rayon, du dénivelé...

Elle releva la tête.

— Si je comprends bien, avec un virage pris en douceur, sans vitesse excessive, il n'y a aucune raison de se retrouver dans le fossé...

Il semblait maintenant profondément troublé. Il lui sourit et lui pressa tendrement l'épaule.

— C'est exactement cela, Aude. Sans précipitation. Le plus difficile, c'est de prendre la décision de s'y lancer. Les risques sont d'autant plus limités si vous avez à vos côtés un copilote qui partage la même envie que vous de vous engager dans ce tournant...

Elle ne put retenir un petit rire.

— Il pourrait lui préférer une pilote qui l'emmènerait sur des routes plus tranquilles !

Jérôme la regarda avec attention, comme pour se convaincre qu'elle était bien là. Cette femme avait eu raison de toutes les barrières de pudeur et de méfiance qu'il avait édifiées pour ne plus jamais avoir à sentir cette émotion vibrer au creux de lui, lorsqu'il la voyait ou même pensait à elle. Il s'était fait une raison. Et là, elle venait tout balayer en éveillant un espoir qu'il n'aurait jamais osé caresser.

— Je trouve qu'il n'y a rien de plus soporifique que les lignes droites..., parvint-il à articuler.

Elle baissa à nouveau les yeux, prit le temps de réfléchir.

— Ça tombe bien, murmura-t-elle. Je crois que je viens d'attaquer la courbe...

Il s'approcha et de ses pouces essuya délicatement les coulures de son mascara sur ses yeux, sur ses joues, puis il passa un bras autour de sa taille pour l'attirer contre lui. Le cœur battant à tout rompre, elle leva le visage vers lui. Lorsqu'il posa ses lèvres sur les siennes, elle s'abandonna dans cette étreinte imprévue, et le monde cessa d'exister autour d'eux.

Au bout d'un long moment, il s'écarta d'elle, glissa avec tendresse une mèche de ses longs cheveux derrière son oreille, puis il reprit son sac, entremêla ses doigts aux siens et lui lança, le regard malicieux :

— Tu viens ? Je vais me faire rembourser mon billet...

## *Épilogue*

Tout en maintenant sa lampe torche allumée, Nicolas déplia lentement le plaid et l'étala sur la plage de galets. Il jeta un coup d'œil à son portable : il n'était que 5 h 30. À cette heure-ci, il n'y avait évidemment personne et seul le bruit des vagues venait rompre le silence.

Il s'assit face à la mer, comme chaque année depuis quinze ans, le cœur serré en songeant à celle qui lui manquait encore, à certains moments plus encore qu'à d'autres.

Il avait passé ici des étés joyeux et insouciants. Il ne voulait pas voir ces souvenirs s'éteindre et tomber dans l'oubli. Ce petit rituel les lui remémorait. Ces falaises étaient un peu sa madeleine de Proust.

La veille, il avait vainement cherché à joindre Dimitri. Celui-ci ne l'avait pas rappelé. Nicolas aurait aimé l'avoir à ses côtés. Ce « pèlerinage macabre », comme son frère le nommait, lui apparaissait cette année plus triste encore qu'à l'accoutumée. Pourtant, il se sentait moins torturé qu'auparavant. Son « voyage » avec Aude, Charlène,

Alexandre et Jérôme puis son escapade solitaire lui avaient permis de puiser en lui des forces insoupçonnées. Il avait également compris que les remèdes à ses problèmes étaient en lui et non dans la science des maladies ou de leurs sachants.

Il avait découvert où était son essentiel. Il se composait des personnes vivantes importantes dans sa vie. Elles étaient peu nombreuses. Mais elles existaient.

D'ailleurs, en cet instant précis, cet essentiel lui manquait énormément.

Il pensa à Aude, Charlène, et Alexandre... Leur absence lui pesait lourdement. Même Hannibal lui manquait.

Sa main gauche caressa les galets dont la fraîcheur contrastait avec la moiteur ambiante malgré l'heure matinale. Bientôt, il ferait une température d'au moins 40 degrés en plein cagnard. Mais pour le moment, il pouvait profiter de cette douceur paisible.

Il s'allongea et fixa le ciel qui déjà se désassombrissait. Des larmes inondèrent ses yeux, il ferma les paupières et chercha à se concentrer sur la musique du ressac.

*

*New York*

Dans un bar de Manhattan, Sofia leva la coupe en direction de ses amies puis la porta à ses lèvres.

Elle avait enfin décroché un second rôle dans une pièce qu'elle espérait voir couronnée de succès.

Combien d'années d'attente et de sacrifices pour récolter le fruit de ses efforts ?

Pourtant, elle ne se réjouissait pas autant qu'elle l'aurait imaginé.

Un je-ne-sais-quoi la turlupinait et la rendait mélancolique.

Le visage de Charlène s'imposa à son esprit.

Elle le chassa en méditant sur le reste de son verre, qu'elle vida d'un trait.

*

Nicolas se concentrait toujours sur le bruit apaisant et régulier du ressac, fruit d'un mouvement perpétré à l'infini entre l'eau et la terre. Plus qu'écouter, il se laissait porter par cette respiration de la mer, ce souffle enchanteur qui semblait lui murmurer que le pire était passé.

Un bruit lointain s'ajouta à celui du mouvement des vagues sans qu'il s'en rende bien compte d'abord.

Il s'efforça de rester dans cet état de semi-conscience. Mais le bourdonnement paraissait se rapprocher. Il ressemblait à des aboiements. En attendant les naturistes qui envahiraient cette plage dès les premiers rayons du soleil, il allait devoir supporter un lève-tôt qui baladait son chien...

Il crut que son cœur allait s'arrêter quand il entendit un jappement à deux centimètres de son oreille, immédiatement suivi d'une sensation de langue râpeuse et humide sur sa joue. Mais lorsque le faisceau de sa lampe permit à ses yeux terrifiés de reconnaître Hannibal, il défaillit de joie.

Il balaya le rivage avec sa lampe. Au loin, deux silhouettes se détachaient dans la lueur du jour naissant et avançaient vers lui. Dimitri venait d'un pas ferme dans sa direction, tandis qu'Alexandre faisait des sauts de cabri pour éviter les galets.

— Eh bien, mon chien, tu veux que je te dise ? Je n'ai jamais été aussi heureux de caresser une bête qu'en cet instant !

Hannibal exprima son plaisir partagé en faisant tomber une grande coulée de bave sur le plaid, et s'assit aux côtés de Nicolas en attendant l'arrivée de son maître.

Nicolas en profita pour s'essuyer les yeux et se leva.

— Dieu du ciel ! s'exclama Alexandre lorsqu'il fut plus proche de lui. Vous n'aviez donc pas de souvenirs d'enfance sur des plages de sable fin ? Non mais, sans blague, j'ai l'impression d'être un fakir !

Dimitri secoua la tête en souriant et demanda à Nicolas, en lui envoyant son sac à dos :

— Fais quelque chose pour moi : deux heures trente de voiture à ses côtés sans qu'il s'arrête une minute de jacasser ! Je ne sais vraiment pas si je vais pouvoir le supporter toute ma vie...

— Ah bah alors là, après ce que j'ai dû subir avec mon père, autant te dire que tu m'as sur le dos jusqu'à la fin de tes jours. Tu as un devoir moral vis-à-vis de moi !

Nicolas avait retrouvé le sourire. Il avait envie de serrer Alexandre dans ses bras. Mais il se contenta de s'asseoir en tailleur et questionna :

— Un fakir, ça marche plutôt sur des clous, non ?

— Oh là ! Deux pour le prix d'un, merci du cadeau ! claironna Alexandre. Je ne suis pas sûr de rester sain d'esprit bien longtemps.

— Ne t'inquiète pas : voilà le renfort ! clama Dimitri en lui désignant trois autres personnes qui avançaient au loin, dont une qui courait tant bien que mal sur les cailloux.

En deux secondes, Nicolas se remit sur ses pieds. Il venait de reconnaître la silhouette de Charlène. Puis, derrière elle, celles d'Aude et de Jérôme. Il fut à nouveau submergé par une joie immense.

Charlène tenta une course, chacune de ses foulées étant rendue difficile par le terrain chaotique. Lorsqu'ils arrivèrent enfin et que Nicolas les eut serrés sans un mot contre lui, ils s'assirent tous trois après avoir embrassé Dimitri et Alexandre, puis déployé à leur tour un plaid sur le sol.

— Il fait bon à cette heure-ci, lâcha Aude comme s'ils s'étaient quittés la veille.

Nicolas la découvrit plus rayonnante que jamais.

— Oui c'est top ! ajouta Alexandre en lui proposant un paquet de cookies et en faisant tomber sur son tee-shirt quelques miettes de gâteau.

— Nous, nous avons apporté du café ! Qui en veut ?

Jérôme brandissait une grande bouteille isotherme, et il fut acclamé par Dimitri qui tendit la main pour prendre un gobelet.

— Voilà une excellente initiative ! Mon frère est plutôt branché jus d'orange...

Les bruits ambiants, la musique incessante des vagues s'échouant sur la plage, les voix de ceux qui l'entouraient parvenaient comme étouffés à l'oreille de Nicolas. Il les observa tous, un à un, tandis que Dimitri éclaboussait son jean de café à cause d'Hannibal. Son frère de sang. Celui pour qui et grâce à qui il avait surmonté le cauchemar de ce matin d'août 2004. Son regard glissa sur Alexandre, puis sur Aude, Charlène et Jérôme. Il avait toujours pensé que rien n'était dû au hasard. Cette rencontre n'avait pas fait exception. Mais il n'aurait jamais imaginé que cette aventure le mènerait là où il était en cet instant précis.

Mieux que des amis, il s'était trouvé une famille de cœur.

Jérôme annonça fièrement que Charlène avait décroché son bac avec mention « très bien », et qu'elle rejoindrait l'école de ses rêves dès le 30 août. Aude avait quant à elle loué un appartement, et convenu avec Xavier de poursuivre son activité au sein de leur cabinet. Dimitri partagea également une bonne nouvelle : il déménageait pour s'installer avec Alexandre.

Puis ils parlèrent de tout et de rien, tels de vieux complices, à refaire le monde autour d'un verre, par un bel après-midi d'été. Mais eux n'étaient éclairés que par la faible lumière d'un soleil naissant.

Aucun d'eux n'évoqua la raison qui les rassemblait tous à cet endroit, à une heure indécente. Parfois, les mots devenaient inutiles.

À 6 h 02, Nicolas vit Dimitri adresser un petit signe de tête à ses amis. Comme un signal, tous se turent instantanément.

Aude se leva, passa derrière Nicolas en lui effleurant la joue de son index avant de retourner s'asseoir aux côtés de Jérôme, qui lui passa le bras autour des épaules. Charlène vint se blottir contre Nicolas, mit une main dans la sienne, tandis que Dimitri, assis à sa droite, lui donnait une tape affectueuse sur la cuisse.

Nicolas balaya l'horizon du regard, heureux de ce moment que la vie lui offrait.

Hannibal avait lui aussi pris position assise et épiait son humain préféré, Alexandre, avec des yeux impénétrables.

Aude se perdait également dans la contemplation de la mer tout en jouant avec sa chevelure.

Tous demeurèrent ainsi dans le silence, que seul le ressac des flots venait troubler.

Le soleil flottait maintenant sur l'eau, entouré d'une aura rouge orangé. Chacun admirait ce spectacle éphémère et savourait l'intensité de ce moment de partage.

Dimitri se leva et les observa tous les cinq : il n'avait pas participé à leurs aventures, mais il pouvait sentir la force du lien qui s'était tissé entre eux. Il n'avait d'ailleurs jamais vu son frère aussi apaisé. Lui-même était très jeune lorsque leur mère avait choisi de mettre fin à ses jours. Il avait souffert, mais pas autant que Nicolas. Et il avait eu la chance d'avoir cet aîné protecteur qui lui avait finalement apporté tout l'amour et les soins que sa mère n'avait plus été en mesure de lui prodiguer. Il posa encore une fois les yeux sur son frère et ressentit viscéralement l'amour et la fierté qui les unissaient.

Il s'approcha de lui et s'assit à ses côtés.

— Nico, tu te souviens de notre lieu secret ?
Nicolas se tourna vers lui.
— Comment l'oublier ?
— On peut faire partie des initiés ou pas ? réclama Alexandre.
— Nico, je te laisse l'honneur ! sourit Dimitri.
Ce dernier pivota vers ses amis.
— Souvent, notre mère nous amenait à une autre plage, proche d'ici. Là-bas, Dimitri et moi attendions avec impatience la marée basse pour nous rendre dans un endroit quasiment inaccessible. Une vraie folie... Mais une fois que nous y étions, le spectacle était grandiose.
Il se tut un instant.
— On y restait toujours longtemps, ce qui rendait notre mère dingue. Elle nous passait un de ces savons quand on rentrait... Il faut dire que nous n'en déguerpissions que lorsque des gens se risquaient à nous rejoindre. Et comme il y en avait peu...
— Si elle avait su qu'on grimpait jusque-là, elle nous aurait démontés !
— Elle t'aurait surtout démonté toi, si je lui avais dit qu'à chaque fois tu te jetais de cette falaise.
Dimitri éclata de rire.
— C'est juste ! Mais tu m'as couvert uniquement parce que je te menaçais de révéler à mes copains que tu faisais le chemin en sens inverse pour te lancer d'un endroit beaucoup moins haut.
Il se tourna vers les autres.
— Parce qu'à vous je peux aujourd'hui le dire : Nicolas était vert de trouille à l'idée de sauter... Et il ne l'a jamais fait !

Nicolas rougit et se justifia :

— Évidemment ! Il fallait être cinglé pour faire un truc pareil. Ou inconscient.

— Exact. C'était une vraie folie. Mais qu'est-ce que c'était bon, ajouta Dimitri en échangeant un sourire de grande complicité avec son frère.

— Moi, j'aime bien les trucs un peu dingues ! reprit Alexandre. Pas toi, Aude ?

Celle-ci s'esclaffa :

— Tu t'adresses à quelqu'un qui est passé d'une vie de nonne à une autre complètement délirante. Alors, la folie, je crois que je la vis au quotidien depuis plus de deux mois !

— Finalement, on n'en est donc plus à un délire près, alors, s'exclama Dimitri, qui se mit subitement sur ses deux pieds. Et si on y allait ? lança-t-il, le regard pétillant.

— Non mais, t'es malade ! On n'est plus des gamins !

— On n'est pas non plus grabataires ! Nous sommes vivants et tous ensemble. Ça fait des années qu'on n'y est pas retournés ! Et là, c'est le bon moment pour y aller. Allez, Nico, on y va ?

— Génial ! s'écria Charlène qui se leva et tira son père pour qu'il en fasse autant.

— Tranquille, Charlène ! Ce n'est pas le moment de te casser une patte !

— C'est toi qui me dis ça alors que tu pilotes des bagnoles à plus de 300 km/heure ?

Jérôme écarta les bras pour signifier qu'il rendait les armes. Il se tourna à son tour vers Aude et lui tendit une main.

— Tu es partante ?

Elle lui sourit.

— Mais nous le sommes tous, n'est-ce pas ? lança-t-elle à l'assemblée tout en agrippant le poignet de Jérôme.

— Mais quelle mouche vous a tous piqués ? gémit Nicolas. On va rester coincés entre deux roches et il va falloir appeler les secours pour venir nous en déloger. On aura l'air fin !

Un « Oh, arrête ! » collectif l'obligea à se taire. Il remballa ses affaires en bougonnant, mais juste pour la forme. En fait, l'idée de retourner à cet endroit l'émouvait autant qu'elle lui faisait peur. Il tenta tout de même une dernière approche :

— Et si une partie de la falaise s'est effondrée, on fait quoi ?

— Demi-tour ! lui hurlèrent en même temps cinq voix.

Nicolas continua à ronchonner :

— Vous êtes tous de grands cinglés...

Et il se mit en chemin en souriant intérieurement.

Ils regagnèrent leurs voitures, roulèrent cinq minutes et se garèrent sur un parking encore désert.

De là, ils marchèrent durant les deux kilomètres qui les séparaient de la plage en contrebas, faite de galets et de gravillons. Arrivés au pied des falaises, ils admirèrent un long moment le paysage, saisissant, entouré de ses immenses murs de craie.

Puis ils bifurquèrent sur leur droite, poursuivirent leur vadrouille sur une centaine de mètres et s'engouffrèrent dans le trou béant de l'une de ces parois blanches.

— Certains sautent d'ici à marée haute. Et c'est déjà impressionnant ! s'exclama Dimitri.

— J'ai le vertige ! avoua Nicolas.
— Pas moi ! jubila Charlène.
— Évidemment, toi, tu fais de l'escalade !
Charlène lui répondit par un baiser sur la joue et Dimitri lança :
— On grimpe encore ? On peut sauter de plus haut, la marée aura encore monté. Et puis, pour les dégonflés, il y a toujours la possibilité de rejoindre une autre issue pour regagner la terre ferme sans avoir à se mouiller les pieds ! ajouta-t-il en adressant un clin d'œil à Nicolas.
Dimitri ouvrit la marche : ils prirent une seconde échelle, perdirent plusieurs fois l'équilibre en empruntant un escalier glissant creusé dans la pierre avant d'atteindre une autre plage de galets.
— C'est ici que ça se corse un peu, lâcha Dimitri.
— Tu m'étonnes ! ironisa Nicolas. C'est le moment de tester votre appétence pour la varappe. Et de vérifier que vous êtes bien à jour de vos cotisations pour vos contrats d'assurance-vie !
Aude haussa les épaules en riant. Peu importait. Elle s'était prouvé beaucoup de choses ces derniers temps. Et l'idée de retrouver le bonheur à son âge lui paraissait désormais hautement probable. Alors, aujourd'hui, tout semblait réalisable. D'un seul coup, pour elle aussi ce chemin prenait un sens symbolique.
— Hors de question de faire demi-tour. On va jusqu'au bout ensemble. D'accord ? demanda-t-elle en se tournant vers Jérôme.
Il la regarda et lui sourit tout en lui pinçant doucement la joue.

— Oui, pas question de flancher devant l'obstacle !

Nicolas resta un instant interdit. Délirait-il ou venait-il de capter un truc entre eux deux ? Ses yeux glissèrent jusqu'à Charlène, qui le regardait d'un air amusé. Comme si elle parvenait à lire dans ses pensées, elle tendit les paumes de ses mains vers le ciel dans une mimique qui lui confirma que ce n'était pas seulement le fruit de son imagination.

— Alors là..., laissa-t-il échapper. Si je m'étais attendu à une telle conclusion...

— Ben oui ! Notre Aude est une vraie lionne..., clama Alexandre qui s'en tenait à la volonté exprimée de l'intéressée de poursuivre leur grimpette.

Dans son dos, la gueule d'Hannibal sortait d'un Eastpak.

— Vous êtes vraiment tous dérangés, chuchota Nicolas en frottant affectueusement le crâne du chien.

— Il faut passer par une autre ouverture pour atteindre le sommet du rocher dont on vous parlait, annonça Dimitri.

Ils grimpèrent le long d'une échelle, arrivèrent à une première cavité. Ils étaient maintenant à dix mètres au-dessus des galets. Une vue magnifique sur la falaise qui faisait la renommée d'Étretat s'offrait à eux.

Nicolas, ravi de son exploit, affichait un immense sourire.

— Waouh ! applaudit Charlène.

Au bout d'un moment, elle se tourna vers eux et les défia :

— Pas chiches d'aller à l'eau !

— Moi, je suis partant mais je ne peux pas : j'ai Hannibal ! soupira Alexandre.

Dimitri s'esclaffa.

— Ne t'inquiète pas pour ça ! J'en connais un qui préférera garder toutes nos affaires, assura-t-il en lançant un regard gentiment moqueur à Nicolas. Allez ! Mettez vos bijoux et papiers dans le sac d'Alex !

Il décrocha doucement le sac de ses épaules, tandis que chacun commençait à faire l'inventaire de ses poches.

Nicolas, Aude et Alexandre s'approchèrent du bord de la falaise. Le spectacle du soleil levant, vu de cet endroit, était véritablement saisissant. Alexandre finit par rompre le silence :

— J'ai toujours su que nous ne nous étions pas rencontrés par hasard. Je l'ai toujours su...

Ils échangèrent tous trois un regard complice.

Nicolas se perdit encore dans la contemplation de cet horizon lointain et murmura :

— Grâce à vous, je me suis pardonné...

Tous les trois face au vide, ils se sentaient unis par un lien fort et mystérieux.

— Alors, comme ça, tu n'as jamais sauté, Nico ?

— Non... J'ai toujours eu la trouille, avoua-t-il.

— Ça fout les jetons, reconnut Aude. Tu n'as pas peur, Alex ?

— Si, mais hors de question que je me dégonfle devant Dimitri. Il se moquera de moi jusqu'à la fin de mes jours si je ne le fais pas...

Aude et Nicolas éclatèrent de rire.

Ils sursautèrent lorsqu'une voix masculine se fit entendre dans leur dos :

— Euh... Petite vérification de routine quand même : est-ce que tout le monde sait nager ?

Ils se retournèrent brusquement : juste derrière eux, Charlène et Jérôme les regardaient avec bienveillance. Tous trois leur sourirent, tandis qu'ils recevaient en retour un clin d'œil complice en guise d'encouragement.

— Prêts, les garçons ? lança Aude en se tournant à nouveau vers le vide, le cœur battant à tout rompre.

— Prêts ! répondirent-ils à l'unisson, pas plus rassurés qu'elle.

— Vous savez quoi, les copains ? lâcha Alexandre. J'ai les jambes qui tremblent tellement qu'il n'est pas dit que je réussisse à pousser dessus pour sauter ! UN...

— Moi, je crois que je suis déjà en train de m'évanouir. Ne me lâche pas la main, Aude ! DEUX...

Dans un éclat de rire, elle serra très fort les mains d'Alexandre et de Nicolas, qui en firent autant. Leur peur disparut, et ils regardèrent tous trois devant eux, tous tendus vers le même objectif.

— Vous savez quoi, les garçons ? souffla-t-elle. Je vous adore... TROIS !

Lorsque Dimitri se tourna pour confier le sac et Hannibal à son frère, Alexandre, Aude et Nicolas venaient de se jeter dans les flots dans un immense cri de joie.

— Vous vous marrez bien mais en attendant, je ne sais pas comment je vais pouvoir sauter. J'ai tellement la frousse que j'ai l'impression d'être vissé au sol...

— Tu l'as dit ! approuva Nicolas.

Ils laissèrent passer un long silence, en parfaite communion.

— Un jour, alors que j'étais perdu, un ami m'a dit qu'il suffisait parfois d'un petit coup de pouce, balbutia Alexandre en lançant un regard à Nicolas et en tendant sa main à Aude.

Émue, Aude la prit de sa main gauche, et tendit celle de droite à Nicolas :

— On y va ? leur proposa-t-elle, une étincelle malicieuse dans les yeux.

— Ensemble ? proposa Alexandre.

Ils se penchèrent tous deux vers Nicolas, la même interrogation dans le regard.

— Ensemble, oui ! acquiesça-t-il à son tour en serrant un peu plus fort la main d'Aude.

Dans un même mouvement, ils fermèrent les yeux et prirent une grande inspiration. À travers leurs doigts entremêlés, ils se savaient parcourus d'une même peur, mais plus encore unis par une même force. Forts de toutes ces vulnérabilités qu'ils avaient combattues ensemble puis chacun de leur côté, ils éprouvaient maintenant le besoin impérieux de sceller le lien qu'ils avaient tissé entre eux par cette ultime épreuve. En cet instant précis, ils se sentaient tous trois soudés par quelque chose de puissant, et ne faisaient plus qu'un avec cette nature dont la beauté époustouflante s'étalait sous et devant eux.